배우 라미란

배우 이도현

배우 안은진

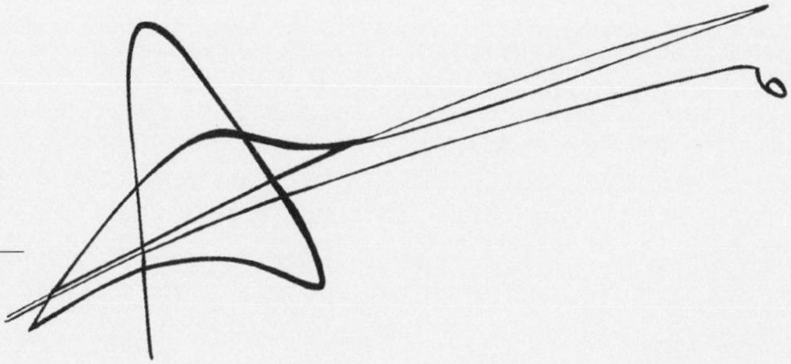

나쁜엄마

나쁜엄마

1

RHK
알에이치코리아

작가의 말

몇 해 전, 건강검진 결과에서 암 의심 소견을 받았다.
3개월 후 다시 재검을 하기로 하고 병원 문을 나서면서
정말 많은 것들이 두서없이 떠올랐다.
그중에서 나를 가장 슬프고 막막하게 했던 존재는 당연히
내 아이들이었다.

엄마인 내가 없어지고 나면 아이들은 어떻게 살아갈까?
남겨질 아이들에게 나는 무엇을 가르쳐야 할까?
착하고 성실하고 바르고 정직하게 사는 법?
정말 이 세상이 그것만으로 살아갈 수 있는 곳일까?
그러다가 이 각박하고 모진 세상에 상처 입고 이용당하면 어떡하지?
그렇다면 악착같이 이기적으로 사는 법?
안 돼… 그런 걸 가르치면 나쁜 엄마잖아.
아니, 세상의 모든 엄마는 결국 자식에게 나쁜 사람일 수밖에 없어.
길고 짧은 시간의 차이는 있지만 결국 우리 모두의 삶은 언젠가
죽음을 맞이해야 하는 시한부이고, 그 시간 내에 자식들에게 세상을
살아가는 방법을 혹독하게 가르쳐야 하니까. 그런데 만약 그 아이가

신체적으로든 정신적으로든 온전치 못한 아이라면?
나 없인 돌봐줄 가족조차 없는 아이라면?
심지어 누군가에게 괴롭힘을 당하고 있는 아이라면?

생각은 꼬리에 꼬리를 물었고 그렇게 3개월 동안 잠 한숨 제대로 이루지 못하고 한없이 질척여야만 했다. 조직검사 결과 다행히 악성이 아닌 양성종양이라는 결과를 받았지만, 그 시기에 고민했던 수많은 생각은 내 노트북에 이야기로 남겨졌다. 제목은 고민할 것도 없이 '나쁜 엄마'였다.

언젠가 동물 약품 관련한 일을 하는 남편을 따라 돼지 농장에 다녀올 기회가 있었다. 엄마 젖을 차지하기 위해 서로 엉켜 버둥대는 귀여운 아기 돼지들의 모습에 흐뭇해할 틈도 없이 어미 돼지와 새끼 돼지는 28일간만 함께할 수 있다는 안타까운 이야기를 듣게 됐다.
28일이라는 시간 동안 엄마 돼지는 아기 돼지에게
돼지의 모든 습성을 가르치고, 그 이후에는 또 다른 새끼를 임신하거나 혹은 도축을 위해 떠나야 한다고.
떠나는 엄마와 남겨지는 자식의 모습이, 내가 그토록 고민했던 이야기와 너무나도 닮아 있었기에 〈나쁜엄마〉의 무대는 돼지 농장이 좋겠다는 생각이 들었다. 그리고 바로 프롤로그가 만들어졌다.

> 머리부터 발끝까지 단 하나도 버릴 게 없는 동물이 있어.
> 그게 뭔지 알아?… 사람… 그리고 돼지.
> '돼지' 하면… 모두가 더럽고 냄새나는 동물이라고 생각하지만

사실 그렇지가 않아. 돼지는 똥, 오줌도 한자리에서만 누고,
잠도 깨끗한 데서만 자.
체온을 낮추고 벌레를 떼내려고 진흙목욕도 자주 하고 말이야.
그런데 사람들이 그런 돼지를 좁은 우리에 억지로
가둬놓은 거지. 결국 진흙으로 목욕을 할 수 없게 된 돼지는
자신의 똥과 오줌에 몸을 비비게 됐고…
그렇게 점점 더 더러워지고 난폭하게 변해간 거야.
참 가엾지 않니?
그런데 진짜 가여운 건 말이야. 돼지는 고개를 들 수가 없어서
평생 땅만 보고 살아야 한다는 거야. 오직 돼지가 하늘을 볼 수
있는 유일한 방법은 하나. 그건 바로… 넘어지는 거지.
그래 맞아…. 넘어져 봐야 이제까지 볼 수 없었던
또 다른 세상을 볼 수 있는 거야… 돼지도… 그리고… 사람도….

드라마 속 주인공인 영순의 인생은 기구하다 못해 처참하기까지 하다. 수없이 포기하고 싶었을 그녀의 박복한 삶이 아주 작은 희망으로 인해 다시 이어지고 살아지는 모습을 보여주고 싶었다.
그리고 그러한 영순의 인생은 그녀의 마지막 인사로 남는다.

인생이란 게 참… 신기하고도 기특하죠?
한 가지를 뺏어가면… 꼭 다른 한 가지를 그 자리에 채워놓아요.
부모 복이 없어서 남편 소중한 걸 알았습니다.
남편 복이 없어서 자식 소중한 걸 알았어요.
자식이 아프니 자식을 돌봐야 하는 내가 얼마나 소중한지를

> 알았고, 내 인생이 이렇게 짧다 보니 그 자리를 채워줄 이웃들이 얼마나 소중한지를 알았어요. 세상에 태어나 한평생을 살면서… 이 모든 소중함을 다 알고 가는 사람이 몇이나 될까요?… 이렇게 귀한 인생을 살 수 있어서 저는 참 행복한 사람입니다.

영화 시나리오만을 써왔던 나에게 장편 드라마라는 장르는 형식에서부터 호흡과 디테일까지 너무나도 생소하고 어려운 장르였다. 3년이란 시간이 걸렸고 매번 내 선택이 맞는 건지 모르겠어서 신나다가도 불안했고 포기하다가도 다시 노트북을 켰다. 그런 나에게 힘이 되어준 이들에게 마음을 전하고 싶다.
새롭고, 재밌고, 기발하고 자극적인 이야기들이 넘쳐나는 이 시대에, 이렇게 촌스럽고 소소한 이야기가 시청자들의 눈과 마음을 사로잡을 수 있을까? 매일 초조하게 손톱을 물어뜯는 내 곁에서, 오히려 지금 같이 빠르고 각박한 이 시대에 가장 필요한 이야기가 될 것이라며 함께 울고 웃어줬던 나의 소중한 보조 작가 황수현, 김보배. 한 편 한 편 정성스러운 조언과 응원을 아끼지 않았던 김소정, 연다영 피디님.
대본의 부족함을 너무나도 아름답고 완벽한 영상과 연출로 채워주신 나의 힘, 나의 가이드 심나연 감독님, 이정화 감독님.
지금도 조우리 어딘가에 살고 계실 것 같은 우리 보석 같은 배우님들.
드라마 처음부터 끝까지 애정을 가지고 도와주신 조진웅 배우님, 내 첫 드라마라는 이유 하나만으로 흔쾌히 달려와 장면을 빛내주신 류승룡 배우님, 무엇보다 나의 가장 사랑하는 영순과 강호, 미주가 되어주신 라미란, 이도현, 안은진 배우님에게 감사드립니다.

작품을 쓰는 3년 동안 든든한 힘이 되어 주신 박영규 선생님, 막막하고 어려운 법 지식과 법정씬 자문에 응해주신 김상민 검사님께도 깊은 존경과 감사의 마음을 전합니다.

이 이야기의 시작과 끝인 나의 소중한 가족들, 아빠, 엄마, 동생, 아버님, 아주버님… 그리고 나의 가장 든든한 팬이자 내 삶의 이유인 남편과 사랑하는 아이들 서진과 예진에게 이 책을 바칩니다.

2023년 5월, 배세영

〈일러두기〉

1. 이 책의 편집은 작가의 드라마 대본 집필 형식을 최대한 따랐습니다.
2. 단어, 표현, 구두점 등이 표준한국어맞춤법과 다르더라도 입말 표현을 살렸습니다.
3. 말줄임표와 띄어쓰기는 맞춤법과 다른 부분이라 해도 대사 시 호흡의 양을 다양하게 표현하고자 한 작가의 의도를 반영했습니다.
4. 이 책은 방송 전 집필한 대본으로 연출에 의해 방송된 영상물과 다소 차이가 있습니다.

기획의도

세상에는 참 재밌고 좋은 이야기들이 많다.
완벽하게 짜여진 서스펜스 스릴러, 감각세포들을 간질여주는 로맨스, 상상력의 끝판왕 SF판타지, 형사, 법정, 의학 등 온갖 장르물.
그런 이야기들을 보며 생각했다.
나는 어떤 이야기를 쓰고 싶은 작가인가?

우리는 가상현실, 인공지능, 사물인터넷 등 혁신적인 문명이 휘몰아치는 요즘을 살고 있다. 소통하고 협력하며 인내하고 배려하지 않아도 원하는 것을 즉각적으로 얻을 수 있는 획기적인 신문물 앞에서 우리는 병적으로 열광하거나 따라가지 못해 도태되는 양극의 삶을 살게 된 것이다.
이젠 지식과 정보로 무장된 MZ세대뿐 아니라 대다수의 사람에게도 벌써 공감과 배려라는 말은 어쩐지 낯설고 억울하기까지 한 말이 되어버린 것 같다.

공감과 배려… 그리고… 이 모든 것을 가능하게 하는 것… 사랑.
나는 사랑에 대한 이야기를 하고 싶었다.
언뜻 들으면 너무나도 촌스럽고 관념적으로 들리는 말이다.
하지만 사랑이야말로 각박하고 단절된 이 시대를 살아가는 우리에게
가장 필요한 것이 아닌가 싶다. 우리는 사랑을 할 때 살아 있음을
느낀다. 사랑을 받을 때 천군만마를 등에 업은 것처럼 용기가 난다.
〈나쁜엄마〉는 그 사랑에 대한 이야기다.

〈나쁜엄마〉에는 수많은 사랑이 등장한다.
운명처럼 스며들어 팍팍했던 강호의 삶에 숨통을 틔워준 첫사랑.
사랑하는 사람을 위해선 모든 것을 다 내어주는 미주의 뜨거운 사랑.
아랑곳하지 않고 한 사람만을 바라보는 삼식의 외눈박이 짝사랑.
서로 의지하며 긴 세월을 함께한 이장, 청년회장 부부의 단단한 사랑.
가족처럼 걱정하고 보듬어주는 조우리 사람들의 따듯한 사랑.
그리고… 이 세상에서 가장 보편적이고도 절대적인 사랑…
바로 자식을 향한 엄마의 사랑.

이 사랑은 유일하게 엄마만이 자식에게 줄 수 있는 영원불변의 불사조 사랑이다. 고된 시련 속에서도 꺾이거나 변하지 않는 자식을 향한 엄마의 사랑을 우린 모두 알고 있다. 엄마에게 받았던 그 사랑을 떠올린다면 이 힘든 시대의 초라한 점 같이 느껴지는 지금의 내가 얼마나 사랑스럽고 가치 있는 사람이었는지 기억하게 될 것이다.

우리들의 이야기인 〈나쁜엄마〉가 이 각박한 시대의 사람들에게 작은 희망이 되었으면 좋겠다.
창고에 유일하게 혼자 살아남아 영순의 희망이 되었던 엄마 돼지처럼.

인물 소개

엄마 & 행복한 돼지 농장 사장

진영순

세상의 모든 엄마는 나쁘다.
능력이 없어 자식에게 좋은 걸 해주지 못해 나쁘고,
능력이 많아 자식과 오랜 시간 함께 있어 주지 못해 나쁘다.
너무 많은 관심과 사랑을 집착스레 쏟아부어 나쁘고, 무관심해서 나쁘다.
하기 싫은 공부를 억지로 시켜서 나쁘고, 하고 싶은 공부를 뒷바라지
못 해줘서 나쁘다.
건강한 식단, 꼼꼼히 영양을 따진 맛없는 음식을 먹여 나쁘고,
달고 맛있는 음식, 인스턴트, 패스트푸드를 안 먹여 나쁘다.
왜 나를 낳아서… 나쁘고, 엄마 인생도 아닌 내 인생에 목숨 걸어서 나쁘고,
미리미리 병원을 안 가 병을 키워서 나쁘다.
엄마는 늘 그렇게 자식의 온갖 원망과 투정을 받아내며…
나쁜 엄마로 평생을 살아간다.
그리고… 여기 또 한 명의 나쁜 엄마가 있다.

어린 시절 화가가 꿈이었던 영순. 어린 나이에 눈앞에서 부모님과 남동생을 교통사고로 잃는 아픔을 겪고 화가의 꿈을 접어야 했다. 하지만 천성이 당차고 야무진 영순. 가장 좋아하는 노래의 가사처럼 '나는 행복합니다~'를 매일 주문처럼 외치며 누구보다 야무지고 똑부러지게 하루하루를 살아가고 있다.

어느 날 영순은 자신이 일하는 사료 가게의 단골손님인
젊은 돼지 농장 사장 해식에게 프로포즈를 받는다.
아기 돼지 목에 금반지를 매달아 보낸 귀여운 청혼이었다.
영순은 해식과 결혼해 열심히 돼지 농장을 하면서 예쁜 자식을 낳고 행복하게 살고 싶었다. 하지만 세상은 돈 없고 힘없는 사람들에게 그렇게 호락호락한 곳이 아니었다.

이 모든 것이 가난하고 무지하고 힘이 없었기 때문이라고 생각한 영순.
배 속의 아이만큼은 훌륭한 법관으로 키워서 억울한 일 안 당하고
당당하게 이 세상을 살아가게 해주고 싶었다.
그래서 독하게 마음먹고 악착같이 공부를 시켰다.
공부… 공부… 공부….
영순은 남들 다 가는 소풍 한 번을 보내주지 않았다.
배부르고 등 따시면 게을러진다고 밥 한 번 배불리,
방 한 번 뜨뜻하게 해주지도 않았다.
엄마를 닮아 미술에 소질이 있는 아들, 강호의 재능을 모른 척했고, 친구나 TV, 컴퓨터는커녕 딴짓을 할까 봐 아예 강호 방 문짝을 떼어내 버렸다.
때로는 미안했고, 때로는 마음 약해지기도 했다.
하지만 이 모든 것이 강호를 위한 일!
앞에선 강호의 눈물을 쏙 빼놓고, 돌아서선 남몰래 눈물을 닦았다.
결국, 강호는 영순이 그토록 원하던 검사가 되었고 영순은 이제 자신이 할 일은 끝났다고 생각했다. 강호가 뜻밖의 사고로 아이가 되어버리기 전까지는.

영순의 아들 & 서울중앙지검 검사

최강호

만일 누군가 '순자'의 성악설을 뒷받침할 근거가 무엇이냐고 묻는다면…
'자, 이 사람을 보시오!' 하고 자신 있게 말해도 될 만큼 강호는 나쁜 놈이다.

공명정대하지도 정의롭지도 않은 서울중앙지검 검사.
강한 자의 편에 서서 약한 자를 괴롭히는 안타고니스트의 전형.
웬만한 드라마라면 주인공을 괴롭히는 절대 악으로 나와 권선징악의 주제를 몸소 체현하고 처절하게 응징당해야 마땅할 그런 캐릭터 말이다.
사람들은 그런 강호를 보며 '성공을 위해서라면 지 에미도 팔아먹을 놈'이라고 수군댔다.

강호는 태어나는 순간부터 아버지가 없었다.
그리고… 태어나는 순간부터 '검사'라는 직업이 정해져 있었다.
강호의 엄마는 그 모든 이유를 '우리가 돈이 없고 힘이 없기 때문'이라고 했다.

돈이 없고 힘이 없는 건 분명해 보였다.
돼지 농장하는 엄마 덕분에 성냥개비 같이 깡마른 강호의 별명은
'돼지 새끼'였고 늘 돼지 똥냄새가 난다며 놀림을 당했다. 하지만 강호는 신경 쓰지 않았다. 아니 신경 쓸 겨를이 없었다.

자신에게 주어진 이 모진 운명을 이해하고 자시고 할 여력 따위도 없었다.
덕분에 강호는 무럭무럭 독해졌고 그렇게 검사가 되었다.

"그러게… 그러니까… 그게 누구 탓이냐고?!!
니 아빠가 왜, 뭣 땜에 억울해서 죽었는지 그것 좀 밝혀 달라고!!
지긋지긋해? 도망가고 싶어 미치겠지?… 판검사 돼… 그래야 너 벗어나.
저 고약한 돼지 똥냄새한테도, 이 나쁜 엄마한테도…"

그랬다. 이 모든 것이 바로 엄마 때문이었다.
억울한 재판 뒤에 숨겨진 아버지의 죽음.

하지만 엄마에게 모진 말을 쏟아내고 돌아오는 길.
강호는 뜻밖의 사고로 7살 지능의 아이가 되어버린다.

그렇게나 벗어나고 싶었던 나쁜 엄마 영순은 단 한 순간도 없어선 안 될 소중한 사람이 되어버렸고, 그렇게나 매몰차게 차버렸던 옛 연인 미주는 다시 나타나 강호의 심장을 콩닥이게 한다.
이제서야 비로소 세상을 살아가는 법을 제대로 배우게 되는 강호.
돈도 힘도 기억도 없지만 그저 행복하기만 하다.

안은진

네일 아티스트 & 강호의 고향 친구이자 옛 연인

이미주

미주는 착하다. 그래서 불의를 참지 못한다.
엄마를 두고 바람이 난 아빠를 찾아가 멱살을 잡았고, 청담동 에스테틱에서 자신에게 발길질을 한 오태수의 외동딸에게 맞발길질을 날려줬으며, 성희롱을 일삼는 남자 손님의 손가락을 살포시 분질러주었다.

미주가 네일 아티스트가 된 이유는 엄마 때문이었다. 춤바람 난 아빠를 찾아가 소리소리를 질렀을 때 미주에게 초콜릿을 내밀던 아빠의 파트너.
그녀의 하얗고 예쁜 손에 칠해진 매니큐어를 보고 숨이 멎는 듯했다.
엄마에게선 단 한 번도 본 적이 없는 손이었다.

엄마는 매일 밤낮으로 밭에서 일만 했다. 고추를 심고, 마늘을 심고, 배추를 심고, 열무를 심고 또 고추를 따고, 마늘을 따고, 배추를 뽑고, 열무를 뽑고….
그러느라 굳은살이 박이고 꼬질꼬질 흙 때가 끼어서 때수건으로 문질러도 하얘지지 않았다. 미주는 그런 엄마가 너무 안돼서 이담에 크면 꼭 네일

아티스트가 돼서 매일매일 엄마 손에 형형색색 예쁜 매니큐어를 발라주고
반짝이는 큐빅을 달아주리라 마음먹었다.
그러면… 엄마도 행복해질 거라고 생각했다….
그리고 어쩌면… 진짜진짜 어쩌면…
아빠도 다시 집으로 돌아올 거라고 믿었다.

그러던 어느 날. 신림동 작은 네일샵에서 일하던 중 우연히 강호를 만났고
두 사람은 기다렸다는 듯 사랑에 빠졌다. 그때, 강호는 사법고시를 준비하는
고시생이었다. 엄마의 도움 따위는 더 이상 받고 싶지 않아 횟집에서
서빙 알바를 하며 공부하고 있다는 강호의 말에 미주는 마음이 짠해졌다.
태어나면서부터 주어진 법관이라는 운명이 강호에게 얼마나 가혹한
것이었는지를 알기에 세상을 향한 강호의 복수에 동참하고 싶었다.

"너 공부만 해라…. 알바해도 붙을 놈이 알바 안 하면 수석 할 거 아니야.
나 너한테 투자할래…. 가진 게 없어서… 일단은 나부터….
그 복수… 내가 도와줄게."

그날부터 미주는 본격적으로 강호 사시 바라지를 시작했다. 밥하고, 빨래하고
또 월급을 받아 강호의 방값과 학원비를 대주었다. 힘들고 고됐지만 행복했다.
사랑했기 때문이다.

마침내 강호는 사시에 합격했다. 하지만 그는 어딘지 모르게 조금씩
차가워지기 시작한다.

7년이 흐르고… 악착같이 벌어놓은 돈으로 네일샵을 차린다. 하지만 같이
동업을 하던 언니가 보증금과 회원권 팔아 받은 돈을 모조리 들고 튀어
버린다. 결국 사랑도, 명예도, 이름도 남김없이… 모든 것을 잃고 빈털터리가
되어 미주는 고향으로 돌아오게 된다.

방삼식

강호와 미주의 동창
& 청년회장과 박씨의 외아들

유인수

어릴 적부터 쭈욱 미주를 짝사랑하는 나름 순정마초맨…. 껄렁거리고 무식한 스타일로 절도죄로 복역했다가 출소한 지 며칠 안 되었다. 보는 사람마다 언제 사람 되냐며 혀를 끌끌 차는 조우리 사고뭉치.

송우벽

우벽그룹 회장

최무성

온갖 불법적인 악행을 저지르며 우벽그룹 회장이 된 입지전적인 인물. 유력한 대선주자인 오태수 의원과의 커넥션을 위해 강호를 이용하기로 한다. 하지만 강호가 뜻밖의 사고를 당해 오태수의 약점을 잡을 증거자료가 사라지자 소 실장과 차 대리를 강호의 고향 '조우리'로 급파한다. 자신의 이익을 위해 강호를 이용하는 비열한 인물.

오태수

검사 출신 국회의원

정웅인

송우벽을 견제하며 유력 대권주자로서의 탄탄대로 행보를 걷고 있다. 강호에게 약점이 잡혀, 어쩔 수 없이 강호와 자신의 무남독녀 하영을 결혼시키기로 약속한다.

이장

마을 이장

김원해

조우리의 대소사를 관장하는 마을 사람들의 정신적 지주. 자녀는 없지만 아내와 금슬이 좋다.

이장 부인

호랑이 엄마

박보경

항상 팩을 붙이고 다녀 드라마 내내 얼굴을 알 수 없다. 늘 애완견을 안고 다니며 입바른 소리를 해서 마을 사람들을 기겁하게 만든다.

정씨

미주의 엄마 & 영순의 이웃

강말금

춤바람 난 남편은 진즉에 죽고 미혼모가 된 미주의 쌍둥이 남매 예진, 서진을 키우고 있다. 한날 한곳에서 아이를 낳은 기막힌 인연 때문인지 영순에 대한 애정이 남다르다. 마음이 따뜻하고 정이 많다.

박씨

삼식이 엄마 & 영순의 이웃

서이숙

애처가 남편, 청년회장과 함께 방앗간을 운영한다.
늘 교도소를 들락거리는 아들을 둔 입장에서 영순에 대해 부러움 반, 질투 반이다. 아들을 엄청 사랑하지만 늘 그녀의 표현은 등짝스매싱.

청년회장 **삼식이 아빠 & 방앗간 사장**

장원영

박씨의 남편이자 삼식이 아빠. 조우리의 브레인답게 늘 어려운 문제를 솔선수범 해결한다. 속 깊고 정 많은 재치꾼, 나름 얼리어답터다.

양씨 **양조장 박수무당**

이상훈

양조장 주인, 무당 꽃선녀, 조우리 부동산, 하숙집 주인 등 조우리에서 많은 분야에 관여하고 있다.

예진&서진 **미주의 쌍둥이 남매**

기소유&박다온

강호의 베프. 엄마, 아빠가 미국에서 돈 많이 벌어서 돌아올 거라고 믿고 있는 아이들. 늘 아빠를 '개잡놈의 호로새끼'라고 욕하는 할머니 정씨와 살고 있다. 야물딱진 예진은 강호를 좋아하고 순하고 눈치가 빠른 서진은 어른스럽다.

트롯백 **표절 작곡가**

백현진

전국 최대 규모 트롯 콘서트홀을 짓겠다는 야심을 가지고 고향 조우리로 내려온 작곡가. 영순네 돼지 농장 자리를 뺏고 싶어 온갖 계략을 꾸리며 영순을 괴롭힌다.

인물 관계도

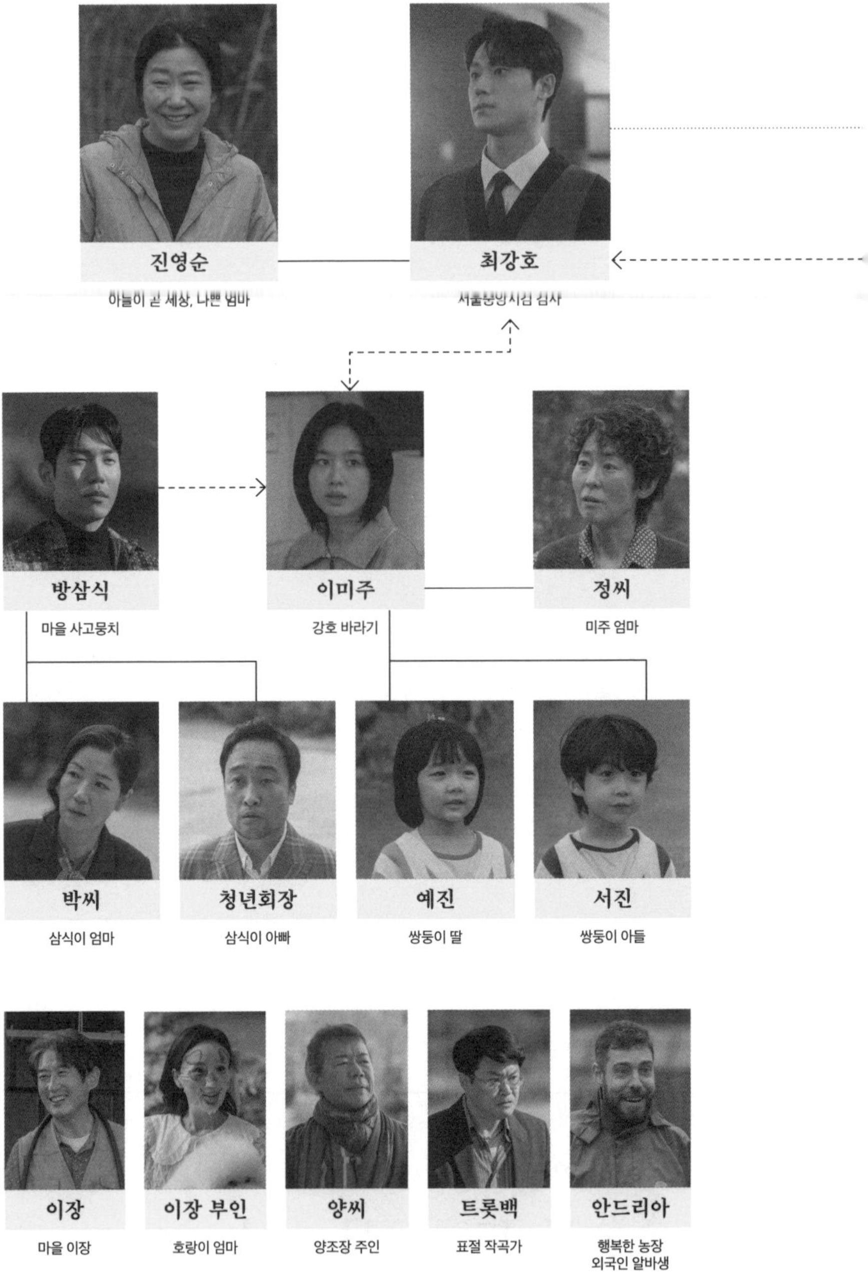
진영순
하늘이 곧 세상, 나쁜 엄마
최강호
서울중앙지검 검사
방삼식
마을 사고뭉치
이미주
강호 바라기
정씨
미주 엄마
박씨
삼식이 엄마
청년회장
삼식이 아빠
예진
쌍둥이 딸
서진
쌍둥이 아들
이장
마을 이장
이장 부인
호랑이 엄마
양씨
양조장 주인
트롯백
표절 작곡가
안드리아
행복한 농장
외국인 알바생

가족
애정
대립
오하영
강호 약혼녀
오태수
차기 대권주자
송우벽
우벽그룹 회장
황수현
오태수 내연녀
소지석
우벽그룹 소 실장
차승언
우벽그룹 차 대리
선영
미주네 네일샵 동업자
호랑이
이장댁 강아지
사자
강호네 반려돼지

용어 정리

씬 Scene. 같은 장소와 시간에 이루어지는 상황이나 행동, 대사, 사건이 나타나는 한 장면을 의미합니다.

D/N 낮/밤. 씬 내의 시간대를 의미합니다.

몽타주 편집된 장면들을 짧게 끊어 붙여서 의미를 전달하는 화면을 말합니다.

Na Narration. 화면 속 소리와 별도로 밖에서 들려오는 등장인물의 설명체 대사를 말합니다.

V.O Voice Over. 주로 등장인물은 보이지 않고 화면 밖에서 음향이나 대사를 전달할 때 사용합니다.

CUT TO 씬 내에서 화면이 전환될 때 사용합니다.

인서트 Insert. 씬 안에서 다른 씬을 넣을 때 사용합니다.

플래시백 Flash Back. 과거 씬을 불러오는 것. 주로 회상하는 장면이나 사건의 인과를 설명할 때 넣습니다.

F Filter. 필터를 거쳐 들리는 소리를 나타냅니다.

E Effect. 대사와 음악을 제외한 효과음을 뜻합니다.

C.U. Close Up. 배경이나 인물의 일부를 화면에 크게 나타내는 영상 기법입니다.

EPISODE 1

인연은 처음 만난 이헌티 허는 말이고…
운명은 마지막까지 남아준 이헌티 허는 말이랬다.
인연이 될지 운명이 될지는 모르겄지만
아무튼 우리 조우리 마을에 온 아가들…
부디 오래오래 건강하고 사이좋게 잘 자라거라….

1. 프롤로그

파란 하늘 아래 너른 초록의 들판이 끝없이 펼쳐져 보인다.

영순 Na 머리부터 발끝까지 단 하나도 버릴 게 없는 동물이 있어. 그게 뭔지 알아?… 사람… 그리고 돼지.

화면으로 들어오는 아기 돼지, 초록 들판 위를 신나게 달린다.

영순 Na 돼지 하면… 모두가 더럽고 냄새나는 동물이라고 생각하지만 사실 그렇지가 않아. 돼지는 똥, 오줌도 한자리에서만 누고, 잠도 깨끗한 데서만 자. 체온을 낮추고 벌레를 떼내려고 진흙목욕도 자주 하고 말이야. 그런데 사람들이 그런 돼지를 좁은 우리에 억지로 가둬놓은 거지. 결국 진흙으로 목욕을 할 수 없게 된 돼지는 자신의 똥과 오줌에 몸을 비비게 됐고… 그렇게 점점 더 더러워지고 난폭하게 변해간 거야. 참 가엾지 않니?

정신없이 이리저리 달리는 아기 돼지. 나무등걸, 바윗돌을 요리조리 피해가며 넘어질 듯 말 듯 열심히 뛴다.

영순 Na 그런데 진짜 가여운 건 말이야. 돼지는 고개를 들 수가 없어서 평생 땅만 보고 살아야 한다는 거야. 오직 돼지가 하늘을 볼 수 있는 유일한 방법은 하나. 그건 바로…

순간, 열심히 도망가다 진흙을 밟고 발라당 자빠져버리는 아기 돼지.

영순 | Na | …넘어지는 거지.

아기 돼지의 눈동자에 비치는 파란 하늘. 눈을 꿈뻑꿈뻑이더니… 이내 씨익 웃는 아기 돼지.

영순 | Na | 그래 맞아…. 넘어져 봐야 이제까지 볼 수 없었던 또 다른 세상을 볼 수 있는 거야… 돼지도… 그리고… 사람도.

순간, 화면으로 들어오는 한 남자의 손이 아기 돼지를 들어 올린다.

남자 | V.O | 잡았다!

아기 돼지를 보며 환하게 웃는 남자… 해식(25)이다.

2. 도로 / D

자막 1986년

♪ **나는 행복합니다~ 나는 행복합니다~** 흥겨운 노랫소리가 들려오는 가운데 여러 종류의 사료를 가득 싣고 시골길을 달리고 있는 1톤 트럭이 보인다.

3. 트럭 / D

카스테레오에서 흘러나오는 노래를 따라 부르며 어깨를 들썩이는 영순(20).

영순 **♪ 기다리던 오늘 그날이 왔어요. 즐거운 날이에요~**
움츠렸던 어깨 답답한 가슴을 활짝 펴봐요.

4. 농가 / D

영순의 차가 들어오자 컹컹컹 일제히 짖기 시작하는 여러 마리의 개들.

영순 (창밖으로 몸 내밀고) 식사 시키신 분~~?!

개들 컹컹컹컹.

영순 (개들 보며) 아, 요기들 모여 계셨구나… 늦어서 죄송해요.
오다가 앞에 경운기를 만나는 바람에….

영순, 웃으며 트럭 운전석에서 폴짝 뛰어내린다. 사료를 척척! 들어 한쪽에 쌓기 시작하는 영순. 그때, 들어오는 농가 주인아저씨.

아저씨 아이구… 또또 혼자 이런다… 여자가 뭔 힘이 있다고….

하며, 트럭의 사료 한 포대를 번쩍 들어 올리다 어어~ 휘청하더니 사료를 안고 자빠진다.

영순 그러게요… 여자가 뭔 힘이 있다고.

영순, 자신이 들고 있던 사료를 아저씨 품에 있는 사료 위에 턱 겹쳐 올린다. 아저씨, 컥!! 하는데… 순간, 사료 두 포대를 한꺼번에 들더니 씩씩하게 걸어가 쌓는 영순. 손을 탁탁 털며 빙그레 웃는다.

5. 영순 배달 몽타주 / D

- 또 다시 운전하며 신나게 노래하는 영순.

  ♪ 가벼운 옷차림에 다정한 벗들과 즐거운 마음으로 들과 산을 뛰며 노래를 불러요. 우리 모두 다 함께~

- 소 농장에 사료 내려놓는 영순.
- 닭 농장에서 돈 받아 세고 있는 영순. 아줌마가 계란 한 꾸러미 챙겨주고.
- 젖소 농장에서 아저씨가 막 짠 우유를 병에 담아 주고.
- 오리 농장에서 스뎅 대접에 타준 커피 한 그릇 원샷하고…
- 돈과 함께 이런 저런 채소, 과일, 참깨, 들기름 등을 건네는 사람들.
- 다시 차에 올라타는 영순. 힘이 든지 수건으로 이마의 땀방울을 슥슥 닦더니, 언제 그랬냐는 듯 밝은 얼굴로 다시 노래하기 시작한다.

  ♪ 나는 행복합니다~ 나는 행복합니다~ 나는 행복합니다~ 정말 정말 행복합니다.

6. 읍내 / D

서울 변두리 지역 작은 읍내. [중앙사료]라고 쓰인 가게. 그 앞에 영순이 타고 다니던 1톤 트럭이 보인다.

7. 중앙사료 / D

각종 채소, 계란, 떡, 들기름 등 봉지를 하나하나 열어보는 사료 가게 사장(40).

영순은 책상 앞에 앉아 장부를 기입하고 있다.

사장 이건 또 뭐야?

영순 아, 그거 시골에서 직접 농사 진 고춧가루래요.

사장 옘병… 시골에서 직접 농사 안 진 고춧가루도 있나?
(파, 양파 들고) 그럼 뭐… 이건… 어디 구로공단서 조립해 온 겨?
쓸데없는 것 좀 주지 말고 외상값들이나 갚으라 그래!

영순 아! 조수석에 '오디'도 있는데… 그게 남자한테 그렇게 좋다고
메추리 농장 은주 아줌마가 사장님 갖다 드리래요.

사장 (가만히 보다가) 은주 씨? 아니 은주 씨가 남자한테 좋은 걸
왜 나한테…(싱글벙글 노래하며) **♪오디로 갔나? 오디로 갔나?**
오디가…

슬그머니 나가는 사장. 빙그레 웃는 영순, 다시 장부를 기입하는데…
잠시 후, 딸랑~ 하는 소리와 함께 문이 열린다.

영순 어서 오…

순간, 눈이 커지는 영순. 홱 몸을 뒤로 돌려 양손으로 빠르게 머리를
가다듬더니, 책상 서랍을 슬그머니 열어 새끼손가락에 인주를 살짝 묻혀
입술에 바른다. 그리고는 아주 자연스럽게 스윽 다시 돌아보며.

영순 …오셨어요?

문 앞에 양복을 쫙 빼입고 서 있는 한 남자, 해식. 약간씩 몸을 움찔움찔

들썩거린다. 뒤에 뭔가를 숨긴 듯…

영순 (양복 입은 해식을 가만히 훑어보다가) …상갓집 가세요?

해식 (조금 당황했다가) 아… 아뇨… 그게 아니고…. (결심한 듯) 영순 씨!!!

하더니… 뒤춤에 감추었던 뭔가를 앞으로 홱! 내밀어 보인다. 해식의 손에 들린 건 너무나도 작고 귀여운 아기 돼지다. 그리고 아기 돼지 목에 리본으로 묶어 걸어놓은 금반지… 반짝! 눈이 커지는 영순.

해식 저와 결혼해 주십시오!!!!!

아기 돼지를 바닥에 내려놓는 해식. 아기 돼지가 가만히 서 있자, 얼른 툭툭 돼지의 엉덩이를 민다. 그러자 아기 돼지가 영순을 향해 달려가기 시작한다. 영순, 얼굴이 환해지며 아기 돼지를 향해 팔을 뻗는데… 순간, 갑자기 방향을 트는 아기 돼지, 쌓아놓은 사료포대들 사이로 들어가고… '어어어!! 안 돼!!' 아기 돼지를 잡으려고 쫓아가는 해식과 영순. 겁먹은 아기 돼지, 정신없이 요리조리 피해 도망 다닌다. 그때, 가게 문이 열리며 입이 푸르딩딩하게 변한 사장이 들어온다.

사장 오디가 다네… 오디가 달아….

순간, 그런 사장 다리 사이를 통과해 밖으로 나가버리는 아기 돼지.

사장 뭐야, 방금?

그러자 '잡아요!' 하며 사장을 퍽! 퍽! 밀치고 달려 나가는 해식과 영순. 사장도 얼떨결에 오디 봉지를 들고 뛰기 시작한다.

8. 거리 / D

달려가는 아기 돼지. 그 뒤를 쫓는 해식과 영순 그리고 사장.

해식 (고래고래) 잡아요! 거기 돼지 잡아!!!

가게 앞 청소하던 시계포 아저씨, 화장품 가게 아줌마, 리어카 목마 아저씨, 뻥튀기 아저씨 모두가 얼떨결에 같이 아기 돼지를 잡으려고 뛰기 시작한다. 지나가는 사람들을 아슬아슬 피해 정신없이 도망가는 아기 돼지. 앞쪽에서도 사람들이 몰려오자 방향을 틀더니, 옆에 있는 식당 안으로 쏙 들어가버린다.

9. 식당 / D

식당 안에 있던 손님 하나가 주방 쪽을 향해 소리 지른다.

손님 여기 삼겹살 하나 추가요!!!

순간, 눈이 커지는 손님. 아기 돼지 한 마리가 자신을 향해 달려오고 있다. 그리고 그 뒤를 쫓아 들어와 여기저기 흩어져 아기 돼지를 모는 사람들. 한참을 이리저리 뛰어다니며 난리를 치다가 결국, 영순이 아기 돼지를 잡는다.

영순 잡았다!!!

영순, 손에 잡혀 꽥꽥꽥 소리 지르며 버둥거리는 귀여운 아기 돼지.

사람들 와아… 잡았다, 잡았어….

사람들, 서로서로 다행이란 듯 수고했다고 인사하고, 박수 치다가 점점 표정들이 굳어진다. 그제서야 식당 안에 풍경이 눈에 들어오는 사람들. 아기 돼지와 삼겹살을 번갈아 보며 조금씩 울상이 되는 아이. 삼겹살을 굽던 아이 아빠, 고기를 집어 막 입에 넣던 아이 엄마. 삼겹살 썰던 주방장, 삼겹살 서빙하던 직원… 모두모두 일시정지 상태다. 얼른 손바닥으로 아기 돼지 눈을 가리고 밖으로 나가자 우르르 따라 나가는 사람들.

10. 거리 / D

해식 잠깐만요… 영순 씨… 잠깐만….

빠르게 걸어가다 그제서야 걸음을 멈추고 돌아보는 영순. 해식, 얼른 돼지 목의 반지를 풀어 영순에게 내민다.

해식 죄송해요. 다음번엔 말 잘 듣는 놈으로다 확실하게 훈련을 시켜서….

영순 다음번에 또 결혼하시게요?

해식 아! 그렇지… (자기 머리 콩콩) 으… 뭐라는 거야…. (하다가 놀라) 어? 그럼?

빙그레 웃는 영순, 한 손으로 돼지를 안고 다른 한 손을 수줍게 내민다. 환한 웃음이 번지는 해식. 영순의 손에 반지를 끼워준다.

갑자기 와!!!! 하며 일제히 박수 치며 축하해 주는 사람들.

사장 살 것도 없으면서 어째 뻰질나게 드나든다 했… 뭐야…
그럼 미스진, 가게 그만두는 거야? 안 돼!! 안 돼, 안 돼!
나 이 결혼 반대야!! 이 결혼 무효야!!

난동 부리는 사장. '시끄러워요', '저리 가' 그런 사장 입을 막고 밀어내는 사람들. 배시시 행복하게 웃는 영순과 해식.

11. 돼지 농장, 사무실 / D

그 웃음 그대로 담긴 영순과 해식의 결혼사진이 사무실 벽에 걸려 있다.
사무실로 함께 들어오는 해식과 소방공무원.

소방공무원 누전이나 합선된 데도 없고 전기 시설은 이상 없네요. 스파크 튀는 게 젤 위험하니까 먼지만 자주자주 제거해 주세요.
물 뿌리실 때 특히 조심하시구요.

해식 바쁠 텐데… 고마워.

소방공무원 아후… 고맙다뇨. 제 일인데요…. 요즘 돈사 화재 출동이 잦아서 서에서도 아주 비상이에요. 그럼 다음에 순찰 돌 때 또 들를게요.

해식 아… 잠깐… 이거….

해식, 뒷주머니에서 흰 봉투 하나를 꺼내 준다.

해식 지난주에 애기 돌이었다며… 아부지가 그러시드라. 옷이라도 하나 사줘….

소방공무원 아휴… 아니에요… 전 형님 결혼식도 못 가 봤는데….

해식 (주머니에 넣어주며) 별소릴… 어머니 땜에 주말마다 병원서 사는 거 내가 몰라? 정 맘에 걸리면 나중에 우리 애기 돌 때나 와서 축하해 줘.

소방공무원 (눈이 커지며) 예에?… 그럼?!!!

해식 (끄덕끄덕하더니) 나 드디어 아빠 된다~

소방공무원 이야~~ 축하드려요… 예정일이 언제예요?

해식 내년 9월… 용띠야, 용띠…. 그것도 삼백 년 만에 한 번 온다는 88년 쌍용띠!!

얼른, 책꽂이에 꽂힌 작명 책을 꺼내 들고…

해식 요즘에 이거 공부하고 있어. 우리 새끼 최고 좋은 이름 지어주려고… 한번 들어볼래? (작명 책 사이 종이 하나 꺼내 읽으며) 강철, 강수, 강준… 요변이 강자 돌림이라… 강훈, 강식, 강민….

소방공무원 딸이면 어쩌려고요?

해식 (얼른) 강희, 강순, 강자, 강미… 나도 다 대비하고 있거든!

해식, 서랍 맨 밑을 열더니 투명 상자에 든 로봇과 미미인형을 꺼내 흔든다.

해식 짜잔… 딸일지 아들일지 몰라서… 흐흣….

소방공무원, 해맑게 웃는 해식을 가만히 웃으며 바라본다.

소방공무원 내년 9월이면 이제 막 생긴 건데… 벌써 이름까지… 진짜 엄청 좋으신가 보다.

해식 당연하지… 아후 사람은 왜 열 달이나 걸리는 거야? 돼지들처럼 한 네 달 만에 쑥 나오면 얼마나 좋아.

소방공무원 하하하… 그러게요…. 저도 '강'으로 시작하는 좋은 이름 있나 생각해 볼게요.

해식 하지마… 내가 지을 거야… 절대 생각하지 마! (웃으며) 고생했어….

소방공무원, 웃으며 꾸벅 인사하고는 나간다. 해식 웃으며, 로봇과 미미인형을 다시 서랍에 넣다가 무언가를 보고는 빙그레. 서랍 속에 든 통장 하나를 꺼내 흐뭇하게 넘겨 본다. 그때, 농장 인부가 다급하게 들어온다.

인부 모돈사에 좀 와보세요. 또 시작했어요.

또?… 해식, 급하게 통장을 서랍 속에 넣고는 나간다.

12. 돼지 농장, 모돈사 / D

머리에 피가 난 채 쓰러져 거칠게 숨을 헐떡이고 있는 돼지 한 마리가 보인다. 스툴에 천을 대고 테이프로 묶고 있는 해식과 인부.

해식 아프지도 않냐? 도대체 뭐가 그렇게 괴로워서 머릴 박아대? 배 속에 애기들 생각도 해야지, 어미가 돼서 그럼 써?

영순 V.O 여기 계셨어요?

목소리에 해식 돌아보면, 임부복을 입은 영순이 접시를 들고 서 있다.

13. 돼지 농장, 사무실 / D

사무실에 설치된 작은 티브이에서 뉴스가 나오고 있다.
[지방도 포장 사업 755km 공사 박차]라는 자막이 보인다.

앵커 내무부는 성화봉송로 등에 대한 지방 도로 포장 사업을 서울올림픽 이전에 완공하기 위해 인력과 장비를 확충하는 등 공사에 박차를 가하고 있습니다.

계속해서 뉴스가 흐르는 가운데… 그 앞에서 다정히 앉아 해식의 입에 녹두전을 넣어주고 있는 영순.

영순 우리 애기는 겨우 요만 할 텐데도… 벌써부터 이렇게 속도 안 좋고 힘든데… 어미 돼지는 배 속에 새끼를 열 마리나 넣고 얼마나 힘들겠어요.

해식 후~ 그건 그런데… 다른 어미들까지 스트레스 받을까 봐 그러지. 예민한 시기에 유산이라도 하면 큰일 나니까….

영순 (가만 생각하다) 그럼 따로 분리해 놓는 건 어때요? 집 창고 비어 있잖아요.

해식　　…그럴까?

영순　　제가 우리도 만들어주고… 아침, 저녁으로 사료 챙겨주면서 돌볼게요.

해식　　말도 안 돼… 임신 초기에 제일 조심해야 돼… 절대 무리하지 마…. (젓가락 뺏으며) 이런 것도 들지 마… 내가 다 해줄 거야….

영순　　아휴… 나 괜찮아….

해식　　글쎄 안 된다니까…. 우리 애기가 안 괜찮아… (하더니) 어디 보자. 우리 용용이 뭐하나?

해식, 얼른 서랍 속에서 종이컵을 실로 연결한 전화기를 꺼내 영순 배에 댄다.

해식　　용용아… 치치… 치치… 들려? 아빠야… 아빠 해봐~~ 아!빠! (종이컵을 귀에 댄다) 어? 아빠 했다!! 아빠 했어!!

영순　　(웃으며) 에이~

해식　　진짜야… 뭐? 엄마한테 뽀뽀하라고? 찐하게? (영순 보며) 뽀뽀하래.

하더니, 영순 얼굴을 잡고 입에 뽀뽀를 쪽쪽쪽! 그때, 문이 열리며 들어오는 마을 반장. 화들짝 놀라 떨어지는 해식과 영순.

반장　　아이고, 여기는 애가 나오기도 전에 하나 더 들어서겠네….

해식　　반장님 오셨어요.

영순　　녹두전 좀 드세요.

반장 와~ 역시 마누라가 있으니까 이런 것도 챙겨주고… (한 점 먹더니) 우와!… 이거 맛있네~~

해식 그쵸? 죽이죠?… 흐흐흐… (히죽히죽 웃다가 민망해져) 근데 갑자기 어쩐 일이세요?

반장 아… 자네랑 긴히 상의할 일이 있어서. 그 왜 올림픽 성화봉송 알지? 횃불 들고 막 이렇게 뛰는 거…. 이번 서울올림픽 성화가 봉우로로 해서 요 바로 앞길로 지나간다네?

영순 어머!! 정말요?

해식 이야… 영광이네. 올림픽 성화봉송을 눈앞에서 보는 거잖아요.

반장 그러니까… 돈 없어서 개막식 이런 데는 못 가도… 얼마나 마을 경사야. 그래서 말인데 우리도 마을 사람들 좀 동원해서 태극기랑 플랜카드 이런 거 좀 막 흔들어줄까 하는데….

영순 와~~ 좋은 생각이에요… 태극기랑 플랜카드는 제가 만들게요. 저 그림 잘 그려요.

해식 또또… 무리하면 안 된다니까.

영순 무리라뇨… 이게 다 나라를 위한 일인데…. (반장 보며) 제가 해도 되죠?

눈빛이 반짝반짝 신이 난 영순.

14.　　　**돼지 농장, 사무실 안팎 / D**

[세계는 서울로, 서울은 세계로], [여기는 봉우동, 환영합니다] 등등 예쁘게 그림을 그려 꾸며놓은 플래카드들 몇 개 보이고… 농장 사무실 책상에 앉아 노래를 흥얼거리며 예쁘게 태극기를 그리고 있는 영순. 밖에선 험상궂게 생긴 덩치 몇 명과 해식이 마주보고 서 있다. 해식이 '철거 동의서'를 보고 있다.

해식　　이게 무슨 말입니까? 성화봉송 때문에 농장을 철거하다니요?

덩치　　성화봉송도 봉송이지만 이쪽으로 마라톤 코스가 생긴다잖아요…. 생각해 보쇼. 전 세계로 방송이 나갈 텐데, 화면에 이렇게 드럽고 냄새나는 돼지 농장이 잡히면 외국 사람들이 우리나라를 얼마나 후지게 보겠냐고요. 그러니까 다~ 이 애국하는 마음으로다가…

그때, 안에서 ♪ **아아~ 대한민국, 아아 우리 조국~** 하는 영순의 노랫소리가 흘러나오나 싶더니, 만든 태극기를 양손에 든 영순이 뛰어나오다가 멈칫…

영순　　……누구?

해식　　아니야, 아무것도…. 자자, 그만 나가세요. 저희 일해야 돼요.

해식이 덩치들을 밀자, '이게, 어따 손을 대!!' 하며 해식을 퍽 밀치는 덩치. 해식이 넘어진다.

영순　　(놀라) 여보!!!!!! (달려가 해식을 부축하며) 당신들 뭐예요!! 왜 이래요?

그때, 뒤에 서 있던 고급 승용차 문이 열리더니 땅 위에 탁! 내리꽂히는 야구방망이. 그리고 이어 모습을 드러내는 30대의 한 남자, 송 이사.

야구방망이에 몸을 의지한 채 절뚝절뚝 이쪽으로 다가온다. 얼른 허리를 숙여 척! 예를 갖추는 덩치들. 순간, 송 이사가 방망이로 덩치들을 사정없이 내려치기 시작한다.

송 이사 조용조용!… 공손하게!… 설명드리라 캤드만… 모 하는 짓이고! 모!! 모!!

이리저리 널브러지는 덩치들. 송 이사, 야구방망이를 짚고 절뚝절뚝 해식에게로 다가온다.

송 이사 죄송합니데이. 평생을 무식하게 주먹질이나 했지, 배운 기 읎어놔가….

송 이사, 안주머니에서 명함 하나를 꺼내 건넨다. '용라건설' 이사 송우벽. 그리고 이어 담뱃갑을 하나 꺼내며

송 이사 미국 메이저리그라고 아시죠? 이기… 보스턴 레드삭스 최고의 투수 로저 클레멘스 금마가 피는 깁니다. 패트리어트 미사일은 갖고 와도 이건 진짜 갖고 오기 빡센 거거든예. (한 대 내밀고) 일단, 한 대 푭고 마음 푸시지예~

해식 이런 양담배나 피면서 애국이요? 성화봉송이든 마라톤이든 아무리 천천히 걸어가도 여기 우리 농장 30초도 안 잡혀요. 냄새요? 외국 티비는 냄새도 나온답니까? 할아버지의 할아버지 때부터 집안 대대로 이어온 가보 같은 농장이에요. 내 아들한테도 물려줄 거고 내 손자에 손자한테도 물려줄 겁니다. (철거 동의서 흔들며) 절대 도장 못 찍어주니까 다신

찾아오지 마세요!!!

해식, 철거 동의서를 명함과 함께 구겨 송 이사 앞에 집어 던진다.
송 이사의 얼굴이 싸늘하게 굳는다.

15. 영순네, 창고 / D

창문 밖으로 눈이 내리고 있다. 따로 분리해 놓은 어미 돼지 한 마리에게 사료를 주고 있는 영순.

영순 많이 먹고 기운 차리자… 그래야 새끼들도 건강하게 낳지.

16. 영순네, 안방 / D

영순이 눈을 털며 들어온다.

영순 창고로 옮겨놓길 잘했어요. 얼마나 얌전해졌는지 몰라….

보면, 전화 통화하고 있는 해식.

해식 아무리 올림픽이 중요해도 법적으로 엄연한 개인 재산인데 지들이 뭘 어쩌겠어요. 무조건 버텨야 돼요. 반장님 중심으로 철거반대투쟁위라도 구성해서 싸워야 합니다. 당장 제가 변호사부터 만나볼게요. 네… 알겠습니다.

해식, 전화를 끊더니 시계를 보고는…

해식 어이고 벌써 시간이 이렇게 됐네. (일어선다)

영순 돼지 밥 제가 줬어요.

해식 아휴… 왜 그랬어? 힘들게….

영순 …당신이 더 힘들잖아.

그 말에 해식, 가만히 영순을 바라보다가 이내 따뜻하게 안는다.

해식 걱정 마… 나 알지? 나 절대로 포기 안 해… 절대 안 진다구… 나한테는 당신이랑 우리 용용이가 있으니까.

17. 돼지 농장 안팎 / N

어두운 새벽. 눈이 그쳤다. 농장 문에 채워 둔 쇠사슬이 절단기에 철컹~ 잘려나간다. 곧이어 농장으로 들어오는 여러 덩치들. 양손에 커다란 플라스틱 신나 통들을 들고 있다. 왈왈왈왈 짖어대는 농장견. 덩치 하나가 커다란 해머를 들고 개가 묶인 쪽으로 다가간다. 퍽! 소리와 함께 미친 듯이 짖어대던 소리가 한순간 뚝 그친다. 다시 빠르게 움직이는 발들. 어둠 속에 자동차 두 대가 나란히 서 있다. 앞차 뒷좌석에 앉아 담배를 피우며 농장 쪽을 보고 있는 송 이사. 순간, 빠르게 달려와 앞, 뒤차에 오르는 덩치들. 송 이사, 비릿하게 웃으며 담배꽁초를 밖으로 던지고는 차창을 올린다. 천천히 올라가는 차창 유리에 새빨간 불길에 휩싸인 농장이 비친다. 송 이사와 수하들의 차가 사라진다.

18. 영순네, 안방 / N

곤히 잠들어 있는 해식과 영순. 그때, '불이야!!! 불이야!!' 하는 소리가 들린다.
어렴풋이 눈을 뜨는 영순, 소란스러운 소리에 창가로 다가가 커튼을 연다.
점점 눈이 커지는 영순.

영순 여… 여… 여보!!!!!

19. 돼지 농장 앞 / N

불길에 휩싸인 농장. 마을 사람들이 몰려와 발을 동동 구른다.
'안 돼!!! … 안 돼!!!' 하며 농장을 향해 뛰어들려는 해식. 마을 반장과 몇몇 남자들이 그런 해식을 잡고 말리지만, 실성한 사람처럼 그들을 뿌리치며 농장으로 들어가려는 해식. '안 돼요, 여보!' 하며 해식의 허리를 다급하게 잡고 늘어지는 영순.

해식 놔… 애들이… 저기서 죽어가고 있어. 이러면 안 되잖아.
아무리 말 못하는 짐승이라도 이렇게 보내면 안 되는 거잖아!!

영순 여보… 미안해… 근데… 안 돼요…. 나도… 나도… 안 돼요.

해식을 있는 힘껏 꽉 끌어안고 우는 영순. 그대로 무너지듯 주저앉아 왜!! 왜!!! 왜!!! 바닥을 주먹으로 내치며 오열하는 해식.

CUT TO

폐허가 된 농장에 망연자실한 얼굴로 주저앉아 있는 해식. 그 앞에 마을 주민 한 명과 반장이 서 있다.

주민 내가 이 두 눈으로 똑똑히 봤어. 새벽에 오줌 누러 나갔다가 개 짖는 소리가 하도 요란해서 보니까… 웬 시커먼 놈들이 요 앞을 기웃거리고 있더라고. 저게 누군가… 자세히 보니까 요 며칠 동네 돌아다니던 그 용라건설 놈들이잖아. 저것들이 이 새벽에 뭔 일인가? 하는데 갑자기 시뻘건 불길이 막 치솟는 거라….

반장 봐… 내가 그놈들 짓일 거라고 했지.

해식 확실합니까? 확실히 보신 거 맞아요?

주민 아, 그렇다니까….

그때, '여보, 여보' 하며 다급히 뛰어 들어오는 영순. 해식에게 담배꽁초 하나를 내민다.

영순 이거… 그 사람이 피우던 그 미국 담배… 맞죠?

20. 법정 / D

재판이 열리고 있는 법정. 해식이 증인석에 앉아 있고, 피고인석에 송 이사가 앉아 있다. 30대 검사 오태수가 담배꽁초 하나를 송 이사에게 보여준다.

송 이사 네, 맞십니다. 제가 피우는 담배랑 같은 깁니다. 그기 뭐 문제 있습니까?

오태수 이 담배는 미국 내수용 담배로 국내에 정식 수입된 적이 없습니다. 즉, 일반인들은 구하기조차 힘든 이 담배가 최근 피고인과 철거문제로 갈등을 빚었던 피해자의 화재 농장 근처에서 발견됐다는 건 피고인 본인의 담배일 가능성이 매우 높다는 것입니다.

송 이사, 피식 웃으며 방청석에 앉아 있는 마을 사람들을 훑어보더니…

송 이사 거기… 대일부동산 김씨 아이씨!

김씨 (놀라서 본다) 나… 나?

송 이사 처음 인사 드리러 간 날… 제가 담배 한 대 드렸다 아입니까?

김씨 ….

송 이사 쩌기 전파상 사장님도 한 대 드릿고… 아!… 반장님도 드렸지예?

반장 난 그날 받자마자 폈어, 이 사람아!

송 이사 그기야 모를 일이지.

반장 (흥분해서 일어나) 뭐야… 그럼 내가 방화범이란 말이야?!!

CUT TO (다른 날)

주민 글쎄… 그게… 뭔가를 본 거는 맞는데… 가만 생각해 보니 그게 사람이었는지, 멧돼지였는지… 들개 같아 보이기도 했고….

CUT TO

인부 예… 맞아요. 지붕 페인트칠을 해야 하는데 계속 비가 와서 페인트랑 신나랑 농장 안에 보관하고 있었어요.

해식 저희가 갖고 있던 건 두 통뿐이었어요. 근데 발견된 신나 통은 다섯 개가 넘어요. 이건 분명히 방화입니다!!!

판사 조용히 하시라고요!!

CUT TO (다른 날)

소방공무원 방화보다는 전기 합선일 가능성이 높습니다. 사실… 평소 농장 전기 시설에 문제가 좀 많았거든요.

해식 !!!

소방공무원 몇 번이나 시정권고를 했지만 제대로 된 조치가 이뤄지지 않았습니다.

해식 상철아… 너 인마 왜 그래?!!

판사 조용히 하세요.

CUT TO (다른 날)

판사가 판결문을 읽고 있다.

판사 담배꽁초를 검사 측 추측만으로는 증거물로 납득하기 어려운 점, 피고인이 직접 방화하였다고 인정할 만한 목격자나 범행 도구가 발견되지 않은 점 등에 비추어 볼 때, 신빙성이 없다고 판단되는 바, 공소를 기각한다.

와아!!! 기뻐하는 송 이사와 변호사. 해식, 멍한 얼굴로 고개를 젓고… 그런 해식을 보는 영순, 가슴이 미어진다.

21. 거리 / D

미친 듯이 도망가고 있는 소방공무원. 그 뒤를 쫓아가는 해식. 그렇게 한참을 쫓고 쫓기다 막다른 골목에 다다르는 소방공무원.

소방공무원 가… 가까이 오지 마!!!

소방공무원 위협적으로 소리를 지르는데. 성큼성큼 다가가는 해식.
금방이라도 소방공무원을 한 대 내려칠 듯한데… 털썩 소방관 앞에 무릎을 꿇는 해식… 고개를 푹 숙인다.

22. 오태수 검사실 / D

오태수 검사와 해식이 마주 보고 앉아 있는 가운데 녹음된 테이프가 돌아간다.

소방공무원 어머니 수술비가 필요했어요. 아무리 뻐팅기고 지랄해 봤자 나라에서 강제로 수용해버리면 끝이라는 말에…. 죄송해요, 형님.

주민 미안하네…. 딸년이 어디 살고, 어느 직장에 다니는지 그놈들이 주소를 줄줄 읊는데… 자네 같으면 어떡했겠나?

녹음기를 끄는 오태수.

오태수 정말 고생하셨습니다. 이 정도면 충분히 항소 가능합니다.

해식 저… 내일 방송국하고 외신 기자들을 만나기로 했어요.

오태수 (놀라) 기자들이요?

해식 네… (서류 뭉치 내밀며) 여기저기 알아봤는데 그 송 이산가 하는 그 사람이 차기 용라건설을 물려받을 실세라고 하더라구요. 근데 이상한 건 그 송 이사가 개입한 철거 현장에서 유난히 화재 사건이 많았다는 거예요. 대부분 전기 합선으로 결론 났지만 석연치 않은 부분이 많았대요. 근데 어찌된 영문인지 매번 증인부터 화재 조사관까지 말을 바꾸고…. 두고 보세요. 이번 기회에 용라건설 그놈들은 물론이고 올림픽 개최한답시고 힘없는 국민들을 괴롭히는 이 빌어먹을 정부에 대해서도 싹 다 까발릴 겁니다.

해식, 안주머니에서 통장과 도장이 든 케이스를 꺼낸다. 한참을 먹먹한 눈으로 통장을 쳐다보며 만지작거리는 해식.

해식 (통장을 내밀며) 이건… 우리 애기 낳으면 새로 집 지으려고 모아 놓은 돈이에요. 농장 옆에 살면 냄새 난다고 놀림당할까 봐… (붉어진 눈을 얼른 닦아내며) 근데… 돼지 똥냄새보다… 저 더러운 놈들한테 힘없이 당하는 애비의 모습이 더 부끄러운 게 아닌가 하는 생각이 들었습니다. 얼마가 들어도 좋으니 꼭 좀 진실을 밝혀주십시요.

오태수 아아… 돈은… (하다가 멈칫 잠시 생각하더니) 일단 알겠습니다.

오태수, 통장을 받는다.

해식 그럼… 잘 좀 부탁드리겠습니다.

해식, 허리까지 숙여 공손히 인사를 하고 돌아서 나간다. 그 모습을 가만히 바라보던 오태수, 해식이 나가자 어딘가로 전화를 건다.

오태수 오태숩니다….

순간, 싸늘하게 바뀌는 오태수의 표정.

오태수 일이 좀 골치 아프게 됐는데요.

23. 시골길 / N

생각이 많은 얼굴로 트럭을 몰고 있는 해식. 생각을 떨쳐버리려는 듯 고개를 푸르르 흔들더니 카스테레오를 켠다. ♪ **나는 행복합니다** 노래가 흐르자 신나게 따라 부르는 해식. 조수석에 놓인 도시락 통에서 김밥을 꺼내 당근만 쏙 빼내고는 입에 넣고 오물거리며 계속 노래를 부르는데… 그때, 저 멀리 승용차 한 대가 길을 막고 서 있다. 클락션을 몇 번 울려보지만 꼼짝도 안 하는 승용차.

해식 뭐지?… 차가 고장 났나?

해식, 트럭에서 내려 승용차로 다가간다. 승용차 운전석을 들여다보며 똑똑 두드리는 해식. 그때, 징~~ 뒷좌석 창이 내려가더니 송 이사의 얼굴이 보인다.

24. 산속 / N

가죽 장갑을 낀 손으로 소주병을 들고 벌컥벌컥 마시는 송 이사.
크하~~~ 하며 입을 닦더니 도시락 통의 김밥 하나를 꺼내 입에 넣는다.

송 이사 어제 마 야구를 보는데… 하아… 으찌나 보골이 차든지….
야수한테 공이 잽혔으면 고마 2루든 3루든 멈촤야 되는데…
이 빙신이 욕심부리고 홈까지 뛰다 디져삤다 아입니까?

송 이사, 다시 소주를 벌컥벌컥 마신다.

송 이사 야구가 딱 보믄 이기 마 인생이그든. 사람은… 달리는 것보다
멈추는 걸 잘해야 되는 깁니다…. 지가 어디서 멈촤야
되는지도… 으이? 뭐… 어야둥둥 다 지난 일 아입니까?
최 사장님도 한 잔 쭉 드시고 인자 다 이자뿌소.

송 이사, 손을 뻗어 술병을 바닥에 내려놓는다. 그러더니 고개를 갸웃… 다시 술병을 눕혀놓는 송 이사.

송 이사 그르치… 이기 더 자연스럽지….

송 이사, 일어나 가자 따르는 수하들. 카메라 점점 빠지면 술병 옆에 가지런히 놓여 있는 신발. 그리고 그 위에 축 늘어져 매달려 있는 해식의 발이 보인다.

25. 영순네, 안방 / N

배냇저고리에 귀여운 아기 돼지 얼굴 수를 놓으며 벽에 걸린 시계를 쳐다보는 영순. 그때, 전화가 울린다. 기다렸다는 듯 얼른 다가가 수화기를 드는 영순.

영순 여보?!!

26. 영안실 / N

충격에 싸인 얼굴로 멍하니 서 있는 영순. 목맨 자국이 선명한 해식의 사체가 놓여 있다.

영순 (멍하니) 여보… 여보… 왜 이래요?… 왜 이러고 있어요. (해식 손을 잡고) 가자… 집에 가자…. 농장이고 뭐고 그냥 다 줘버리고… 그냥 집에 가자.

영순을 말리는 사람들. 그런 사람들에게 싹싹 손을 빌며…

영순 다 줄게요… 다 줄게요… 제발 우리 남편 좀 살려주세요… 우리 남편 좀 살려주세요… 아아… 말도 안 돼… 아니야… 아니야!!!!!!!!

영순, 그 자리에 주저앉아 오열한다.

27. 서울중앙지검 검찰청 앞 / D

낡은 경차에서 내리는 오태수. 그때, 바로 앞에 번쩍번쩍한 고급 외제 승용차가 끼익 와 선다. 차에서 내리는 한 남자… 공손하게 태수에게 인사를 하더니…

남자 수리 맡기신 차 가져왔습니다. 트렁크 세차까지 싹 마쳤으니 확인해 보시죠.

남자, 자동차 키를 오태수에게 건네고는 돌아서 간다.

오태수 (황당해서) 어어… 저기… 이봐요!!

하다가 보면, 차 키 열쇠고리에 대롱대롱 달려 있는 오태수 이름.
눈이 휘둥그레지는 오태수. 얼떨떨한 얼굴로 차를 만져보다 문득!
생각이 났는지 얼른 트렁크를 열어본다. LA다저스 로고가 선명한 야구숄더가방이 놓여 있다. 주위를 살피더니 가방을 슬쩍 열어보는 오태수.
현금 다발이 가득하다. 얼굴에 만면의 웃음을 띠는 오태수. 그때…

영순 V.O 오태수 검사님 맞으시죠?

놀라 얼른 트렁크를 닫고 돌아서는 오태수. 영순이 서 있다.

28. 오태수 검사실 / D

오태수와 마주 앉아 있는 영순.

영순 중요한 증거를 찾았다고 했어요. 기자들을 만날 거라고… 근데… 자살이라니요. 그게 말이 돼요? (사진 가리키며) 그리고 이것 좀 보세요. 이상하지 않아요? 목이 너무 깨끗하잖아요. 사람이 아무리 죽으려고 마음먹었어도 괴로우면 몸부림친 흔적이라도 나 있어야 되는 거 아니에요?

오태수, 그 말에 한숨을 쉬더니…

오태수 저도 여러 가능성을 열어두고 조사를 해봤지만 이런 정황만으로는 타살이라고 추정할 수 없습니다… 그래도 혹시나 하는 마음에 찜찜했는데… 지금 사모님의 말씀을 들으니 자살이 맞다는 확신이 드네요.

영순 네?… 그게 무슨…

오태수, 서랍에서 통장 하나를 꺼내 와 영순에게 내민다.

오태수 중요한 증거를 찾았다고 했다구요… 그런데 왜 저에겐 아무것도 가져오지 않았을까요? 오히려 그날 술에 취해 찾아와 죽고 싶다고, 혹시라도 자기가 잘못되면 이 통장을 아내분에게 전해달라고 하더군요. 술김에 어찌나 고집을 부리던지 일단은 받아두고 간신히 달래서 보냈는데… 이렇게 될 줄은….

참담한 얼굴로 눈물을 찍는 오태수. 멍하니 통장을 받아서 넘겨보는 영순.

[용용이]라고 쓰인 통장 앞 장을 보고는 흑흑흑 무너지는 영순.

29. 영순네, 창고 / D

힘없이 누워 있는 어미 돼지. 그 앞에 역시 힘없이 앉아 있는 영순.

영순 왜 그랬을까?… 얼마나 억울하고 막막했으면 그랬을까? 내가 어떻게든 곁에서 지켰어야 했는데… 어떻게든 힘이 돼주고 도왔어야 했는데…. 난 아는 것도, 가진 것도 없어. 딱 하나… 내가 가진 게 있다면… (배를 쓰다듬는다)… 이 아이만큼은 절대 우리처럼 살게 하지 않을 거야.

영순, 눈물이 흐르는 눈으로 천천히 어미 돼지를 돌아보더니, 우리 안의 돼지를 쓰다듬으며 말한다.

영순 살자… 살아보자… 내 새끼도, 니 새끼도… 엄마 살리려고 왔나 봐… 그러니까… 우리… 어떻게든… 살아보자….

영순, 야무지게 눈물을 싹싹 닦아낸다.

30. 시골길 / D

1톤 트럭을 몰고 시골길을 달리고 있는 영순. 조수석에 해식의 유골함이 보이고… 트럭 뒤쪽에 몇 가지 살림살이와 모돈 한 마리가 실려 있다.

사장 V.O 우리 사료 가게 거래하던 농장인데 한 2년 전에 문을 닫았어. 영순 씨니까 특별히 소개하는 거지, 그 돈에 그런 농장 찾기 힘들어.

커다란 돌에 [조우리]라고 쓰인 마을 입구로 들어서는 트럭.

31. 새 돼지 농장 / D

오래되고 낡은 농장을 쳐다보고 있는 영순. 다부지게 팔을 걷어붙인다.

32. 몽타주

- 카세트에서 ♪ **나는 행복합니다**가 흐르는 가운데… 쓸고 닦고 농장을 치우는 영순. 농장 입구에 돼지가 앙증맞게 그려진 [행복한 농장] 간판을 탕탕 박아 세운다.
- 수의사와 분만사에서 돼지 새끼를 받는 영순. 건강한 새끼를 열다섯 마리나 낳은 모돈. 눈물 콧물 범벅이 되어 감격스러운 영순.
- 읍내 서점에서 민법, 형법 등 법률 책과 옥편을 사는 영순.
- 배를 쓰다듬으며 법률 책을 큰 소리로 읽어주는 영순. 무슨 뜻인지 어렵기만 하고.
- 페인트칠하고, 망가진 곳을 손수 망치질하며 손보는 영순.
- 단풍이 들고… 어느덧 깨끗하게 단장을 마친 농장.

- 돼지가 실린 트럭 몇 대가 줄줄이 조우리로 들어온다. 오토바이 타고 가던 이장(27), 고추를 널던 정씨(24)와 정씨 시어머니, 논에 약을 치던 정씨 남편, 목줄이 풀려 도망가는 개를 잡던 박씨(26)와 하우스 비닐을 손보던 청년회장(23)… 등등 마을 사람들이 멍한 얼굴로 돼지가 실린 트럭들의 행렬을 본다.

33. 돼지 농장 안~마당 / D

농장에 가득한 돼지들을 흐뭇하게 바라보는 영순.

영순 Na 봐요… 여보… 나 혼자서도 잘했죠?…
앗… (배를 움켜쥐더니) 미안미안… 흣… 자기가 있는데
왜 혼자냐고 막 발길질을 하네요~

영순, 천천히 농장 밖으로 나와 농장 마당을 거닌다.

영순 Na 우리만 두고 간 당신 미워서라도… 보란 듯이 잘 키울 거예요. 그러니까 당신… 꼼짝 말고 거기서 지켜보세요… 아니… 지켜주세요.

영순, 붉어진 눈으로 먼 하늘을 바라보며 빙그레 웃어 보인다.

34. 돼지 농장 앞 / D

시끌벅적한 소리와 함께 곡괭이, 낫에 사냥용 엽총까지 들고 씩씩대며

몰려오는 마을 사람들. 정씨가 칠순 시어머니를 부축해서 걸어오고 있다. 그 뒤로 하늘하늘 쉬폰 원피스를 입은 이장 부인(20)이 얼굴에 하얀 시트팩을 붙인 채 머리에 구르프를 말고 들꽃을 꺾어 향기를 맡으며 따라오고 있다.

박씨 한 2년, 숨 좀 쉬고 살겠다 혔더니 또 지랄이네, 또 지랄이여.

정씨 말로 혀선 안 댜. 이참에 아예 농장 자리까지 싹 밀어버리자구!!

순간, 아이쿠쿠… 넘어지는 정씨 시어머니.

정씨 (시어머니 부축해 일으키며) 아이고… 그러니께 노인네는 좀 빠지시라니께….

청년회장 노인네고 여자고 애들이고… 다 빠져요. 이번엔 우리 남자들이 해결헐 테니께.

박씨 (청년회장 보며 가소롭다는 듯) 허이고… 꼴에 남자였슈?

청년회장 뭐여?!!

박씨 도대체 이 지경이 될 때까지 청년회장이란 사람이 뭐 한 거냐구유?

청년회장 (박씨 보며) 그러는 부녀회장은 뭘 했는디?

이장 어허!!!… 이게 뭐 허는 거여? 시방 우리끼리 싸울 때여?…

이장 부인 (조곤조곤 이쁘게) 맞아요. 작년에 저기 상축리에서도 마을 사람들끼리 싸움 나서 결국 우물에 농약 풀고 싹 다 뒈졌잖아요.

이장 아니 뭔 그런 끔찍한 소릴 허고 그랴….

이장 부인 그냥 뭐 그랬다구요. 신경 쓰지 마세요.

그때, 마당에 서 있는 영순을 발견하는 청년회장.

청년회장 어!… 저기 사람 있네… 이봐요!!!

큰 챙 모자를 쓰고 벽에다 예쁘게 아기 돼지 벽화를 그리고 있던 영순이 소리에 놀라 뒤를 돌아본다. 만삭의 영순이를 보고는 흠칫하는 마을 사람들.

이장 뭐여… 여… 여자네….

청년회장 이… 임산부예요.

그 말에 들고 있던 무기(?)들을 주춤주춤 내리는 남자들. 그러자 대뜸 앞으로 나오는 정씨.

정씨 옘비럴… 누군 임산부 아닌가?

박씨 쓰버럴… (등에 업은 애기 보여주며) 난 엊그제 몸 풀었거덩?

그 말에 갑자기 표정이 환해지는 영순.

영순 어머! 잘됐다. 그럼 우리 애들이 다 동갑이네요?
한 동네에서 같이 놀고, 학교도 다니고 하면 너무 좋겠다.

영순의 해맑은 웃음에 잠시 무장 해제되는 마을 사람들.

박씨 오매… 그르네… 진주네 출산일이 이 달 언제지?

정씨 (배 만지며) 보름도 안 남았제….

청년회장 이번엔 꼭 아들이어야 될 텐디….

정씨 시모 용한 디서 점 봤는디… 아들이랴….

이장 아! 그려요? 셋째는 아들이래요? 아이고 삼시 세판이라더니 잘됐네, 잘됐어.

이장이 호들갑 떨며 박수치자 마을 사람들도 박수치며…'축하혀','한턱 쏴' 하며 축하 분위기가 된다. 같이 박수 쳐주는 영순.

영순 어머!! 축하드려요. 돼지 한 마리 잡아야겠네요.

이장 이~ 그럼그럼… 잔치허면 돼지지.

순간 '돼지?' 하더니 '아차!' 정신을 차리는 사람들.

정씨 큼… 그짝 애랑 우리 애랑 같이 핵교를 댕길란가는 모르제… 이 마을서 돼지 농장은 절대 못 허니께.

영순 네? 왜요?

박씨 왜긴!!… 우리가 못 하게 계속 민원 넣을 거니께! 악취에, 폐수에, 벌레는 또 얼마나 꼬이는디….

청년회장 그뿐이여… 돼지 전염병 같은 거라도 터져봐. 이건 뭐 마을 전체가 발 묶이고… 아주 불편해서 살수가 읎어!!

이장 (영순 보며) 맞습니다. 에… 이 돼지 농장 같은 혐오시설의 경우는 미리 마을 사람들에게 양해와 동의를 구하는 것이 상식이고 도리인 겁니다.

그 말에 갑자기 표정이 굳는 영순.

영순 그럼 저도 넣어도 돼요?… 민원?

마을 사람들 ???

영순 (박씨 보며) 그 집 개들 시도 때도 없이 짖어대는 통에 아주 시끄러워 살 수가 없어요. (정씨 보며) 그쪽은 국유지 무단 점거하셨죠?

정씨 국… 국유지?

영순 도로에다 고추 말렸잖아요. 오다가다 밟을까 봐 얼마나 불편한지 알아요?

정씨 !!!!

영순 이장님은 총선 때 무슨 당, 누구 뽑으라고 마을 사람들 선동하시대요. 그거 엄연한 불법선거운동이에요… 민주국가에서 본인이 찍고 싶은 사람 찍는 게 상식이고 도리인 겁니다!! (청년회장 보며) 임야에 비닐하우스 당연히 철거 대상이구요. 그것 때문에 가려서 앞산 안 보이는 거, 저 너무너무 불편해요. (정씨 남편 보며) 그리고 아저씬 무슨 농약을 그렇게 많이 뿌리세요? 땅 다 망가지면 책임지실 거예요?

정씨 남편 아, 내 땅 내가 망가뜨리는디 뭘 책임져?

영순 거기 사는 개구리랑 미꾸라지까지 아저씨 껀 아니죠…. 그 미꾸라지 잡아먹는 백로, 두루미 걔네들까지 죽을까 봐 저는 너~무 불안하고 불편해요… 아세요?

영순의 반격에 할 말을 잃는 마을 사람들. 그때, 정씨가 냅다 달려와 영순의 머리채를 잡는다.

정씨 이년이… 어디서 굴러 와서 넘의 서방헌티 지랄이여, 지랄이?

영순 (같이 정씨의 머리끄댕이 잡고) 니가 먼저 지랄했잖아!!

정씨 놔!! 안 놔?!!

영순 너부터 놔!!

발악하며 소리 지르다 흡! 인상이 구겨지더니… 으윽~ 배를 잡고 주저앉는 영순…

박씨 뭐… 뭐여? 갑자기 왜 저랴?

정씨 남편 (영순에게 다가가) 괜찮아유?…

순간, 아아아악!! 하며 정씨 남편 머리를 잡고 늘어지는 영순.

정씨 남편 으악!!

정씨 여보!!

청년회장 아이고… 왜 이래유?… 이 손 놔유… 아줌니….

그러자, 나머지 손으로 청년회장 머리를 휘어잡는 영순.

청년회장 아아악!!

박씨 옘비럴, 그나마 몇 가닥 안 남은 머리 다 잡아 뜯고 지랄이네….

정씨 시모 (가만히 그 모습 보다가) 흠… 애가 나오려나 보다….

마을 사람들 (동시에) 예?!!

순간, 아아아악!!! 소리 지르며 바닥으로 드러눕는 영순. 영순의 다리를 타고 흐르는 물.

정씨 아이고… 아이고 이걸 워쩌면 좋아… 양수가 터졌나 배!!

사람들 !!!

정씨 시모 (박씨 보며) 퍼뜩 가서 물 올려라…. (정씨 보며) 넌 가서 이부자리 보고….

이장 부인 연장은 제가 챙길게요. 아니… 가위는…

그때, '비켜~~~~~~~~~~~~~~~~' 하며 리어카를 끌고 쏜살같이 달려오는 이장.

35. 영순네, 마루 / D

초조한 표정으로 청심환 한 알을 꺼내 먹는 정씨 남편. 무릎 꿇고 기도하는 청년회장. 마루에 서서 전화기에 대고 소리 지르는 이장.

이장 아니, 왜 여적지 못 오고 지랄이여… 전화 헌 지가 은젠디!!! 조우리라고 조우리… 조용필이 왜 나와! 엠비럴… 이러다 애 잘못되면 니들이 책임질 껴!!!

36. 영순네, 안방 / D

영순과 정씨 시모를 둘러싸고 있는 정씨, 박씨.

정씨 시모 정신 똑바로 채리고… 숨을 천천히 쉬어봐… 후우후우….

영순 후우후우….

정씨 시모 그렇제… 잘 들어… 이 조우리 사는 놈들의 반은 내가 받았어. 그땐 병원이나 지대로 있었어? 논두렁, 외양간, 경운기… 이 응댕이 붙일 데만 있으면 낳는 겨…. 뭔 말인지 알겄제?

영순 으으응…

정씨 시모 자, 지금부터 힘을 줄 건디… 절대로 이 배에다 힘을 주면 안 댜… 똥 싼다고 생각하고 응댕이에다 힘을 줘야 되는 거여.

영순 (끄덕끄덕)

정씨 시모 (밖에 대고) 가위 아직 멀었냐?

이장 부인 (가위 들고 뛰어 들어온다) 빠짝 갈아 왔어요. 이거면 경찰청 철창살도 짤라요.

박씨 (놀라며) 오매!! 난 그거 잘 안 되든디… 경창성 청찬살!

이장 부인 아니… 경찰청 철창살!

정씨/박씨 경창청 청찰살….

정씨 시모 아, 시끄럽고 후딱 손이나 붙들어!!

박씨와 정씨가 얼른 영순의 손을 잡는다. 정씨 시모가 영순의 아래쪽으로 가 무릎을 잡는다.

정씨 시모 자… 해 보자…. 하나, 둘, 셋… 똥 싸!!!!

영순 으으으으읍~~~~!!

정씨 시모 잘하고 있어…. 다시 한번… 하나, 둘, 셋… 똥 싸!!!!

영순 으으으으읍~~!!

정씨 시모 쪼만 더… 쪼만 더….

박씨 (우는 아기에게) 아우 정신없어! 삼식이 넌 그만 좀 울어, 시키야!!

정씨 왜 애한테 그랴…,

영순 하… (힘이 풀린다)

정씨 시모 하이고… 안 돼야… 이라고 힘 빼버리면 배 속에 애가 힘든 거여.
애 생각혀서 마지막으로 딱 한 번만 더 힘 써보는 거여… 알았제?

영순 (끄덕끄덕)

정씨 시모 자… 간다… 하나, 둘, 셋… 똥!!! 싸!!!!!

으으으읍!!!! 힘을 주는 영순.

정씨 시모 나온다!! 나온다, 나온다!!!!

37. 영순네, 마루 / D

이장은 여전히 전화기 붙들고 싸움 중이다.

이장 아… 감나무집 밑이라고, 감나무… 구자영 씨 집 옆에 …
넌 구자영 씨도 모르냐… 그 왜 할아버지가 옛날에 우리중학교
교장 허시고….

그때, 응애… 응애… 응애… 아기의 우렁찬 울음소리가 들린다.
'이야!!!!!' 하고 소리를 지르더니 마치 축구 선수들처럼 각자 세리머니를 펼치는 남자들.

38. 영순네, 안방 / D

강보에 싼 아기를 영순의 품에 조심스레 안겨주는 정씨 시모.

정씨 시모 자… 아가… 느희 엄마다….

영순, 눈물 가득한 눈으로 가만히 아기를 안더니 울먹울먹 조용히 읊조린다.

영순 강호….

인서트 옛날 해식과 영순의 집 (과거)

영순이가 종이에 적힌 [최강호 崔强豪]라는 이름을 보고는 해식을 본다.
해식이 빙그레 웃는다.

해식 응… 강호. 실력 있고 힘 있는 강한 사람… 그런 사람이 되라고.

영순 좋다… 강호….

해식 그치?… 게다가 우리 아들은 그냥 강호도 아니고 최강호야!! 최강호!! 하하하 (영순의 배를 안고) 강호야… 최강호~~ 최고로 강한 사람 돼야 돼~ 알았지?

다시 현실. 눈물 가득한 눈으로 벽에 걸린 영정 사진을 보는 영순.

영순 여보… 우리 강호야… (아기를 꼭 끌어안으며) 잘 키울게…
최고 강한 사람으로 내가 잘 키울게….

영순의 눈에서 눈물이 흐른다. 그런 영순을 짠한 얼굴로 바라보고 있는 정씨, 박씨, 이장 부인, 정씨 시모.

39. 영순네, 마루 / D

이불더미를 든 정씨와 대야를 든 박씨, 가위 든 이장 부인이 나온다. 기대 어린 눈으로 쳐다보는 남자 셋.

정씨 순산했어유… 고추예유… 고추….

'와!! 고추랴 고추… 아들!!!' 하고 다시 좋아하는 남자들. 갑자기 훌쩍훌쩍 울기 시작하는 정씨 남편!

정씨 아니, 당신이 왜 울어유?

정씨 남편 예행연습 허는 겨… 나도 조만간 아들 볼 거니께….

'나 참…' 어이없어 하며 돌아서는 정씨. 그러다 문득! 걸음을 멈추더니… 으윽!! 하며 배를 움켜쥔다.

박씨 앰매?… 뭐여… 이짝도 예행연습허는 겨?

정씨 아니… 난… 진짜… 진짜… 아아악!!!!

정씨, 그 자리에 주저앉고… 그런 정씨를 얼른 부축하는 박씨. 뒤늦게 나오던 정씨 시모가 박씨를 보며 조용히 입을 연다.

정씨 시모 물 올려라….

멍하니 보던 정씨 남편, 다시 청심환을 꺼내 먹고, 청년회장도 조용히 다시 기도 자세를 취한다.

이장 (119에 전화 걸더니) 응… 여기 아까 그 조용필이여… 내가 워디까지 얘기혔제?

40. 영순네, 안방 / D

나란히 누워 있는 영순과 정씨. 그런 정씨의 얼굴을 닦아주는 박씨.

이장 한날한시에… 것도 한 집에서… 시상에 이런 기막힌 일이 다 있어?

청년회장 그러게유… 지금까지 이런 출산은 없었다… 이것은 인연인가, 운명인가?

이장 아따 그 말 재밌네… 나중에 영화 같은 데 나오면 히트치겄네….

박씨 근디… 진주 아부지는 어디 갔대요?

정씨 (울먹울먹하더니) 흑흑… 집에 갔어요… 썅놈의 새끼… (하다가 얼른 시모 보고 당황) 앗… 어머니… 그게…

정씨 시모 됐어… 내가 딸만 다섯 낳고 지 새끼를 낳았어… 지도 지럴하고 늦게 나온 주제에 어따 대고 골질이여?… 썅놈의 새끼….

그런 시모를 멍하니 보다가 쿡 웃는 정씨. 시모도 큭큭 웃고… 모두들 한바탕 웃음이 터진다.

정씨 시모 인연은 처음 만난 이헌티 허는 말이고… 운명은 마지막까지 남이쑨 이헌티 허는 말이랬다. 인연이 될지 운명이 될지는 모르겄지만 아무튼 우리 조우리 마을에 온 아가들… 부디 오래오래 건강하고 사이좋게 잘 자라거라….

이장 부인 어머, 그럼… 이 드러운 돼지 농장은 안 내쫓는 거예요?

얼른, 부인의 입을 막는 이장. 읍읍! 이장 부인 발버둥치고… 사람들 다시 한바탕 웃는다. 카메라 빠지면… 한쪽에 나란히 누워 있는 아기 둘… 그대로 초등학생 얼굴이 된다.

41. 교실 / D

자막 10년 후

초등학생, 강호와 미주가 함께 책상 앞에 앉아 있다.

미주 이번에도 못 가?

강호 (영어 단어장만 보는) ….

미주 진짜 너무 헌다… 그깟 공부 하루 좀 안 허면 으뗘서? (강호 팔짱 끼며) 내가 느희 엄마헌티 말해 볼까? 너 소풍 좀 보내달라고?

그때, 퍽! 강호의 머리에 부딪히며 떨어지는 실내화 한 짝.

삼식 앗… 미안미안….

삼식이가 달려오더니 강호가 아닌 실내화에게 사과를 한다.

삼식 모르고 거따 던졌네… 돼지 똥냄새 배게….
(실내화 쓰다듬으며) 미안혀… (냄새 맡더니) 으윽! (오바를 떠는)

패거리들이 낄낄낄대지만, 강호는 아무 말없이 그저 단어장만 본다.

미주 너 삼식이 이 새끼!!!

미주, 냅다 일어나더니 슬리퍼를 뺏어 삼식이를 잡아 패기 시작한다.

미주 왜 자꾸 강호를 괴롭히고 지랄이여!!! 어? 어?

미주에게 두들겨 맞으며 교실 뒤쪽 사물함 앞까지 밀려 가는 삼식.
순간, 에이씨!! 하며 미주를 홱 밀어버리는 삼식. 그 바람에 저만치 나자빠지는 미주.

삼식 (씩씩대며) 넌 저딴 놈이 뭐가 좋냐?… 공부밖에 모르는 등신 같은 놈이. 허긴… 공부라도 잘 혀야제… 애비도 없는 재수 없는 새끼니께.

순간, 그 말에 홱 고개를 드는 강호. 주먹에 힘이 들어가는가 싶더니…

'야! 이 개새끼야!!!' 하고 책상을 밟고 날아가 삼식이를 덮친다.

42. 영순네, 마루 / D

퍽퍽퍽!! 회초리가 날아온다. 얼굴 이곳저곳을 쥐어 터진 강호가 영순에게 종아리를 맞고 있다. 강호, 많이 아픈지 종아리를 감싼 채 주저앉더니 싹싹 빌며…

강호 잘못했어요… 잘못했어요, 엄마….

영순 (무섭게) 일어나!

강호 (울며) 이제 안 그럴게요… 다신 안 그래요.

영순 (버럭) 얼른 안 일어나?!!

영순, 우악스럽게 강호를 잡아 일으키더니 다시 회초리로 종아리를 때리며…

영순 개새끼? 누가 친구한테 그런 욕하라고 했어? 어디서 그런 나쁜 말을 배우라고 했어?

영순, 심하다 싶을 정도로 때리자 강호, 서럽게 엉엉 울며…

강호 삼식이 그 개새끼가 먼저 놀렸단 말이에요… 아부지 없어서 재수 없대… 돼지 똥냄새 나니까 꺼지래!!!!

영순, 문득 손을 멈추고 강호를 쳐다본다. 강호, 이제야 이유를 알겠냐는 듯 서럽게 입술을 떨며 어깨를 파득이는데…

영순　　(가만히 보다) 너… 지금 또 개새끼라고 했어? (때리며) 개새끼?… 개새끼?!!

영순, 우악스럽게 다시 강호의 종아리를 내리치기 시작한다.

43. 영순네, 강호 방 / D

천자문, 한국사 연대표, 원소주기율표, 영단어, 수학 공식 등이 빼곡하게 붙어 있는 강호 방. 시퍼렇게 멍든 다리로 책상에 앉아 끅끅 울음을 삼키며 식판에 담긴 밥을 먹고 있는 강호. 그 아래 앉은뱅이 책상에 앉아 문제집 채점을 하고 있는 영순. 동그라미, 동그라미…

영순　　억울할 거 없어… 틀린 말도 아니지 뭐… (강호 보며) 너 아부지 있어?

강호　　….

영순　　아니면 돼지 멕이는 집에서 소똥 냄새가 날까?

강호　　….

영순　　사람이 듣기 싫은 말 좀 듣는다고 귓병 나는 거 아니고, 듣기 싫은 욕 좀 먹는다고 배탈 나는 것도 아니야… 거기 니 돌 사진 보이지?

강호 책상 위 벽에 붙은 강호의 돌 사진이 보인다. 판사봉을 든 아기 강호와 영순, 빈 공간에 잘라 넣은 유독 크기가 다른 해식의 사진도 보인다.

영순 청진기에 돈에 마이크에… 너 좋아하는 로보트는 없었게?
근데도 단박에 저걸 집어 들더라.

강호 ….

영순 듣기 싫어도 들어. 욕하거든 그냥 먹어두란 말이야.
열심히 공부해서 판검사 되고 나면 아무도 너를 무시하거나
괴롭힐 수 없어. 그게 진정한 힘인 거야… 무슨 말인지 알지?

강호 … 그래서 소풍도 못 가는 거죠?

영순, 그 말에 가만히 강호를 보다가… 이내 단호한 표정으로…

영순 응!… 하고 싶은 거 다 하면서 이 촌구석에선 절대 판검사 못 해!
(일어나 다가오더니) 적당히 먹었음 숟가락 내려놔… 배부르면 잠만
오고 집중 안 돼….

강호, 힘없이 숟가락을 놓자, 식판을 들고는 그 자리에 문제집을 내려놓고
나가는 영순.

영순 백 개 중에 세 개나 틀렸어. 오답노트 정리하고 130페이지까지
풀어.

강호… 멍하니 문제집을 보다가, 가방 안에서 소풍 가정통신문을 꺼내 든다.
[불참]에 동그라미를 하는 강호, 불참 사유 란에 [나쁜 엄마]라고 쓴다.
손에 힘을 주어 얼마나 꾹꾹 눌러썼는지 연필심이 툭 부러진다.

44. 정씨네, 마당 / D

대문을 열고 집 안으로 들어오는 미주.

미주 학교 다녀왔습니다.

미주, 들어서자 마당에 앉아 전을 부치고 있는 정씨. 마당에 수돗가에는 제기들이 물에 담겨 있고 마루에는 정씨 시모의 영정 사진이 병풍 앞에 놓여 있다. 얼른 가방을 풀어 마루에 놓고는 정씨 옆에 쭈그려 앉는 미주.

미주 우아~ 우리 할머니 좋아하던 육전이네….

정씨 (미주 손 탁 때리며) 제사허기 전에 손대는 거 아녀….

미주 치… (하다가) 앗… 요건 찢어졌다… 이런 건 제사상에 올리는 게 아니랴…. (낼름 전을 입에 넣고 오물거리다 멈칫) 뭐여… 엄니 시방 우는 겨?

정씨 미친년… (얼른 눈물 훔치며) 울긴… 옘병할 놈의 연기, 드럽게도 맵네….

순간, 정씨의 얼굴을 양손으로 홱 잡고 보는 미주. 정씨의 얼굴에 멍이 들어 있다.

미주 (버럭) 아부지!!!!

미주, 후다닥 뛰어 들어가 안방을 열어본다. 여기, 저기 서랍 열려 있고, 옷가지들 널브러져 있고 엉망이 되어 있는 방. 주먹을 불끈 쥐고 부들부들 떨더니 홱 달려나가는 미주.

45. **스탠드바 / D**

현란한 조명이 돌아가고 있는 스탠드바. 쾅!! 문이 열리며 들어오는 미주. 기도가 그런 미주를 쫓아 들어와 잡는다.

남자 **야가 왜 이려? 이리 안 나와?!**

미주 **놔유… 안 그럼 대낮에 스탠드빠 헌다고 신고헐 테니께!!**

남자, 당황하자… 미주 우악스럽게 남자의 손을 잡아 빼더니 안으로 들어간다. 저 멀리 한 젊은 여자를 붙잡고 춤을 추고 있는 정씨 남편(이하 미주 부)이 보인다. 때마침 음악이 끝나자 자리로 돌아와 앉는 미주 부와 파트너. 미주, 성큼성큼 두 사람에게 다가간다. 갑작스런 미주의 출현에 깜짝 놀라는 미주 부.

미주 부 **느… 느가 여긴… 워째….**

미주, 귓속말을 할 것처럼 손을 까딱까딱하자 슬며시 귀를 내미는 미주 부. 순간, 홱 미주 부의 귀를 잡아당기는 미주.

미주 부 **악!! 놔… 안 놔….**

미주 **할머니랑 같은 날 제사상 받기 싫음 따라 나와유….**

그때… '이거 하나 먹을래?' 하는 여자의 목소리가 들린다. 미주, 쳐다보자 미주 부와 춤췄던 여자가 안주 그릇에서 초콜릿 하나를 집어 미주에게 내민다. 순간, 눈이 반짝이는 미주. 자기도 모르게 아버지의 귀를 놓고 여자를 향해 손을 뻗는다. 그리고는 초콜릿이 아닌, 하얗고 긴 여자의 손을 잡고 들여다본다. 빨간 매니큐어를 바른 손톱에 반짝이는 큐빅. 한동안 홀린 듯 보넌 미주. 갑자기 푸르르, 고개를 흔든다. 그리고는 그 길로, 도망치듯 스탠드바를 뛰쳐나가는 미주.

46. 정씨네, 마루 / N

힘없이 집에 돌아온 미주. 음식이 한가득 차려진 제사상이 보인다.
마루 한 구석에 앉아 멍하니 할머니 영정을 바라보고 있는 정씨 보인다.
그리고 그 옆에서 티브이를 보며 핑클 「내 남자친구에게」 춤을 따라 추고 있는 언니들. 미주가 빽!! 소리를 지른다.

미주 아부지 춤바람 난 것도 모자라 니들까지 이 지랄이여?!!!

그 말에 가만히 미주를 돌아보는 진주와 선주. '이게 어따 대고!!!' 확 미주의 머리를 낚아챈다.

47. 정씨네, 안방 / N

얼굴이 엉망이 되어 앉은뱅이 책상 앞에 앉아 있는 미주. 빨간 사인펜을 들고 문제집 채점을 하는 미주. 맞은 게 없다. 후~ 한숨을 쉬다가 문득, 고개를 돌리는 미주. 빈 정종 병이 머리맡을 뒹구는 가운데 잠든 정씨가 보인다. 울퉁불퉁하고 꼬질꼬질 검은 흙 때로 물든 거친 정씨의 손. 안타까운 눈으로 그런 정씨의 손을 가만히 보는 미주. 손을 살며시 잡더니… 빨간 사인펜을 들고 손톱에 칠하기 시작한다.

48. 정씨네, 부엌 / D

'이 경을 칠 년! 어딨어!!!' 하는 소리와 함께 탁! 부엌문을 열고 들어서는 정씨.

정씨 (사인펜으로 빨갛게 칠한 손톱 보이며) 왜 자꾸 이 지랄을 해놓는 겨?!!

그러다 눈이 커지는 정씨. 보면, 김밥 재료가 여기저기 엉망진창 흩어져 있고, 김밥 꼬다리를 입에 문 '고등학생 미주'가 보인다.

정씨 이년이!… 수학여행 때 쌀 거를….

정씨가 부지깽이를 들자 김밥 담은 도시락을 얼른 챙겨 들고 다다닥 도망 나가는 미주.

49. 교실 / D

고등학생 남자아이들, 교실 뒤편에서 경쟁이라도 하듯 방석, 교과서, 양동이 등을 동시에 손가락으로 돌리며 낄낄대고 있다. 그걸 보며 박장대소하고 있는 여자아이들. 역시 고등학생이 된 강호, 조용히 앉아 문제집을 풀고 있다가 시끄러운 듯 인상을 찌푸리더니 책 몇 권을 더 챙겨 일어나 나간다. 그런 강호를 힐끔 보는 삼식.

50. 운동장 / D

강호, 단어장을 읽으며 조회대 아래 창고로 들어간다.

51. 조회대 창고 / D

체육 관련 기물들이 아무렇게나 쌓여 있는 공간. 강호, 익숙하게 한쪽 구석에 놓여 있는 뜀틀 위에 앉더니 단어장을 넘긴다. 그때, 뒤쪽에서 누군가의 시점으로 강호에게 점점 다가오는 카메라. 조금씩 가까워지는 듯하더니 순간, 강호의 목을 한 팔로 확! 낚아챈다.

강호 흡…!!!

순간, 씨익 웃으며 강호 옆으로 얼굴을 나타내는 미주.

미주 여 올 줄 알았제….

강호 (당황해 얼른 몸을 떼며) 어떻게 여길…

미주 점심시간, 저녁 시간만 되면 읎어지길래 며칠 미행 좀 혔지. 자! 선물~ (김밥 통을 내민다)

강호 ….

미주　소풍이건 수학여행이건 한 번도 못 가봤으니께… 김밥 먹을 일도 없었을 거 아니여. 생일 선물로 뭘 줄까 고민하다가 생각해낸 겨….

강호　생일 선물?

미주　오늘 니 생일이여! 그리고 내 생일이고….

빙그레 웃는 미주.

52.　조회대 창고 앞 / D

살금살금 걸어오는 삼식. 주위를 살피더니… 조심스레 조회대 창고 빗장을 잠근다.

삼식　잘 가라, 최강호… 굿 럭이여!!!

53.　조회대 창고 / D

강호, 김밥에서 당근을 골라내고 있다.

미주　당근은 왜 골라내고 그랴?

강호　나 당근 싫어해…. (김밥을 입에 쏙 넣더니 도시락 뚜껑을 닫는다)

미주　엠매… 뭐여? 왜 더 안 먹고.

강호 다 먹었어.

미주 겨우 다섯 개 집어먹고 뭔 소리여… 그러지 말고 쫌만 더 먹어.

강호 아니야, 됐어… 배부르면 안 돼.

미주 왜?!!!

강호 음… 배부르면 잠 오고, 잠 오면 공부 못 하고, 공부 못 하면 판검사 못 되니까?

미주 말도 안 돼….

강호 그치? 말이 좀 안 되지?… (피식 웃더니) 난 이름이나, 띠, 혈액형처럼… 사람은 누구나 태어나는 순간부터 미래의 직업이 정해져 있는 줄 알았어. 그래서 학기마다 장래 희망이 바뀌는 애들을 보면 말도 안 된다고 생각했거든…. 근데 진짜 말도 안 되는 건 나더라구.

미주 그게 싫으면 인자라도 느 허고 싶은 걸 허면 되잖여.

강호 내가 하고 싶은 거?… 그게 뭐지? (씁쓸하게 웃더니) 그러고 보니까 한 번도 생각해 본 적이 없네.

미주 (딱한 눈으로 보더니) … 아… 불쌍한 우리 강호….

그때, 종소리가 들리자 강호, 벌떡 일어난다.

강호 종 친다… 가자….

강호, 다가가 문을 열려는데… 잠겨 있는 문.

강호 어? 이게 왜 이러지?

미주 (같이 흔들며) 어떡혀… 잠겼나 봐… (문 두드리며) 여기요!!! 여기요!!!

강호와 미주, 문을 두드리기 시작한다. 텅 빈 운동장… 까악까악 까마귀 소리만…

54. 영순네, 부엌~마루 / N

부엌 한편에서 녹두전을 부치고, 잡채를 버무리고, 갈비찜을 접시에 담는 영순의 손. 마루, 각종 음식이 한가득 차려진 상 위에 케이크를 놓으며 뿌듯하게 웃는 영순.

CUT TO

어둑해진 방, 식어버린 음식들. 시계를 보는 영순… 어느덧 밤 열두 시다.

55. 마을 일각 / N

영순과 정씨를 비롯한 마을 사람들이 우르르 박씨 집 쪽으로 몰려가고 있다. 그 뒤로 역시나 하얀 시트팩을 붙이고 따라가고 있는 이장 부인.

이장 생전 속 한 번 안 썩이던 애들이 웬일이랴…. 뭐… 요즘 이상한 건 없었고?

영순　　　아니요… 그런 거 없었어요.

정씨　　　아! 맞다… 오늘 아침에 웬 김밥을 싸 들고 나가긴 혔는디….

이장　　　김밥? 그럼 야들 어디 놀러 간 거 아니여?

영순　　　내일이 중간고산데… 그럴 리가 없어요.

정씨　　　(놀라며) 내일이 중간고사여? 내 이놈의 기집애를 그냥….

이장 부인　　　걱정이네… 고등학생들끼리 애기라도 가지면 큰일인데….

흡! 얼굴이 사색이 돼 이장 부인을 쳐다보는 영순과 정씨.

이장　　　(버럭) 에잇… 옘비럴 놈의 여편네가 진짜…&@%!#%*$#@
(영순 보며) 아퍼… 많이 아퍼… 이해혀… 자자… 어여 가자고….

마을 사람들, 박씨 집으로 우르르 몰려 들어간다.

56.　　　박씨네 앞 / N

영순　　　삼식아… 삼식이 안에 있니?

잠시 후 문이 열리며 나오는 박씨. 사람들을 보고 놀란다.

박씨　　　아유… 이 시간에 다들 뭔 일이래유?

이장　　　강호가 없어졌댜… 미주랑.

순간, 쾅!! 방문이 열리며 뛰어나오는 삼식이.

삼식 미… 미주라뇨?… 설마… 미주도 거기 있었단 말여유?!

영순 거기?… 거기라니?… 어디?

삼식 안 돼… 안 돼… 안 돼~!!!!!!!!!!!!!!!!!!!!!!!!!!!!

삼식, 우사인 볼트가 되어 뛰어나간다.

57. 조회대 창고 안 / N

문제집으로 얼굴을 가리고 열심히 연필을 움직이고 있는 강호.
미주, 강호 수학 문제집에 쓰여 있는 [10√2]에 사인펜을 덧대 [love]를 만든다.

미주 밤새 이러고 있어야 허나? 하… 그러게 아침마다 핸드폰은 왜 걷는 거여. 지금쯤 다들 난리 났겠네… 아… 배고파… 뭐 먹을 거 없나?

미주, 주머니를 뒤지는데 알사탕 하나가 나온다.

미주 우와… 사탕이야, 사탕!… 내가 반 짤라 줄게…. (사탕을 이로 무는데)

강호 됐어… 나 사탕 싫어해….

미주 치… 싫어하는 것도 많다. 괜찮어… 넌 나만 좋아하면 돼….

강호, 아랑곳하지 않고 계속해서 연필을 움직인다. 째려보는 미주.

미주 야! 넌 아무리 그래도 이 폐쇄된 공간에 여자랑 단둘이 있는디 어떻게 그렇게 문제집만 보냐? (두 손으로 강호 얼굴 잡고) 나도 좀 보라고… 나도….

순간, 마주치는 두 사람의 눈.

강호 (빤히 미주를 보며) 사랑도 어쩌면 그와 같은 것인가…

미주 (당황해) 사… 사랑?

강호 소나기처럼 숨이 차게 정수리부터 목물로 들이붓더니… (목소리 바뀌어) 여기서 소나기처럼은 직유법… 내일 시험에 나와… 알아둬….

멍하니 강호를 보다 에잇씨!! 하며 벌떡 일어나는 미주.

미주 됐어!!! 난… 살 빼고 이뻐져서 좋은 데 시집이나 갈란다!!!

미주, 옆에 있는 줄넘기를 들더니 깡충깡충 넘기 시작한다. 그런 미주를 보다 문제집으로 시선을 돌리며 씩 웃는 강호.

미주 공부… 공부… 공부만 백 점이면 뭐 혀… 눈치는 빵점인… 컥!

순간, 컥! 커걱! 하며 목을 부여잡는 미주.

강호 왜 그래?

미주 (파래지는 얼굴) 컥컥!

강호 (놀라 달려와) 뭐야… 사탕 걸린 거야?…

미주, 목을 감싼 채 고통스러워한다.

강호 안 되겠다… 이렇게 해봐….

강호, 미주를 뒤에서 안더니 주먹 쥔 손을 배꼽과 명치 사이에 대고 하임리히법을 하기 시작한다. 몇 번이고 반복해서 배를 누르는 강호. 순간, 미주의 입에서 사탕이 튕겨져 나오며 동시에 쾅!! 하고 문이 열린다. 미주와 강호의 애매한 백허그 자세를 멍하니 보고 있는 영순과 마을 사람들… 그리고 삼식… 눈에서 활화산이 폭발한다.

삼식 야!!! 이, 개새끼야!!!!!

하며 달려 들어가는데, 그런 삼식을 확 밀치고 안으로 들어가는 영순. 그 바람에 한쪽으로 나동그라지는 삼식. 박씨, 얼른 넘어진 삼식을 일으켜주며 영순을 노려본다.

박씨 애를 그렇게 씨게 밀고….

영순 (들은 체 만 체 강호 보며) 언제부터 이러고 있었어? 보충수업도 못한 거야?

강호, 그 말에 고개를 숙인다. 영순, 말없이 강호의 책들을 챙기기 시작한다. 그때, 영순의 눈에 보이는 문제집 한 귀퉁이에 그려진 그림… 누가 봐도 미주다. 탁! 덮어버리는 영순, 돌아서더니 마을 사람들을 향해…

영순 밤늦게 많이 놀라셨죠? 죄송해요.

정씨 (미주 흘겨보다 팔짱 끼며 울먹) 을마나 걱정했는지 알어?

이장	됐어… 아무 일 없었으믄 된거여….
이장 부인	옷 입고 있는 거 보니까 아무 일 없… 읍!

이장이 이장 부인 입을 막는다.

영순	(강호 보며 차갑게) 가!… 교실 가서 책가방 챙겨!

영순, 먼저 걸어 나가자 강호가 힘없이 그 뒤를 따른다. 정씨와 미주도 그 뒤를 따라간다.

박씨	아이고 지독혀… 거서 보충했냐는 소리가 나오네.
이장	참 사람 좋은디 왜 아들내미헌테만 저리 모질게 구는지 모르겄어.
청년회장	그래서 강호가 저렇게 잘 큰 거쥬…. 생전가야 속 한 번을 썩이나, 이 촌구석에 살면서 전국 일등을 놓치길 허나…. 허긴 다른 애들 기저귀 뗄 때 강호는 천자문을 뗀 애니께….
박씨	(청년회장 노려보며 복화술) 닥쳐유….
이장	하긴 뭐… 공부 잘혀서 우리 조우리에 법관 하나 나오면 좋지.
박씨	(버럭 화내며) 아! 좋긴 뭐가 좋아요… 여기는 다 법 없이도 살 사람들이거든유?
이장 부인	에이~ 다는 아니죠… 삼식이가 있는데….
박씨	이런 쓰버럴 놈의 여편네가!!!
이장	(얼른) 자자… 늦었어… 가자고 가….

서둘러 부인을 데리고 가는 이장. 그 뒤를 따르는 청년회장.

스르르 삼식을 쳐다보더니 냅다 짝! 삼식이 등짝을 갈기는 박씨.

박씨 이 개노무 새끼!! 친구를 감금혀? 니가 아주 학교 짤리고 싶어 환장혔지?!!

삼식 (영혼 없는 얼굴로) 학교는 모르겄고 일단 이 손모가지부터 좀 짤라봐유…. 내가… 이 손으로 도대체 뭔 짓을 한 겨….

박씨 (미친 듯이 등짝을 후려치며) 뭔 짓을 허긴, 이 썅놈의 새꺄…. 에미, 애비 개망신을 줘도 유분수지!!… 은제 사람 될 껴!!!!! 은제!!!

박씨, 농구공, 배구공, 축구공 닥치는 대로 집어 삼식에게 날린다.

58. 영순네, 마루 / N

생일상 앞에 앉아 있는 강호.

영순 내일 중간고사라 미역국은 안 끓였어. 시험 다 끝나면 그때 끓여줄게.

강호 (가만히 상을 보다가) 저… 아까 김밥 먹었어요.

영순 (강호를 빤히 보다가) 그래, 배부르면 잠만 오지… 시험공부나 마저 하고 자.

강호, 조용히 일어나 방으로 들어간다. 영순, 후~ 한숨을 쉬더니 상을 치우기 시작한다.

59. 영순네, 안방 / D

삐비비빅~ 알람이 울리자 시계를 끄는 영순. 새벽 네 시다.

60. 영순네, 강호 방 / D

방문을 여는 영순. 방 불을 켠다.

영순 네 시야… 일어나… (눈이 커져) 강호야!!

강호가 배를 잡고 웅크려 끙끙대고 있다.

61. 트럭 / D

배를 움켜잡고 문제집 보고 있는 강호.

영순 후… 하필 시험 보는 날…. 그러게 소화도 안 되게 그 추운 데서 김밥을 왜 먹어… 미주 걔는 하여튼….

강호 (배를 잡고 끙끙대다가) 엄마… 저 아무래도 병원에 가봐야 될 것 같아요….

영순 얘가 지금 무슨 소리야… 모의고사도 아니고 중간고사야, 중간고사… 내신 들어가는 거라고…. 쫌만 참아… 약 먹었으니까 금방 괜찮아질 거야….

강호, 후~ 인상을 찌푸리며 창밖으로 고개를 돌린다.

62. 병원, 병실 / D

링거 꽂고 환자복 입고 잠든 강호. 그 모습을 보고 있는 영순. 그 옆에 학교 선생님이 서 있다.

선생님 복막염이 될 때까지 참았다니… 저희가 더 빨리 병원에 데리고 왔어야 되는데 죄송합니다…. 시험을 다 보고 가야 된다고 어찌나 고집을 부리던지….

영순, 씁쓸한 얼굴로 강호를 보고 있다.

선생님 …그럼 전 이만 들어가보겠습니다.

선생님, 영순에게 꾸벅 인사를 하더니 병실문 쪽을 향해 걸어 나가는데…

영순 저… 선생님….

선생님 ?

영순 (다가와 작은 소리로) 혹시… 내일하고 모레 남은 시험을 병원에서 볼 수 없을까요?

선생님 네에?!!!

선생님, 황당해서 영순을 보다가 이내 정신차리고.

선생님 그… 글쎄요… 그런 전례가 없어서 교무 회의를 해봐야 할 것 같은데…. 근데… 꼭 그렇게까지… 지금은 시험보다는 강호의 회복이…

영순 제발 부탁드립니다. 우리 강호한테 내신이 얼마나 중요한지 선생님도 아시잖아요. 네? 선생님….

두 손을 모으고 선생님께 간곡히 부탁하는 영순. 강호, 슬쩍 눈을 떴다가 이내 질끈 감고 고개를 돌린다.

63. 수능 고사장 앞 / D

각종 수능 응원 피켓, 플래카드가 붙어 있는 교문 앞. 영순의 낡은 트럭이 멈추고 차에서 내리는 강호의 발. 창문을 내리고 영순이 소리 지른다.

영순 긴장할 거 없어. 평소에 하던 대로만 해. 문제 꼼꼼하게 읽고, 시간 체크 잘 하고… 아! 그리고 점심 많이 먹지 마. 듣기평가 할 때 졸리면 큰일 나… 알았지?!!

그때, 교통경찰이 휘휘 영순을 향해 호루라기를 분다.

영순 아이고… 알았어요, 가요, 가….

다시 부릉 출발하는 트럭. 그러자 피켓 들고 응원하는 학생들 사이에 숨어 있다가 빼꼼 고개를 내미는 미주.

미주 강호야!!

걸음을 멈추고 소리 나는 쪽을 바라보는 강호. 화장을 곱게 한 미주가 뛰어나온다.

강호 여긴 웬일이야? 너 수시 붙었잖아.

미주 맞어… 오늘은 남친 응원해 주러 왔지. (얼른 자기 입을 톡톡톡 때리며) 어머머머… 내가 지금 남친이라고 혔니? 주책주책…. (웃더니, 손 내밀며) 손!!

강호가 의아하게 쳐다보자, 얼른 강호 손을 잡는 미주.

미주 요대로 가만히 있어….

미주, 작은 핸드백에서 매니큐어를 꺼내 강호 새끼손가락에 발라준다.

미주 내가 오늘의 운세를 봤는디… 우리 용띠들 행운의 색이 노란색이랴.

짜잔… 하며 자신의 손톱도 보여주는 미주. 노란색 매니큐어가 칠해져 있다. 미주, 들고 있던 쇼핑백에서 물건들을 하나씩 꺼내며…

미주 그리고… 이건 포크… 잘 찍어…. 이건 휴지… 잘 풀어…. 이건 탬버린! (자기 엉덩이 탬버린으로 치며) 잘 쳐!!!! 자, 오늘의 하이라이트… 김밥!… 시험 끝내고 나와서 오늘은 아주 그냥 배 터지게 먹는 거여! 그리고 너 한 번도 못 가본 영화관도 가고 노래방도 가자… 솔직히 오늘 하루는 그래도 된다~~ 안 그려?

강호 (피식 웃는다)

미주 내가 여서 너 끝날 때까지 엿 붙여놓고 기도허고 있을게.
자, 우리 강호 파이팅!!!! 아자아자!!!!

미주, '수능만점 최강호!!', '잘생겼다 최강호!!', '너는 내 꺼 최강호!!'하며 조금씩 뒷걸음질 친다. 그때, 빠앙~ 하며 달려오는 오토바이 한 대.

강호 (놀라) 미… 미주야!!!!!!!!

쾅!!!! 오토바이가 미주를 덮친다. 미주 손에 들려 있던 커다란 김밥 도시락이 저 멀리 날아가 와장창 깨져버린다.

64. 뒷산 / D

해식의 산소 앞에 차려진 몇 가지 과일 보이고. 술잔에 술을 따라 해식의 산소 앞에 놓는 영순.

영순 그동안 나 많이 미웠죠? 왜 아니겠어… 보기만 해도 닳을까 아까운 우리 아들, 밥도 못 먹게 하고, 잠도 못 자게 하고 입만 열면 공부공부… 지독하게 다그쳤는데…. 근데 여보… 강호는 우리처럼 살면 안 되잖아. 아빠 없다고 무시당하고 힘없다고 억울한 일 당하면 안 되잖아…. 엄마로서 해줄 수 있는 게 이 방법밖에 없었던 거… 당신은 이해해 줄 거죠?

영순, 술잔에 담긴 술을 해식의 묘에 뿌리기 시작한다.

영순 드디어 오늘이에요, 여보. 지금껏 우리 강호 얼마나 힘들게 애썼는지 당신이 제일 잘 알잖아. 부디 그 시간들 헛되지 않게, 시험 잘 볼 수 있게 꼭 좀 도와주세요. 영순, 간절한 얼굴로 손을 모아 합장하고는 고개를 숙인다.

65. 병원, 응급실 / D

눈물범벅이 된 얼굴로 피투성이 미주를 업고 뛰어 들어오는 강호.

강호 미주야… 죽지 마… 죽으면 안 돼… 여기요!!! 여기요!!

강호를 향해 달려오는 의료진들.

66. 병원, 병실 / N

머리와 다리에 붕대를 감은 미주가 누워 있다. 어렴풋이 눈을 뜨는 미주. 흐릿했던 강호의 모습이 선명해진다. 화들짝 일어나 앉는 미주.

미주 니… 니가 왜 여깄어?… 시험은?

강호 아직 일어나면 안 돼… 누워….

미주 시험은?!!!!!!

강호 ….

미주 (눈에 눈물이 고이기 시작한다) 아아… 말도 안 돼… 미쳤어… 미쳤어…. 아~~ 나 때문에… 어떡해….

미주, 엉엉 울기 시작한다. 울고 있는 미주의 얼굴을 잡더니 눈물을 닦아주는 강호.

강호 괜찮아, 미주야… 시험은 내년에 다시 보면 돼.

강호, 미주의 입술에 쪽 뽀뽀를 해주더니 빙그레 웃는다.

67. 영순네, 마당 / N

좌악! 강호의 얼굴로 물 한 바가지가 쏟아진다. 영순이 강호를 노려보고 서 있다.

영순 나가!!!

강호 엄마….

영순 돼지 똥물 한 바가지 맞아야 나갈래?!!!!!!!!

강호 …. (가만히 영순을 보다가 힘없이 돌아서는데)

영순 거기 너밖에 없었어? 니가 걔 보호자냐고! 사고 낸 사람은 따로 있는데 니가 왜 오지랖을 부리고 난리야! 오늘이 얼마나 중요한 날인지 몰라?!!!

강호 엄마… 미주가 다쳤어요.

영순 그래서 뭐!!… 죽기라도 했어?

강호 엄마!!

영순 왜 니가 다른 사람 땜에 니 인생을 망쳐!! 왜!!!

강호 (가만히 영순 보다가) …내 인생이요? 내 인생이 어딨는데요?…

영순 뭐?

강호 그거 엄마 인생이잖아요. 지겨워요. 지긋지긋해… 숨이 막혀 살 수가 없다고요!! 왜 엄마 마음대로 내 인생을 정해놓고 나를 괴롭혀요? 아빠가 억울해서 죽은 게 내 탓이에요?!!

순간, 찰싹 강호의 뺨을 내리치는 영순. 강호… 놀라서 영순을 본다.

영순 그러게… 그러니까… 그게 누구 탓이냐고?!! 니 아빠가 왜, 뭣 땜에 억울해서 죽었는지 그것 좀 가르쳐달라고!!

강호 (붉어진 눈으로 본다)….

영순 지긋지긋해? 도망가고 싶어 미치겠지?… 판검사 돼… 그래야 너 벗어나. 저 고약한 돼지 똥냄새한테도, 이 나쁜 엄마한테도….

강호, 눈물이 가득 고인 눈으로 영순을 보더니…

강호 네, 맞아요… 엄마는 나쁜 사람이에요. 왜 다른 사람 땜에 인생을 망치냐구요?… 엄마가 그렇게 살라고 하셨잖아요.
힘있고 능력 있는 사람 돼서 힘없고 어려운 사람들 도와주라고 하셨잖아요!… 근데 아니었어… 엄마는 그냥 힘없어서 당한 게 억울했고 나를 이용해서 보란 듯이 그 힘을 갖고 싶었던 거예요.
나를… 아빠를 죽게 만든 그놈들과 다를 거 없는 그런 속물로 키우고 싶었던 거라구요! 네… 알겠습니다… 그렇게 할게요.

강호 홱 돌아 방으로 들어간다. 영순, 충격받은 얼굴로 멍하니 서 있다.

68. 영순네, 강호 방 / N

들어와 책상 앞에 앉는 강호. 정신없이 책을 잡아 빼다가 손톱에 칠해진 노란색 매니큐어를 본다. 신경질적으로 손톱으로 긁어내기 시작하는 강호. 그리고는 갑자기 책을 펴 공부를 시작한다. 눈물인지 물인지 모를 것이 자꾸만 얼굴에서 뚝뚝 떨어진다.

69. 돼지 농장 안 / N

농장으로 들어오더니 리어카에 똥을 퍼 담는 영순. 화가 난 듯 퍽퍽 삽질을 하는 손길이 매몰차다. 그러다… 점점 느려지는 손…. 강호를 때렸던 자신의 오른손을 가만히 바라본다. 점점점 붉어지는 영순의 눈. 하지만 이내 입술을 꾹 깨물고는 다시 똥을 퍼 담기 시작한다.

70. 양씨네, 법당 / D

펄쩍펄쩍 뛰고 있는 꽃선녀 박수무당 양씨. 신당 앞에 절을 하고 있는 영순… 절을 하고, 또 다시 절을 한다. 마지막 절을 곱게 하고 일어나는데…

어느새 머리가 희끗한 55세 영순이 되어 있다.

영순 (빙그레 웃으며) 오늘 우리 강호 재판 있는 날인 거 아시죠?
이번에도 이길 수 있게 꼭 좀 도와주세요. 꼭!

판사 V.O 자, 검사 측 최종 변론하세요.

71. 서울중앙지방법원, 법정 / D

검사 측에 자리 잡고 앉아 있던 강호(34)가 벌떡 일어나 앞으로 나온다.
반듯한 외모에 냉철해 보이면서도 다부진 표정, 예리한 눈빛. 자신감과
카리스마가 넘친다.

강호 피해자 정민호 군은 지난해 12월 22일 서울 강남의 모 건설
현장에서 추락사했습니다. 사인은 공사 현장의 외부 비계 난간대
미설치. 가장 높은 곳에서 일했지만 정민호 군을 살릴 수 있었을
안전대, 추락방지망 같은 안전장치는 어디에도 없었습니다.
하청업체 대표인 피고인 박철수는 시공사 우벽건설이
이 모든 것을 설치할 것을 사전에 지시했음에도 불구하고
이를 묵인, 방조하였습니다. 이제 갓 대학교에 입학을 앞두고
학비를 벌어보고자 일용직 노동으로 공사 현장을 찾은 꽃다운
청년의 꿈이 본분을 망각한 무책임한 어른들의 손에 잔혹하게
추락해버린 것입니다!!!

CUT TO

판사 산업안전보건법 위반 및 업무상과실치사상죄, 증거인멸교사,

증거은닉교사, 횡령죄를 범하였는 바 피고인 박철수에게 징역 3년에 처한다.

와아!! 좋아하며 박수 치는 방청석의 피해자 측 사람들. 피고인서의 박철수를 안타깝게 보고 있는 아기 업은 한 여자… 암담한 얼굴로 고개를 숙인다.

72. 검사실 앞 / N

늦은 저녁, 검사실로 돌아오는 강호. 그때, 검사실 앞을 서성이고 있던, 아기를 안은 박철수 부인이 강호를 향해 달려온다.

여자 검사님. 드릴 말씀이 있어요. (주변을 살피더니) 남편은 협박을 당했어요. 공사 시작부터 안전망과 난간대가 필요하다고 몇 번이고 요구했지만 우벽건설 쪽에서 공사 대금과 일정을 핑계로 묵살했어요. 그래놓고 막상 사고가 나니까 남편에게 모든 책임을 뒤집어쓰라고 한 거예요.

여자, 주머니에서 핸드폰을 꺼내 강호에게 건넨다.

여자 전에 남편이 썼던 핸드폰인데… 우벽건설과 통화한 녹음 내역이 남아 있어요.

강호 (가만히 여자를 보더니) 왜 이 중요한 증거를 변호사가 아닌 저한테 가져오신 거죠?

여자 변호사도 우벽건설과 한 패니까요. 이번 일을 남편이 책임지지 않으면 앞으로 남은 계약들을 모두 파기하겠다고 했어요. 그럼 줄줄이 다 부도가 날 판이니까 어쩔 수 없이 남편이 다 떠안고 가기로 합의한 거예요. 근데… 아무리 생각해도 이건 아닌 것 같아요. 그깟 돈 때문에… 우리 아이 아빠를 살인자로 만들 순 없어요.

강호, 여자의 품에 안긴 아이를 가만히 바라본다.

여자 검사님이라면 도와주실 수 있잖아요. 제발… 제발 부탁드려요.

강호, 가만히 여자를 바라보더니… 핸드폰을 받는다.

강호 쉽지 않으셨을 텐데 용기 내주셔서 감사합니다… 연락 드리겠습니다.

여자 감사합니다. 감사합니다, 검사님.

눈물까지 흘리며 꾸벅꾸벅 몇 번이나 인사하는 여자. 여자가 시야에서 사라지자 핸드폰을 켜는 강호. 통화 목록을 열더니 [우벽그룹]을 누른다.

강호 최강홉니다….

비릿한 얼굴로 여자가 건네준 핸드폰을 만지작거리는 강호.

강호 일이 좀 골치 아프게 됐는데요.

73. 송 회장네, 정원 / D

넓은 정원. 테이블에 앉아 긴장된 얼굴로 여자가 준 핸드폰을 보고 있는 강호. 그때. '하하…우리 최 검사님 오셨습니까?' 하는 소리가 들린다. 얼른 핸드폰을 가방에 넣고 벌떡 일어나 고개를 숙이는 강호.

강호 안녕하십니까, 회장님.

해를 등지고 강호를 향해 걸어오는 남자… 지팡이를 짚은 채 다리를 절뚝인다.

EPISODE 2

회장님은 오태수를 얻고, 오태수는 저를 얻고,

저는 아버지를 얻게 되는 거죠.

그야말로 누구 하나 쉽게 배신할 수 없는 사이…

가족이 되는 겁니다!

1.　　　　영순네, 마루 / D

♪ **나는 행복합니다** 노래가 흘러나오는 가운데… 마루에 나란히 걸려 있는 사진들 보인다.

- 영순과 해식의 결혼사진.
- 해식의 영정 사진.
- 영순과 둘이 찍은 강호의 초등학교, 중학교, 고등학교 졸업식 사진.
- 서울대 앞에서 찍은 학사모 쓴 강호와 영순의 졸업 사진.
- [축! 최강호 사법고시 수석 합격] 현수막 들고 있는 청년회장과 이장. 마을 사람들과 함께 찍은 영순의 사진.
- [제43기 사법연수원 임명식]에서 찍은 영순과 강호.

영순　　V.O 글쎄, 전 교회 같은 거 안 다녀요… 우리 아들도 만신님께 치성 드려서 검사 만든 거예요.

대문간에는 양복을 쫙 빼입고 성경책을 든 목사가 서 있고. 마당에 커다란 고무대야를 놓고 김치 담글 배춧잎을 칼로 탁탁 자르고 있는 영순.

목사　　아이고 만신이라니요… 자매님 그런 건 다 미신입니다.

영순　　(말 끊으며) 거기… 그렇게 문지방 밟고 서 있음 삼대가 재수 없다는데…

목사, 영순의 말에 얼른 문지방에서 내려선다.

영순 …그것도 미신이겠죠?

목사, 그제서야 뻘쭘해져 이걸 다시 올라서야 되나, 말아야 되나 망설이다가…

목사 그… 그럼 주보 하나 놓고 갑니다.

목사, 우편함에 주보를 꾸고는 부리나케 가버린다.
영순, 피식 웃더니 ♪ **나는 행복합니다~** 노래 따라 부르며 다시 배춧잎을 탁탁 자르는데… 그때, 문이 열리며 들어오는 한복 차림의 양씨와 양씨 처.

양씨 처 강호 엄마~

영순 아이고, 오셨어요… 우리 꽃선녀님도 오셨네.

양씨 시상에… 이게 뭔 짓이여?

영순 네? 왜요?

양씨 처 귀하신 몸 힘들게 이딴 걸 허구 그랴… 비켜!… 내가 헐게.

양씨 처, 얼른 영순의 손에서 배추와 칼을 뺏는다.

영순 어머… 아니에요… 이리 주세요….

양씨 (영순의 어깨 잡고 끌며) 에헤~ 글씨 검사님 어머님께서는 이짝에서 푹 쉬고 계셔요. 우리가 후딱 버무려줄게.

양씨의 손에 이끌려 마루에 털썩 주저앉는 영순, 후~ 한숨을 내쉬더니…

영순 아무리 그래도 안 되는 건 안 돼요. 음주 운전은 중범죄라구요.

양씨 굿허다가 딱 한 잔 헌 거여… 내가 마신 게 아니고 꽃선녀님이 내 몸에 들어와서 마신 거랑께….

영순 글쎄, 누가 마셨든 안 돼요. 김씨 아저씨네 염소까지 쳐서 죽였잖아요. 그걸 또 몰래 갖다가 염소탕 끓여 먹고… 그거 절도예요. 우리 강호, 절대 그런 거 도와줄 애 아니라구요….

영순, 다시 다가와 배추와 칼을 뺏어 든다.

양씨 아니, 난 그 염소가 김씨 아저씨 껀 줄 몰랐어….

영순 무당이 모르면 누가 알아요?

양씨 처 (양씨 보며) 으이그~ 그니께 왜 술을 처먹고 운전을 혀서….

양씨 강호 엄마~~ 그러지 말고… 제발… 응? 트럭 없음 아무것도 못 햐~

양씨와 양씨 처, 영순을 잡고 빌고 난리다.

2. 송 회장네, 정원 / D

각종 우벽그룹 관련 지라시와 비리 제보 자료들을 보고 있는 강호.
[우벽건설 100억대 배임, 횡령 정황] [우벽제지 난소암 유발 의혹] [우벽푸드 발암물질 통조림 논란] [우벽그룹 외손자 마약 투약, 성폭행 혐의] 등등.
그때, 지잉지잉. 울리는 휴대폰… 강호, 슬쩍 폰을 보면 [조우리]라고 떠 있다.
얼른 전화기를 끄는 강호.

송 회장 하~ 내도 몰랐던 게 쌔리 막 터지니까… 내일은 또 으대서 뭐가 터질라나 이젠 막 설렌다이가.

강호 어느 쪽에서 퍼뜨린 자료들인지 알아보겠습니다.

송 회장 알아내고 자시고 할 게 모 있노. 뻔하지. 정권 바뀌믄 제일 먼저 하는 기 뭐고? 우리 같은 기업들 족치는 기다. 우짜겠노. 얼마 후면 대선인데 즈그들이 안 멕힐라믄 미리미리 딴 먹잇감을 던지 놔야지… 그래도 이런 건 쫌 너무하다이가?

송 회장이 젊은 여자와 노천탕에 앉아 있는 모습이 찍힌 사진이다.

송 회장 인마들은 찍어도 꼭 밑에서 찍고 지랄이고… 아후 씨… 이 턱살 좀 봐라….

강호 걱정 마십시오. (서류 정리하며) 문제없이 처리하겠습니다. 아, 그리고…

강호, 1화 72씬의 박철수 부인이 줬던 핸드폰을 꺼내려고 가방에다 손을 넣는다.

송 회장 니 내 아들 할래?

강호, 그 말에 흠칫 놀라 송 회장을 본다.

송 회장 볼 때마다 탐난데이… 최검같이 든든한 아들 하나 있으믄 을마나 좋을까. 그라믄 고마 확 경영권이고 뭐고 싹 넘겨뿌고 어디 하와이 같은 데서 낚시나 하믄서 살겠구만.

강호 ….

송 회장 자식이라곤 쓸모없는 딸년들뿐이고… 외손자라고 하나 있는 놈은 허구헌 날 사고나 치쌌고~ 아, 맞다!… 일이 복잡해질 거 같다는 기 뭔 소리고?

강호, 잠시 머뭇거리다… 이내 핸드폰을 다시 가방에 밀어 넣더니…

강호 아… 그게… 이번 사건이 생각보다 여론이 안 좋아서 박철수 씨 형량을 낮추기가 쉽지 않을 것 같습니다.

송 회장 에이… 난 또 뭐라꼬… 고마 신경 끄라… 어짜피 금마는 이번 일만 단도리치믄 베릴 놈이었다. 최검이 고생 많았데이. 필요한 거 있음 뭐든 말하그라. 아! 맞다… 이번에 옮긴 집은 어떻드나? 살 만하드나?

강호 너무 과분한 선물을 주셔서… (벌떡 일어나 꾸벅) 감사합니다. 앞으로 더 열심히 하겠습니다.

송 회장 (장난스레) 에이~ 지금맨치만 해라. 더 잘하믄 내 주머니 거덜난데이. 하하하.

강호 (웃으며) 그럼 이만 들어가 보겠습니다.

강호, 가방을 집어 드는데…

송 회장 어이… 봐라.

강호 ?

송 회장 빼먹은 게 있을 낀데?… (가방 가리키며) … 고대로 내리나라.

당황한 표정의 강호를 보며 날카롭게 웃는 송 회장.

CUT TO

탁! 글러브에 꽂히는 야구공. 보면 송 회장과 강호가 다정하게 캐치볼을 주고받고 있다.

송 회장 내가 야구 한다믄 다들 비웃제. 뛰지도 몬하는 빙신이 뭔 야구냐고. 근데 있나이가. 간단하다… 안 뛰믄 된다. 홈런을 치믄 돼… 아이믄 삼진아웃으로 뒤지든가. 내는 평생을 그래 살았다. 홈런 아이믄 아웃!!!

강호 ….

송 회장 이 다리도 마찬가지그든… 예전에 모시던 행님이 하나 있었는데 인간이 너무 파인그라. 얄궂게 지 목숨 하나 건질라고 식구들 배신하고 상대 조직에 탁 붙어뿌드만 내한테 지 밑으로 들어오라카대…. 홈런 아이믄 아웃!… 우짜겠노. 그냥 내 손으로 내 발목 짤라뿌고 아웃됐다이가.

강호 그거였군요. 그 짧은 시간에 용라건설을 우벽그룹으로 키워내신 힘이. 깊이 새기겠습니다. 홈런 아니면 아웃!!!

강호가 말끝에 힘차게 공을 던지고 그걸 간신히 받는 송 회장.

송 회장 와 마이 늘었네? 몇 해 전만 해도 뽈도 제대로 몬 쥐드만….

강호 연습 많이 했습니다… 실은… 제가 어릴 적부터 야구를 좋아했거든요. 근데… 친구들과 야구를 할 수도, 티비로 야구 중계를 볼 수도 없었습니다.

송 회장 아니 와?

강호 …회장님 만나려구요.

송 회장 응?

강호 검사가 안 됐음 어떻게 회장님을 만났겠습니까?
저도 탐납니다… 회장님 같은 든든한 아버지가 한 분 계시면
얼마나 좋을까…

송 회장 (가만히 강호 보다가) 좋다!… 그람 인자부터 내한테 아부지라 캐라.

강호 (얼굴 환해지며) 정… 정말 그래도 됩니까?…

송 회장 와~ 나 우리 최검 이래 웃는 거 처음 본데이~

강호 (쑥스럽게 웃더니) 그럼… 언제 저하고 사우나 한번 가주실래요?

송 회장 사우나?

강호 아버지 등 한번 밀어보는 게 평생 소원이었습니다.

송 회장 아부지? 아하하하… 이야~~ 이런 기분이구만… 쥑이네….
그래, 마… 내 아들내미 덕에 호강 한번 해보재이. 하하하!!!

3. 송 회장네, 담장 / D

담쟁이넝쿨이 우거져 담장처럼 보이는 부분 한쪽이 툭 열리더니 그 안에서 나오는 강호. 그 앞에 세워진 낡고 오래된 작은 경차에 올라탄다.
운전석에 앉아 박철수 부인이 주고 간 핸드폰을 보는 강호.

강호 홈런 아니면 아웃….

훗 웃으며 핸드폰을 양복 안주머니에 넣는 강호.

4. 서울중앙지방법원, 지상 주차장 / D

강호가 탄 경차가 정문으로 들어와 주차장에 끼익 선다. 서류들을 챙겨 들다가 차창 밖에 뭔가를 보고는 표정이 굳어지는 강호. 하얀 에코백을 든 한 여자가 강호 차 앞을 서성이다 누군가에게 손을 흔들며 달려가버린다. 그때, 톡톡톡 차 문을 두드리는 수사관1. 50대 정도로 나이가 좀 있어 보인다. 차에서 내리며 수사관1에게 서류뭉치를 한가득 건네는 강호.

강호 이거 어디서 나온 건지 출처 확인하고 관련 기자, 단체, 피해자들까지 싹 알아봐 주세요.

그때, '검사님!!!' 하는 소리와 함께 강호에게 달려오는 한 할아버지. 목에 맨 1인 시위 피켓에는 [우리 아들은 살인자가 아닙니다], [억울한 옥살이] 등등 아들의 사연이 빼곡하게 적혀 있다.

할아버지 참말로 억울혀요. 우리 아들은 절대 사람 죽이고 그럴 애기가 아니랑께요. 그 돈 많은 회장 외손자란 놈이 순진한 우리 애한테 옴막 다 뒤집어씌운 거 솔직히 검사님도 다 알고 있잖소.

수사관1 (얼른 할아버지 말리며) 아… 할아버지 이미 판결 다 끝난 걸 가지고 자꾸 이러시면 어떡합니까?

할아버지 검사님이 잡아 넣었응께… 검사님이 풀어주소. 우리 아들이 범인 아니라고 딱 한마디만 해주믄 되는 거 아니오.

제발 부탁이여라… 예? 검사님… 검사님….

할아버지, 말리는 수사관1을 떼어내고 얼른 강호의 팔을 잡는다. 순간 홱, 할아버지의 손을 뿌리치는 강호. 그 바람에 '아이쿠' 하며 저만치 나동그라지는 할아버지. 차갑게 다시 걸어가는 강호.

할아버지 야!! 이 느자구 없는 호로새끼야… 니는 애비도 없냐?!!!

그 말에 우뚝 걸음을 멈추는 강호. 천천히 뒤돌더니 할아버지 앞으로 다가와 쭈그리고 앉더니 나직이 말한다.

강호 네… 없습니다. 근데… 애비가 있으면 뭐가 달라지나요?
힘없고 능력 없는 애비 밑에서 당신 아들은 살인자가 됐는데….

할아버지, 충격받은 얼굴… 금세 눈이 붉어진다. 강호, 차갑게 일어나 다시 걸어가는데 울리는 전화. 보면 [조우리]… 전화기를 꺼 주머니에 넣고는 한쪽에 세워진 고급 승용차에 올라타는 강호.

5. 영순네, 마당 / D

'지금은 전화를 받을 수 없어…' 안내 멘트가 흐르자 전화기를 꺼 주머니에 넣는 영순.

영순 (고무장갑 다시 끼며) 많이 바쁜가 보네… 그러엄~ 나랏일 하는 사람이 당연히 그래야지.

영순, 버무려 놓은 김치를 하나 집어 입에 넣다가 킁킁킁 냄새를 맡더니…

영순 아!… 갈비… 갈비…

얼른, 부엌으로 뛰어 들어가는 영순. 솥을 열고 갈비찜을 뒤적이고는 그 옆에 솥을 열어 미역국 간을 본다. 한쪽 채반에 놓인 녹두전, 마른반찬, 잡채, 게장… 등등 형형색색 먹음직한 음식들.

영순 (손을 꼽으며) 나물, 잡채, 전, 미역국… 다 됐지?

영순, 찬장을 열더니 꼭대기에 있는 반찬 통을 꺼내려고 하지만 손이 닿질 않는다. 주위를 살펴보다 국자를 집더니 국자 손잡이로 반찬 통을 쿡쿡 치는 영순. 순간, 와르르 떨어져 내리는 반찬 통들.

영순 어마!!!!!!!!!!!

반찬 통들과 함께 바닥으로 발라당 넘어지는 영순.

6. 이장네, 거실 / N

누워 있는 영순의 허리에 파스를 붙여주는 이장 부인. 쉬폰 롱 원피스에 흑설탕 팩. 그때, 이장이 침통을 들고 와 앉더니, 장침을 하나 꺼내 든다.

이장 자자… 허리 삐끗혔을 땐 침을 맞는 게 직방이여.

얼른 일어나 앉으며 정색하는 영순.

영순　　아… 아니… 괜찮아요, 이장님… 파스 붙였으니까 금방 좋아질 거예요.

이장 부인　　예전에 우리 작은 아버지도 계단에서 굴렀는데 좋아지겠지… 하면서 파스만 붙였다가 반신불수 됐잖아요. 욕창 생겨서 살 다 썩어 문드러지고 말도 아니었어요.

이장　　어휴… 뭔 그런 끔찍한 소리를 허고 그랴….

이장 부인　　그냥 그랬다구요. 속은 어떻게 아파요? 울렁거려요? 아니면 막 칼로 담근 것처럼 쑤셔요?

이장　　(황당한 얼굴로) 칼로 담그는 걸 워치키 알어?

이장 부인　　아… 모르나?

영순　　(활명수 따며) 간 좀 본다고 이것저것 막 집어먹다가 얹혔나 봐요. 이거 하나 먹음 금방 내려가요.

이장 부인　　예전에 우리 큰고모가 소화 안 된다고 활명수만 먹다가, 결국 위에 빵꾸 나서 돌아가셨잖아요. 배를 갈랐더니 오장육부가 죄 녹아 문드러져 있더래요.

영순　　(활명수를 마시다 쫙 뿜는다)

이장　　아니… 이 여편네가 왜 자꾸 쓸데없는 소리를 허는 겨?

이장 부인　　그냥 그랬다구요. 신경 쓰지 마세요.

그때, 귀여운 곰돌이컷을 한 비숑 한 마리가 이장 부인의 치마 끝자락을 살짝 물어 당긴다. 이장 부인 발목의 문신이 살짝 보이고… 얼른 강아지를 안아 올리는 이장 부인.

이장 부인 으구 내 새끼… (강아지와 얼굴을 부빈다) 아… 맞다… 우리 애기 이름을 강호라고 지을까 하는데….

이장 으잉?… 아니 왜 하필….

이장 부인 가만 보면 강호라는 이름이 다 잘되는 거 같아서요. 송강호도 그렇고… 최강호도 그렇고…. 그래서 우리 애기도 잘되라고….

이장 옘병, 개가 잘돼봤자 개지… 호랑이가 될 거여, 뭐여?

이장 부인 아!!… 호랑이… 호랑이라고 해야겠다. 그럼 호랑이가 되는 거잖아요. (강아지 보며) 호랑아~ 어흥 해봐~ 어흥~

이장 (고개 절레절레) …우리 검사님은 잘 계시제? 어떻게 서울 가더니 영 한 번을 안 내려오네.

영순 (약간 당황하며) 아… 그러지 않아도… 아까도 전화 와서 내려온다는 걸 제가 못 오게 했어요. 맡은 재판이 얼마나 많은지 주말이라도 좀 푹 쉬라고요.

이장 강호가 일을 잘하는가 벼….

영순 (배시시 웃으며) 이런 말 제 입으로 하면 팔푼이 같지만… 검사장, 차장검사, 부장검사… 이런 높은 사람들이 다 강호한테만 일을 맡기나 봐요.

이장 이야~ 그렇게 아들 하나 보고 살더니 고생해서 키운 보람이 있네. 근디… 장개는 안 간다? 내가 좋은 자리 중신 한번 설까? 저 인왕리 과수원 집 딸이 하나 있는디… 을매나 이쁘고 야무진지 몰러.

영순 아휴 아니에요. 그러지 않아도 다들 어떻게 알았는지 전국 팔도

뚜쟁이들이 전화를 해대는데… 요즘 젊은 사람들이 부모 맘대로 억지로 되나요? 좋은 연분 알아서 잘 만나겠죠.

7. 수현네, 거실 / N

한껏 차린 밥상을 가지고 들어오는 한 여자. 황수현(34). 강호가 갓난아기를 안고 까꿍까꿍하며 어르고 있다.

수현 아휴… 힘들게…. 이리 주세요.

수현, 얼른 상을 내려놓고 아기를 안는다.

강호 뭘 이렇게나 많이… 라면이면 되는데….

수현 하루 종일 일하느라 힘들었을 텐데 라면 갖고 돼요?… 어서 드세요.

강호 (찌개를 한 입 먹는다) 와! 국물 죽인다. (허겁지겁 퍼 먹는다)

수현 천천히 드세요… 천천히….

수현, 맛있게 밥을 먹는 강호를 물끄러미 보다가 주머니에서 노란색 USB를 꺼내 건넨다. 강호, 아무렇지 않게 주머니에 넣는다.

수현 일은 잘돼가고 있는 거죠?

강호 (장난스레 아기 볼을 살짝 꼬집으며) 이제부터 시작이죠~~ 우쭈쭈

수현, 그런 강호와 아기를 보며 빙그레 웃는다.

8. 검사실 / D

기자와 함께 마주 앉아 있는 강호와 수사관. 책상에는 「우벽푸드 발암물질 통조림」 관련 취재 자료가 놓여 있다.

기자 전 그냥 익명의 제보를 받아 조사하고 있는 것뿐입니다.

강호 그렇군요. (서류 뭉치 건네며) 이건 최근 5년간 기자님이 작성하신 겁니다. 대부분이 우벽그룹 비리에 관한 기사들이죠.

기자 근데요?… 뭐 문제 있습니까?

강호 전혀 문제없습니다. 기자님 매형 되시는 분이 우벽의 경쟁사인 도상그룹 전무로 계시지만 않았다면.

기자 무… 무슨 소리예요? 매형은 제 일과 아무 관계없습니다.

강호 (서류 한 장 보이며) 매달 매형으로부터 돈을 받고 계시네요.

기자 그… 그건 조카 생활빕니다. 학교 때문에 저희가 데리고 있어서요.

강호 정확히 말하면 학군 때문이겠죠? (수사관 보며) 그럼 위장전입도 추가네.

기자 추… 추가라뇨?

강호 미국에 있는 큰따님 유학 자금부터 2년 전 아내분이 매입하신

땅이 얼마 전 도상건설이 시공하는 도로 개발지로 확정된 것도 그렇고….

기자 아니… 검사님!… 그건…

강호 현재 저희도 우벽그룹에 대해 조사 중이라 기자님께 도움을 좀 받을까 했었는데… 아무래도 다른 분을 찾아봐야겠네요.

강호가 일어서 나가자, 멍한 얼굴로 있다가 급하게 어딘가로 전화를 하는 기자. 강호 들으라는 듯이 강호 뒤통수에 대고 크게 말한다.

기자 우벽그룹… 데스크 올렸어?… 일단 내리고 올스톱해!… 올~!!… 전부!!… 알아들었니? 다 없었던 일로 하라고!!!!

강호, 나가며 씨익 웃는다.

9. **병원, 병실 앞 / D**

병실 안 침상에 누워 있는 중학생 또래의 여자아이. 강호와 중학생의 엄마로 보이는 여자가 병실 앞에 함께 서 있다.

강호 아이의 난소암과 우벽제지에서 생산한 생리대와의 인과관계를 입증할 증거가 없습니다. 특히 난소암의 경우 가족력을 무시할 수 없는데… 어머니께서 난소암을 앓으셨던 병력이 있네요….

여자 아니에요!!… 그러니까… 제 말은… 난소암을 앓은 건 사실이지만 절대 저한테서 유전된 게 아니라는 거예요.

강호 확신하시는 이유가 있습니까?

여자 그게….

여자, 한동안 머뭇거리더니 이내 입을 연다.

여자 사실… 우리 정희는 갓난아기 때 입양한 아이예요.

강호 네에?!! (얼굴 환해지며) 아, 그럼 됐습니다. 법정에서 그 사실을 진술해 주시면 되겠네요.

여자 아… 안 돼요!!!! 그건… 아이는 이 사실을 전혀 모르고 있어요. 몸도 아픈 아이에게 마음까지 상처를 주라구요?

강호 우벽은 상상도 할 수 없을 만큼 큰 힘을 가진 기업입니다. 필요하다면 친모를 찾아내서라도 전 이 사실을 밝혀내야 합니다. 그게 제 일이니까요.

여자 아니요… 안 돼요… 하… 제발… 제발… (고개를 절레절레 저으며) 그냥 저 고소 취하할래요… 다 없었던 일로 해주세요. 흑흑.

눈물을 쏟아내는 여자의 등을 토닥여 주는 강호… 희미하게 웃는다.

10. 별장, 야외 수영장 / D

고급스러운 풀빌라 별장. 수영장에 앳돼 보이는 남녀가 어우러져 놀고 있다. 선 베드에 거만하게 누워 있는 송 회장 외손자 옆에 강호가 서 있다.

외손자 그래서 미국은 언제쯤 돌아갈 수 있는데요?

강호 일단 마약 투약 혐의는 벗었으니 성폭행 부분만 합의되면 될 것 같습니다.

외손자 우리 할아버지가 힘이 없는 건가? 아님 최 검사님이 능력이 없는 건가? 한 달도 넘은 일을 아직까지 끌고 있네?

강호 워낙 증거가 확실한 데다 피해자 측이 정신적인 충격으로 접촉 자체를 거부 중입니다.

외손자 아아… 그건 내가 알 바 아니고… 다음 달 내 생일파티는 맨허튼에 있는 내 아파트에서 할 거니까 그렇게 아세요.

외손자, 말끝에 일어나 물속으로 풍덩 다이빙을 한다. 그 모습을 가만히 보는 강호. 눈이 가늘어진다.

11. 자동차 / D

운전하고 있는 수사관1, 그 옆에서 우벽에 대한 각종 의혹과 비리 제보들을 보는 강호.

수사관1 하루가 멀다하고 이런 기밀정보가 올라오는 거 보면 누군가 아주 작정하고 우벽그룹을 파는 거 같은데…. 솔직히 경쟁사인 도상그룹도 이렇게까지 속속들이 파기는 힘들지 않을까요? 이건 제 생각인데… 아무래도 내부고발자가 아닌가 싶어요. 그죠?

강호, 무표정한 얼굴로 계속해서 서류를 본다. 큼… 괜한 걸 물었다는 듯 다시 앞을 보는 수사관1. 그때, 울리는 강호의 휴대폰.

강호 네.

수사관2 검사님… 우벽그룹 비리 제보자 CCTV 확보했습니다.

흠칫 놀라는 강호.

12. 검사실 / D

급하게 들어오는 강호와 수사관1. 수사관2가 노트북 속 파일을 재생시킨다.

수사관2 어제 저녁 우벽그룹 사내 익명 게시판에 올라온 게시물 아이피 추적한 결과 상도동에 있는 한 PC방에서 찍힌 화면입니다.

수사관1 어? 뭐야…… 여자네요.

화면 속에 검은 모자와 마스크 검은 외투를 입은 긴 머리의 한 여자가 장갑을 끼고 게시판에 글을 올리는 모습이 보인다. 그때, 울리는 전화기 [하영].
강호, 전화를 끊어버린다.

강호 우벽 쪽에서 무슨 수를 썼는지 피해 단체와 피해자들이 줄줄이 고소 취하를 하고 있어요. 무조건 이 여자… 찾아야 됩니다.

수사관들 넵!

13. 에스테틱 네일샵 / D

청담동 에스테틱 네일 코너에서 발 관리를 받고 있는 하영(28)과 친구.
우울한 얼굴로 전화기를 멍하니 보고 있는 하영.

친구 왜 또 그냥 끊어?

하영 (끄덕끄덕하더니) …한 번만 더 해볼까?

순간, 홱 하영의 폰을 뺏는 친구.

친구 야… 됐어… 너도 그냥 끝내!… 아무리 재판이 많아도 그렇지, 어떻게 몇 개월씩 연락을 안 받냐?… 이거… 내가 보기엔 딴 여자 생긴 거야.

하영 야!!!!

소리 지르며 벌떡 일어나는 하영. 급작스럽게 움직이는 바람에 발 관리를 해주던 종업원의 큐티클 가위가 엇나가고 만다. '아야!!!' 하영의 발가락에서 피가 난다. 놀라 번쩍 고개를 드는 종업원… 미주(34)다.

미주 (얼른 물수건으로 발가락 지혈하며) 어… 어떡해… 죄… 죄송합…

순간, 퍽!! 발로 미주를 차버리는 하영. 미주, 뒤로 자빠지며 놀라서 하영을 보는데… 매니저가 뛰어나온다….

매니저 어머… 이게 무슨 일이야!!!… 세상에… 죄송합니다…. 죄송합니다…. (미주에게) 뭐 해!! 얼른 사과 드리지 않고!!!

미주 (일어서더니 공손히 고개 숙여) 죄송합니다.

하영 너 나 뭐 하는 사람인지 몰라? 발레리나라고, 발레리나… 하마터면 발가락이 날아갈 뻔했는데 지금 그걸 사과라고 하는 거야?!!

미주, 잠시 주저하다가 이내 무릎을 꿇고 고개를 숙인다.

미주 정말… 죄송합니다.

하영, 미주가 무릎을 꿇자 조금 당황했지만 이내 표정 다잡으며…

하영 짜증 나… 가자! (가려는데)

미주 저기… (일어선다) …이젠 그쪽 차례예요….

하영 뭐?

미주 방금… 저 때린 거 사과하세요.

매니저 (놀라) 미주 씨, 왜 이래?

하영 (기가 막혀서) 허… 니가 아주 돌았구나?

미주 아직 돈 건 아니구요… 사과 안 하시면 그땐 진짜 돌아보려구요.

순간, 급격하게 싸늘해지는 하영… 후~~ 가볍게 한숨을 내뱉더니… 미주에게로 다가와 선다.

하영 사과 못 하겠다. 자… 이제 어쩔 건데? (미주 어깨를 밀며) 어? 어?

미주 그래?… 그럼.

하더니 냅다 돌려차기로 하영을 차버리는 미주. 저만치 나가자빠지는 하영.
다들 헉!!!!!!

14. 곱창집 / D

에스테틱 동료 언니인 선영이와 함께 소주를 먹고 있는 미주.
하하하하하하하 웃음을 멈추지 못하는 선영.

선영 와… 처음 브라질리언 왁싱한 후로 이렇게까지 속 시원했던 적이 있나 싶네.

미주 그러게 사람을 왜 건드려, 건들긴….

선영 이제 어떡할 거야?

미주 안 찍어줄 거야.

선영 그게 무슨 소리야? 안 찍어주다니….

미주 걔네 아빠 다음 대통령 선거 나올 거라며… 절대 안 찍어줘.

선영 풉. 그래, 그게 제일 무서운 거다… 안 찍어주는 거.

미주, 소주 한 잔 따라 원샷하더니…

미주 그동안 모아둔 돈으로 조그만 샵이라도 열려구.

선영 샵?

미주 응… 한 2년 더 모아서 서울 한복판에 근사하게 시작하려고 했는데… 지방이나 샵인샵이라도 알아봐야겠어.

미주의 말에 눈이 반짝이는 선영.

선영 미주야… 나두… 나두 껴줘… 나도 보탤게.

미주 정말?

선영 성질 더러운 매니저년 눈치 보는 것도 지겹고, 매일 새로 갱신되는 진상 것들 돈 있다고 유세 떠는 것도 꼴 보기 싫어. 우리 돈 합쳐서 변두리라도 인서울로 시작하자. 어때?

미주 나야 그럼 너무 좋지….

선영 오케이… 그럼 니가 사장해…. 난… CEO할게.

미주 뭐어? (웃는다)

선영 자, 그럼 잘 봐주세요. 사장님…. (잔 내민다)

미주 네~ 열심히 하겠습니다. CEO님. (잔을 부딪친다)

쭈욱 원샷 하더니 마주 보고 까르르르 웃는 미주와 선영.
그때, 미주의 폰이 울린다.

미주 (받으며) 네, 엄마.

예진 킥킥킥 나보고 엄마래.

미주 너, 또 혼나려고 할머니 폰 막 만지지?!

예진 할머니… 죽었어.

미주 뭐?!!!!… 그… 그게 무슨 말이야? 죽다니….

예진	피가 모자라서….
미주	피?

15. 마을회관~곱창집 (교차) / D

예진이 돌아보면 청년회장, 박씨, 정씨, 양씨, 양씨 처 등 몇몇이 고스톱을 치고 있다.

예진	응… 피가 모자라서 피박 쓰고 돈 다 잃어서 이번 판은 그냥 죽었어.
미주	….
예진	….
미주	야!!!!
예진	앗!! 깜짝이야!!!

그때, 예진을 보는 정씨.

정씨	너 시방 누구랑 통화허냐?
예진	엄마요.
박씨	엄마?… 엄마면… 미주?
청년회장	아~ 미국 산다는 막내 딸내미?

정씨, 그 말에 눈치를 보더니 얼른 폰을 빼앗아 받더니…

정씨　　헤… 헬로우~

미주　　애들 데리고 고스톱 치지 말랬지?!

정씨, 보면 사람들이 일제히 정씨를 보고 있다.

정씨　　뭐?… 계좌번호 부르라고? 아이고… 미국서 힘들게 일혀서 뭔 용돈을 보내~

청년회장　　이야~~ 딸래미가 용돈 보내주려나 보네… 좋겄다.

박씨　　옘비럴~~~ 누구는 자식이 넣어주는 용돈 쓰고 누군 사식 넣느라 용쓰고…. 아이고! 뭔 놈의 팔자여~

양씨　　어떻게… 사주팔자 한번 봐드려?

미주　　용돈은 무슨… 그리고 당분간 나 돈 못 부쳐… 네일샵 낼 거야.

정씨　　뭐? 우리 사위가 네일샵을 내준댜? 아이고 잘혔네… 잘혔어… 굿 잡!!

정씨, 전화기 든 채로 얼른 밖으로 나간다.

정씨　　(여기저기 주위를 살피더니) 왜 쓸데없이 전화질이여?

미주　　예진이가 했거든? 그러게 애들한테 전화기 주지 말랬지. 유투브 많이 보면 눈 나빠진단 말이야.

정씨　　그렇게 걱정되면 니가 키워, 이년아…. 그 개잡놈의 호로새끼는 어떻게 됐어?

미주　　호로새끼라니… 누구?…

정씨　　아, 니 새끼들 애비 말이여!… 찾았어? 못 찾았어?

미주　　하… 그 얘긴 이제 안 하기로 했잖아. 못 찾는 게 아니고 안 찾아… 끝났다고!!

정씨　　끝나긴 뭐가 끝나… 그럼 사람들헌티는 뭐라고 헐 건데… 니 새끼들헌티는 뭐라고 헐 거냐고… 아빠랑 엄마랑 미국서 열심히 돈 벌어서 지들 델꼬 갈 줄 아는디.

미주　　그러게 왜 거짓말을 해?… 아, 몰라… 그냥 이혼했다고 해.

정씨　　에라이 이년아!! 진주, 선주 이혼헌 것도 모자라서 너까지 이혼혔다고 허라고. 뭐… 사랑과 전쟁 집안이냐? 내가 아주 동네 챙피해서 살 수가 읎어.

미주　　그거… 처음 시작한 게 엄마거든.

정씨　　난 이혼 안 혔어!!!

미주　　남편이 바람나서 도망간 건 낫냐?

정씨　　처녀가 애 난 것보단 낫다, 이년아!!

미주　　….

정씨　　….

정씨/미주　　끊어!!!!

정씨　　경을 칠 년… 닮을 게 읎어서 드런 놈의 에미 팔자를 닮고 지랄이여… 에휴….

정씨, 돌아서는데 서 있는 영순.

영순　　처녀가 애를 낳아요? 누가요?

정씨　　옴마야, 놀래라…. (얼른) 아… 그게… 드… 드라마… 드라마 얘기헌 거여.

영순　　아~ 다들 안에 계시죠?

16.　　마을회관 / D

양씨 앞에 몰려 있는 사람들. 사주팔자를 풀고 있던 양씨. 갑자기 종이를 박박 찢는다.

박씨　　왜… 왜 그래유? 우리 삼식이가… 뭐 안 좋아요?

양씨　　못 볼 걸 봤네, 못 볼 걸 봤어…. 세상 살다살다 이렇게 숭하고 재수 없는 팔자가 또 있을까?… 급각살, 역마살에 백호살, 탕화살, 공망살… 아휴… 아무튼 살이란 살은 다 갖고 태어났네…. 삼식이 곧 출소헌다고 혔죠?

박씨　　(다급하게 끄덕끄덕) 네… 나오믄 살풀이라도 헐까요?

양씨　　아니… 짐 싸서 얼른 도망가요…. 이건 굿도 소용읎어… 꽃선녀는커녕 옥황상제가 와도 못 막는다고….

박씨, 암담해지는데… 갑자기 얼굴 환해지며 일어나는 양씨.

양씨　　하이고~~ 세상 부귀영화 복이라 복은 다 타고나신 우리 최강호 검사님의 어머님 납시었네~

영순과 정씨가 들어서자 벌떡 일어나 호들갑시리 영순을 반갑게 맞는 동네 사람들. 짜증 나는 얼굴로 영순을 노려보는 박씨.

서진/예진 (배꼽 인사) 안녕하세요~

양씨 (뛰어나와 짐 들어주며) 어여 들어오세요… 어여….

영순 아니, 전 서울 좀 가봐야 해서요. 그거 겉절이랑 반찬 몇 개 담았는데, 같이들 드세요.

청년회장 아~ 그래서 이렇게 이쁘게 차려입으셨구나~ 검사님 보러 가려고….

정씨 근데… 여기 팔은 왜 이려? 걷는 것도 어째 좀 불편해 보이고….

영순 아… 어제 부엌에서 미끄러져서… 괜찮아요.

양씨 처 (반찬들 풀며) 세상에… 그 몸으로 반찬해서 서울까지 가는 겨?

박씨 (삐죽대며) 하이고 정성도 뻗쳤다… 잘나가는 검사님 어련히 비싸고 좋은 거 많이 사 드실라구….

영순 그래도 생일이니까….

정씨 아… 오늘이 강호 생일이여? 아이고 그럼 갔다 와야제… 조심히 댕겨와….

영순 네, 그럼 맛있게들 드세요. 예진이 서진이도 많이 먹어.

서진/예진 (동시에) 네~~ 안녕히 가세요.

영순이 나간다.

박씨 맛이 있어야 맛있게 먹지….

양씨 처 맛있는데 왜… (박씨에게 녹두전 집어 주며) 먹어봐….

박씨 됐어… 나 다이어트 중이여….

청년회장 근디 어제 삼겹살을 그렇게 많이 처먹은 겨? (양씨에게) 저기… 아까 살이 꼈다는 게 (박씨 배 잡으며) 이 살을 말하는 건 아니쥬?

박씨 (청년회장 팔을 쳐내며) 고기는 살 안 쪄!… 저탄고지 몰러? 저탄고지?

정씨 자… 잠깐만!!! 뭐여!! 강호가 생일이면 미주도 생일이잖어…. (얼른 다시 전화 건다) 야! 이년아 생일이면 생일이라고 말을 해야제… 계좌번호 불러!!!

17. 강호 오피스텔 앞 / N

오피스텔 앞 차단기 앞에 서 있는 영순의 1톤 트럭. 차단기 스피커에서 경비의 목소리가 들려온다.

경비원 F 아, 그러니까 몇 동 몇 호냐구요!!

영순 (전화기 들고) 지금 전화하고 있어요… 하, 왜 이렇게 전화를 안 받아… 아! 수사관님… 전데요. 가르쳐주신 주소대로 오긴 왔는데 몇 동 몇 혼지…

그때, 뒤에서 빵빵거리는 차들. 경비원이 달려나온다.

경비원 아, 진짜… 뭐 하시는 거예요? 얼른 차 빼요.

18. 강호 오피스텔 / N

고급스러운 오피스텔. 욕조에 몸을 담그고 눈을 감고 있는 강호.
그때, 인터폰 울리는 소리가 들리자 욕실 인터폰으로 받는다.

강호 네.

경비원 F 아, 검사님… 여기 경비실인데요. 어머님이란 분이 찾아오셨어요.

강호 (차가운 얼굴로) …없다고 하세요.

19. 경비실 / N

당황한 얼굴의 경비원.

경비원 어… 없다고 하라고요?…

경비, 스르륵 영순 쪽을 보자… 영순, 순간 얼굴이 굳어버린다.

경비원 (몸 돌려 속닥) …반찬을 잔뜩 해 오셨는데….

강호, 인터폰을 탁 끊어버린다. 경비, 영순의 눈치를 보며 전화기를 내려놓는다.

경비원 저… 그게… 검사님이…

영순 (애써 밝은 표정으로) 왜요? 아직 안 들어왔어요? 하긴, 대한민국 최고로 잘 나가는 검산데 할 일이 얼마나 많겠어요. 연락도 안 하고 온 내가 잘못이지. 저기… 그럼… (삼식이 방앗간이라고 프린트 된 분홍 보자기에 싼 걸 내밀며) 이 반찬들이라도 꼭 좀 전해주세요.

경비원 아… 예… (왠지 짜한)

영순 그럼… (인사하고 돌아서 가다가 다시 돌아보며) 가끔 보시죠?

경비원 네?…

영순 우리 아들 말이에요… 그래도 여기 계시니까 오다가다 만나시죠?

경비원 아. 네… 뭐… 가끔….

영순 어때요?… 얼굴이 좋든가요?… 아픈 데는 없어 보이구요?

경비원 아, 뭐… 워낙 인물도 훤하시고… 자기관리도 철저한 분이니까….

영순 혹시 술 먹고 막 힘들어 보인다거나… 그런 적은 없구요?

경비원 …그런 모습은 못 뵌 거 같은데….

영순 (웃으며) 그럼 됐어요. 잠시만요….

영순, 트럭에서 자신의 전화번호가 적힌 종이를 집어 와 절뚝절뚝 경비원에게 온다.

영순 혹시 오다가다 또 만나시면 밥은 먹었는지, 불편한 데는 없는지 한 번씩 꼭 물어봐 주시고 뭐라도 이상하다 싶음 여기로 전화 좀 해주세요. 부탁드리겠습니다.

영순, 공손히 꾸벅 인사를 하고는 허리를 잡고 다시 절뚝이며 차로 향한다.

경비원 (씁쓸하게 영순 보며) 밥은 먹었나? 되게 불편해 보이는데…
에휴… 검사면 뭐 해?… 싸가지 없는 새끼….

20. 트럭 / N

차에 타 시동을 걸더니, 글러브박스에서 초코파이 하나를 꺼내 까는 영순.

영순 바빠서 그래, 바빠서….

초코파이 한 입 크게 베어 물고는 카스테레오 볼륨을 높이는 영순.
♪ 나는 행복합니다~~~ 노래가 울린다. 몸을 들썩들썩 어깨춤을 추더니 다시 기어를 넣는 영순.

21. 강호 오피스텔 / N

맥주 한 캔을 따서 소파에 앉는 강호. 뉴스 화면에 오태수가 나오고 있고 [오태수 의원, 차기 대권 후보 입지 굳건] 자막이 보인다.

앵커 제21대 국회의원 선거에서 제일미래당 선대위원장으로 여당의 압승을 이끈 오태수 당선인이 지난 주 실시한 차기 대권주자 선호도 조사에서 압도적인 지지율로 보수 진영 유력 후보인 바른한국당 박길웅 전 대표를 꺾으며…

화면에 클로즈업 되는 오태수의 얼굴을 뚫어져라 보는 강호.

강호의 회상으로…

22. 사법연수원 강당 (과거) / D

[오태수, 가슴이 뜨거운 법조인]이라는 플래카드 밑 오태수. 지금보다 앳된 강호가 동경의 눈빛으로 오태수의 강의에 푹 빠져 있다. 옆에서 연수생 동기들이 속닥거린다.

동기1 교수님한테 들은 얘긴데, 오태수 검사장님 내년에 사임하고 국회의원 선거 나가실 거래.

동기2 국회의원? 아니 검찰총장 안 하고?

동기1 뭔가 큰~ 뜻이 있다는 거지….

동기3 설마… 대권?

동기1 (끄덕끄덕) 빙고!

동기3 헉! 대박!… 그럼. 우리도 미리미리 잘 보여놔야 되는 거 아니야?

동기2 넌 안 돼, 새끼야… 연수원 꼴등 주제에….

동기3 뭐?!!

강호, 뚫어져라 오태수를 보고 있다.

오태수 대한민국 법조인이 왜 욕을 먹는 줄 알아요? 할 줄 아는 게 공부밖에 없어. 근데 사실 이 공부라는 건 노래 잘하고 그림 잘 그리는 것처럼 그냥 하나의 특기일 뿐이거든, 절대 남들보다 우위에 있는 게 아니야. 어떻게 보면 공부밖에 못하는 사람이 가장 하수일 수도 있어. 막말로 다들 친구도 없잖아. 왕따 아니었어?

일동 (웃음)

오태수 그런 모지리들이 마치 판검사가 인간이 가질 수 있는 가장 최고의 권력인 것처럼 시건방을 떨어. 그러니까 욕을 먹지. 훌륭한 법조인은 이 머리와 가슴이 가까워야 해요. 친구도 없고, 인간에 대한 공감 능력도 없는 놈들이 책만 달달 외워서 인간사를 기소하고 변호하고 판결하겠다? 그러니까 이 나라가 이 모양 이 꼴이고 힘없는 사람들만 억울하게 당하는 거 아니겠어요? 자, 과거의 케케묵은 법조인의 한 사람으로서 미래의 법조인 여러분께 부탁 하나 할게요. 우리 그동안 공부한다고 참 머리 많이 썼잖아요… 안 그래? 그러니까 이제 이 머리 말고, 여기 이 뜨거운 가슴으로… 생각을 합시다. 오늘 강의는 여기까지!

와!!! 사람들 일제히 일어나 기립 박수를 친다. 그 속에서 가장 힘차게 박수 치는 강호.

23. 사법연수원 야외 일각 (과거) / D

연수원생들이 오태수를 둘러싸고 사진 찍고, 저서에 사인 받는 등 정신없는 분위기다. 그때, 교수 하나가 강호를 데리고 오태수에게 다가온다.

교수 자자… 다들 이제 그만….

연수원생들이 하나둘 돌아간다.

교수 선배님… 여기 최강호라고 이번 사법연수원 수석 입학에 학기 내내 한 번도 일등을 놓친 적이 없는 수잽니다.

오태수 아!… 그래? (악수 건네며) 우리 동문인가?

강호 네… 뵙게 돼서 영광입니다.

오태수 (강호 어깨 다독이며) 뭐 수석이면 판사 임용되는 거야, 시간문제겠네.

강호 전 검사가 되고 싶습니다.

교수 롤모델이 선배님이랍니다. 저서는 말할 것도 없고 선배님 학사, 석사 논문까지 달달 외울 정도로 아주 열성 팬이에요.

오태수 아! 그래? 하하하… 이거 내가 더 영광이네…. 부디 몸도 마음도 건강한 검사가 돼서 우리 메마른 법조계에 신선한 활력소가 돼주길 바래요.

오태수, 강호의 등을 토닥이고 돌아서 걷다가 갑자기 발걸음을 멈추고 다시 강호를 돌아본다.

오태수 근데… 우리 혹시 어디서 본 적 있나?… 낯이 좀 익네….

강호 아니, 뵌 적은 없고… (머뭇) 실은 예전에 검사장님께서 저희 아버지…

그때, '아빠!!!!' 하는 소리가 들려온다. 보면, 차 한 대가 서 있고 뒷좌석 창문에서 손을 흔들고 있는 한 여자… 하영(22)이다.
'우와!!!', '예쁘다!!' 하영을 보고 소리 지르며 환호하는 연수생들.

하영 (손목 시계 가리키며) 늦었어요, 빨리….

오태수 어어 그래… (강호 보며) 난 일정이 있어서… 다음에 또 보자고… 후배님.

강호 (큰 소리로) 네!… 꼭 다시 뵙겠습니다. 선배님!

오태수, 웃으며 돌아서 차에 오른다. 하영이를 유심히 보는 강호.

24. 호텔 클럽 (과거) / N

화려한 조명 속 춤을 추며 놀고 있는 젊은 남녀들이 보인다. 그 속에서 함께 춤을 추고 있는 하영(25).

25. 호텔 앞 (과거) / N

호텔 앞에 서는 승용차 두 대. 시간이 흘러 검사가 된 강호가 내린다.

강호 (무전기에 대고) 한 명도 빠져나갈 수 없게 정문, 1층 계단, 2층 VIP룸 확보하세요. 전 비상계단으로 해서 바로 스테이지로 진입하겠습니다. 자, 정신 바짝 차리고 한 번에 갑시다.

26. 호텔 클럽, 화장실 (과거) / N

만취한 듯 비틀비틀 화장실로 들어오는 하영. 세면대에 서서 가방을 뒤지더니 휴지에 싼 알약 하나를 꺼내 입에 넣는다. 손으로 수돗물을 받아 약을 삼키는 하영. 게슴츠레한 눈으로 한동안 거울 속 자신을 쳐다보더니, 립스틱을 꺼내 덧바르기 시작한다.

27. 호텔 클럽, 화장실 앞 (과거) / N

비틀거리면서 나오는 하영. 그때, 그런 하영의 손목을 확 낚아채는 손. 강호다.

하영 (강호 쳐다보며) 아, 됐어… 관심 없으니까 꺼져….

뿌리치는 하영의 손을 다시 바짝 끌어당기는 강호.

강호 …곧 관심 갖게 될 거예요.

28. 검사실 (과거) / N

하영의 가방을 거꾸로 들고 있는 강호. 가방 속 내용물을 책상 위에 탈탈 쏟아내고 있다.

하영 니들 미쳤어? 무슨 약을 했다는 거야, 내가!!! 아오, 씨… 진짜 돌아버리겠네. 니들 지금 실수하는 거야. 내가 가만둘 거 같아?!
싹 다 모가지 날려버릴 거야!!!!

그때, 휴지에 싸인 약을 열어 보이는 강호.

강호 네… 모가지는 천천히 날리시구요…. 이 약은 뭡니까?

그 말에 일제히 하영을 돌아보는 하영 일행들.

하영 (당황해서) 그… 그건… 그냥 약이에요….

강호 그러니까… 그냥 무슨 약이냐고.

하영 ….

강호 (버럭) 대답하세요!!!!

하영 (잠시 주저하다) 공황장애 약이에요….

으응? 놀라서 쳐다보는 일행들.

하영 (일행들 보며) 아니야, 아니야… 심각한 건 아니고…
으아아악!!!!!…

보면, 커터 칼로 하영의 가방 속 천을 찢고 있는 강호.

하영 아… 아… 안 돼!!!!… 뭐 하는 거야!!!!
야, 이 미친놈아!!! 그게 얼마짜린 줄 알아?!!!

강호에게 덤벼들려는 하영을 말리는 수사관들. 강호, 가방 여기저기를 찢어 살펴보는데 아무것도 나오지 않는다. 그때, 문을 열고 들어오는 수사관2.

수사관2 소변검사 결과 전원 음성입니다.

순간, 싸해지는 분위기. 하영, 울그락불그락한 얼굴로 또각또각 강호에게 다가온다. 그리고는 냅다 따귀를 날린다. 짝!! 다들 놀라서 일시정지 상태가 되는데…

강호 흠… 제보를 받는 과정에서 뭔가 착오가 있었던 것 같습니다. 죄송합니다.

하영 죄송? 죄송해?… (가방 들고) 이 지경을 만들어놓고 겨우 죄송해?

강호 가방은 변상하겠습니다.

하영 허~~~ 나도 우리 아빠 검사였어서 니 월급 얼만지 아는데… 웃기지 마… 널 팔아도 이거 못 사…. (소지품 몇 개 챙겨 들며) 일어나!!

하영, 나가자 우르르 쫓아 나가는 일행들. 강호, 씁쓸한 얼굴로 서서 뺨을 어루만지는데…

수사관1 괘… 괜찮습니까?

강호 아… 네… 괜찮습니다.

수사관1 아니… 검사님 말고 저희요.

강호 ?

수사관1 (모니터 보며) 지금 여길 보니까 아까 그 오하영 씨가 오태수 의원…

그러니까 전 검사장님 딸이에요.

수사관들 뭐어?!!!!!

그때, 문이 열리며 다시 들어오는 하영. 수사관들이 일제히 자리에서 벌떡 일어난다.

수사관2 뭐 필요하신 거라도…

하영 (힐끔 강호 보더니 새침하게) …때린 건 좀 심했어요.

수사관1 아휴… 아닙니다, 아닙니다. 맞을 짓을 하셨어요, 검사님이….

강호가 찌릿, 노려보자 수사관1, 큼~ 자리에 앉는다.

하영 근데요… 혹시… 저 여기 온 거 기록에 남아요?… 집으로 연락 가고 그런 거 아니죠? (다급하게) 저… 클럽 진짜 오늘 처음 간 거구요… 아니… 뭐 두세 번 갔구요. 아, 그리고 그 공황장애 약이요… 저 진짜 안 심하거든요. 그냥 잠도 잘 못 자고… 예방 차원에서 먹는다… 이런 거? 그러니까 그냥 오늘 일은 없었던 걸로 하죠? 가방도… 물어줄 필요 없어요. 어차피 질려서 버리려 그랬어요. 그럼… 알아들은 걸로 알고… 전 이만….

하영, 쾅 문을 닫고 나간다. 강호, 기가 막혀 허~ 웃는다.

29. 오태수와 하영의 봉사 몽타주 (과거) / D

- 마스크와 위생모를 쓰고 무료 급식소에서 배식 봉사하는 오태수.

- 연탄 나르기 봉사하는 오태수와 부인, 하영.
- '사랑 나눔 후원의 밤' 무대에서 발레를 하고 있는 하영.
- 환경단체 조끼 입고 쓰레기 줍는 태수 부인, 하영.
- 보육원 앞마당 잔디밭에서 아이들 목욕을 시켜주며 장난치고 있는 하영. 한 아이가 던진 거품을 피하려고 고개를 돌리는데… 저 멀리 서 있는 한 남자… 강호.

30. 보육원 일각 (과거) / D

하영이 강호를 미친 듯이 끌고 보육원 건물 뒤쪽 외진 곳으로 간다.

하영 (주위를 살피더니) 당신 미쳤어? 여기가 어디라고…!

강호 (쇼핑백 내밀며) 가방 물어주러 왔어요.

하영 (멍하니 보며)… 말도 안 돼… 그걸 구했다고?… 한정판인데….

쇼핑백을 열어보는 하영. '어머' 하며 놀란다. 꺼내 보면, 천으로 만든 하얀 에코백이다.

하영 가방은 어딨고… 더스트백만 있어?

강호 아버님이 얼마나 존경받는 분이신지 아시죠? 늘 검소하고 소탈하신 모습에 국민들이 더 신뢰하고 지지합니다. 그런데 오하영 씨가 그런 비싼 가방을 들고 재벌들하고 어울려 클럽이나 다니면 되겠어요? 아버님 욕 먹이지 마시고 앞으로 이거 들고 다니세요.

하영 아니, 당신이 뭔데…

강호, 또 다른 쇼핑백에서 검정 비닐봉지를 내미는 강호.

강호 그리고 이거…

하영이 받아서 봉투를 열어보자 대추가 한가득 들어 있다.

강호 대추가 천연 신경안정제래요… 공황장애 심하지 않다고 했으니까 신경안정제 같은 거 먹지 말고 이거 푹 끓여서 자기 전에 마셔요. 새벽에 경동시장까지 가서 사 온 거니까 한 알도 버리면 안 돼요.

강호, 돌아서 간다. 하영, 그런 강호의 뒷모습을 얼떨떨한 표정으로 보다가 피식 웃는다.

31. 일식집 (과거) / N

룸 안에 오태수와 부인이 앉아 있다. 그때, 문이 열리며 들어오는 하영.

하영 아빠~ 해피 벌스데이 투 유~

오태수 어… 그래 우리 딸 왔… (강호를 보더니 멈칫)

태수 부인 누구…?

강호 안녕하십니까? 최강호라고 합니다.

하영 흐흣 놀라셨죠?… 아빠 생일 선물이에요. 사윗감!!

태수 부인 (놀라) 뭐?

오태수 (당황한 듯 하더니 이내 웃으며) 야 이 녀석아… 이렇게 근사한 남자를 숨겨놓고 이제야 인사시키는 거야? 하하하… 거기 앉아요, 앉아….

CUT TO

함께 식사하고 있는 네 사람. 분위기가 좋아 보인다.

오태수 아!!… 그래… 사법연수원… 맞아맞아… 어쩐지 낯이 익다 했어…. (따뜻하게 강호를 보며) 아버지도 없이 홀어머니 밑에서 이래저래 힘들었을 텐데 이렇게 반듯하게 자라 훌륭한 검사가 되었으니 참~ 내가 다 뿌듯하네.

강호 아직 부족합니다… 많이 가르쳐주십시오.

오태수 그래그래… 우리 잘 해보자고… (시계 보며) 허허… 벌써 시간이 이렇게 됐네. 자… 그럼 이쯤에서 여자들은 빠져주실까요?

하영 아… 뭐예요… 저희 빼고 무슨 얘기 하시려고….

오태수 원래 이 남자들끼리 할 얘기가 따로 있는 거야. 안 그런가?

강호 네. 맞습니다, 아버님.

하영 치… 우리 오빠 술 너무 많이 먹이면 안 돼요.

오태수 이것 봐… 딸 키워봤자 아무 소용없다니까… 하하하하.

하영 (일어서며 강호에게) 집에 들어가면 전화해.

하영과 부인이 나가자 웃으며 술병을 들어 강호에게 내미는 오태수.
강호가 얼른 술잔을 내민다.

오태수 자… 뭘로 할까?

강호 네?

오태수 니들 헤어지는 이유 말이야… 너한테 여자가 생길래? 아님 어디 해외 주재원 같은 걸로 파견될래?… 뭐 검찰 비리로 몇 년 살다 나오는 것도 괜찮고…. 갑자기 죽는 건 좀 그렇잖아.

얼굴이 굳어지는 강호.

오태수 너한텐 이상한 냄새가 나…. 처음 본 순간부터 그랬어… 그게 뭘까?… 개천에서 난 용이라 흙 비린내가 나는 건가?

강호 아버님.

오태수 아버님? 아하하하하… 이 친구 재밌네….

오태수, 홱 강호의 멱살을 잡아끌더니…

오태수 잘 들어. 일주일 안에 너희는 헤어지고, 하영이는 내 계획대로 도상그룹 며느리로 들어갈 거야. 너 같은 놈은 나 같은 사람을 절대 아버님이라고 부를 수 없어. 넌 아버지가 없어서 잘 모르겠지만….

32. 자동차 / N

살짝 취기가 도는 모습으로 뒷좌석에 앉아 있는 강호. 핸드폰이 울린다. 보면 하영이다. 강호, 종료를 버튼을 눌러 던져버린다.

플래시백 31씬, 일식집 안

오태수 너한텐 이상한 냄새가 나…. / 개천에서 난 용이라 흙 비린내가 나는 건가? / 너 같은 놈은 나 같은 사람을 절대 아버님이라고 부를 수 없어. 넌 아버지가 없어서 잘 모르겠지만….

붉게 물들어가는 강호의 눈. 바들바들 떨리는 손에 힘이 들어간다. 강호, 입술을 꾹 깨물더니… 뭔가 결심한 듯! 전화기를 집어든다.

강호 부장님. 저 최강홉니다.

33. 바 (과거) / N

수영장이 보이는 풀 사이드 바에 부장검사와 강호 함께 앉아 술을 마시고 있다.

강호 오태수 의원이 우벽그룹 뒤를 봐주다 도상그룹으로 돌아선 이유… 뭡니까?

부장검사 뭐야? 너 설마 진짜 몰라서 묻는 거야?… (수영복 입은 여자 다가오자 껴안으며) 야… 얘도 알겠다. 그치? 너도 알지?

아가씨 잉… 난 오빠밖에 몰라.

부장검사 이그 귀여운 것… 하하하.

강호 (버럭) 부장님!!!!

부장검사 아유… 깜짝이야… 얘는 화를 내고 그래…. 얌마… 송 회장 깡패 출신이잖아. 30년 넘게 뒤봐주면서 둘이 얼마나 드러운 짓을 많이 했겠어. 우벽그룹 전신인 용라건설 회장 사망도 두 사람 합작품이란 말이 있어. 사실이든 아니든 그런 게 나중에 다 발목 잡을 거 같으니까 미리미리 세탁기 돌린 거지. 강호, 너도 눈치껏 살살해. 송 회장이랑 너무 깊게 얽히지 말고.

강호 그치만 오 의원이 대선 출마를 하게 되면 송 회장이 가만히 있진 않을 텐데요.

부장검사 가만 있지 않으면? 뭐?… 같이 죽자고? 막말로 같이 죽을 수도 없어… 천하의 오태수가 그 정도 안전장치도 안 해놓고 수류탄 깠을까 봐? 틀어지면 우벽만 개박살 나는 거야. 그러니까 송 회장이 저렇게 오태수를 못 잡아 안달이지. 근데… 송 회장 이 인간은 뼛속까지 후진 거라. 기껏 한다는 게 돈이나 멕이고 여자나 붙이고… 능구렁이 같은 오태수한테 그게 먹히냐? (옆에 아가씨를 확 끌어안고 장난치며) 나한테나 먹히지… 히히힛.

아가씨, 꺄악 웃으며 비명 지르고…

강호 여자…요?

34. 수현네 (과거) / D

여러 번 벨을 누르는 강호. 아무도 없는 듯 대답이 없는데. 그때… '누구시죠?' 하는 목소리가 들린다. 강호, 쳐다보면 양손에 장바구니를 들고 다가오는 임산부, 황수현(33)

강호 황수현 씨?

수현 누구…세요?

강호 저는 서울지검 최강호 검사라고 합니다. 오태수 의원 수행 보좌관으로 계셨죠?

하는데, 순간 사색이 되더니… 양손에 든 것을 그대로 던지고 도망가기 시작하는 수현.

강호 이… 이봐요!!… 황수현 씨!!

강호, 여자를 쫓아 달리기 시작한다. 하지만 얼마 못 가 멈춰 서더니 배를 감싸 안고 뒷걸음질 치며 강호에게…

수현 따라오지 마세요… 배 속에 애기가 있어요….

강호 알았어요, 더 이상 안 따라갑니다… 그러니까 잠시만….

수현 오태수 그 인간이 보냈나요?… 대선 출마해야 되니까 저 없애래요?

강호 네?

순간, 그대로 주저앉아 빌기 시작한다.

수현 살려주세요… 제발… 제발….

강호, 당황해서 쳐다본다.

CUT TO

벤치에 앉아 있는 강호와 수현.

수현 송 회장은 늘 오태수가 자신을 배신할까 봐 불안해 했었어요.

인서트 1 우벽그룹, 회장실 (과거)

살짝 앳된 얼굴의 수현이 송 회장에게 탭을 들고 보고하고 있다.

수현 세계 경기침체에 따라 하향 조정됐던 기업 매출액이 오히려 전년 대비 21.5% 증가했습니다… 여기 이 자료를 보시면… 어쩌고, 저쩌고….

소파에 앉아 그런 수현을 눈여겨보는 태수. 그런 태수를 보며 슬쩍 웃는 송 회장.

수현 V.O 그래서 저를 오태수의 수행 보좌관으로 보내고 그를 감시하게 한 거예요. 처음엔 그냥 업무라고 생각했는데….

인서트 2 오태수 사무실 (과거)

오태수에게 결재 서류를 내미는 수현. 그런 수현의 손 위에 자신의 손을 덮는 오태수.

수현, 눈물이 그렁그렁한 눈으로 강호를 쳐다본다.

수현 외국 나가서 평생 죽은 듯이 살게요… 아니… 그냥 우리 둘 다 이미 죽었다고 해주시면 안 돼요?

강호 둘 다?

강호, 수현의 불룩한 배를 스르르 쳐다본다.

E 현관 벨소리

35. 강호 오피스텔 / N

다시 현재. 강호, 문을 열자 하영이가 문 앞의 보자기를 풀고 반찬 통을 들여다보고 있다.

하영 이거 뭐야?… 설마 오빠 진짜 다른 여자 생긴 거야?

강호, 문을 닫으려 하자 얼른 문 사이로 몸을 비집고 들어오며…

하영 아아… 발… 나 오늘 발가락 다쳤단 말이야… 잠깐만 앉자… 잠깐만…. (소파에 앉더니) 아니지? 응? 오빠… (선물 내밀며) 나 오빠 생일선물도 사 왔는데….

강호 돌아가….

강호, 책상 쪽으로 간다.

하영 정말 너무하는 거 아니야? 진짜 이제 나 안 만날 거야?

강호 만나려고 이러는 거야. 근데 니가 자꾸 이러면 내 계획에 차질이 생겨.

하영 계획?… 그게 뭔데?

CUT TO

오피스텔 내 작은 팬트리 공간. 서류들 사이 봉투 하나를 꺼내더니 그 안에서 종이 한 장을 꺼내 드는 강호. 유전자 검사 결과지다… [99.98345235559% 일치] 의미심장하게 웃는 강호 얼굴 위로…

송 회장 V.O 홈런!!!!!!!!!!!!!!!!!!!!!!!!!!!!!!!

36. 송 회장네, 서재 / D

유전자 검사 결과지를 들고 있는 송 회장.

송 회장 이기 진빼이 홈런이지. 9회말 2아웃 역전 만루홈런!!! 으하하하.
그러니까… 황수현이 오태수 얼라를 뱄다 이 말이제?
흐흣… 빙신… 내 배신하고 도상에 붙을 땐 이래 될지 몰랐제?
쌔빠지게 도루하면 뭐하노. 바로 병살로 뒤지삐는데…
으하하하하.

강호 오태수 의원은 아직 아이의 존재를 모릅니다. 혹시라도 알게 되면 본인과 아이에게 위해를 가할까 봐 임신 사실을 알자마자 바로 일을 그만두고 잠적했다고 합니다.

송 회장 오태수도 모르는 오태수의 비밀이라… 이기이기… 보통 귀한 게 아이네…. 근데… (표정 확 굳더니) 니는 이걸 와 내한테 흘리노?…

강호 저를 들이신 이유가… 이거 아니셨습니까? 대통령 오태수만 손에 넣으면 그 누구도 감히 우벽을 건드릴 수 없습니다.

송 회장 흠… 근데 진본이 아니고 사본이네?… (날카롭게 강호를 노려보며) 우리 아들래미가 내한테 할 말이 있다, 그제?

강호, 송 회장을 가만히 쳐다보더니…

강호 저를 진짜 아들로 받아주십시오.

송 회장 뭐라꼬?

강호 법적으로 인정받을 수 있는 회장님 양아들 말입니다.
그럼 저는 회장님의 아들로서 오태수 의원의 딸과 결혼을 할 겁니다. 회장님은 오태수를 얻고, 오태수는 저를 얻고, 저는 아버지를 얻게 되는 거죠. 그야말로 누구 하나 쉽게 배신할 수 없는 사이… 가족이 되는 겁니다!

송 회장, 자리에서 일어나더니 지팡이를 짚고 창가로 다가간다. 한동안 말없이 창밖을 보던 송 회장.

송 회장 만약… 내가 거절한다면?

강호 아버지에게 버림받은 자식이 뭘 할 수 있겠습니까?… 다른 아버지를 찾아봐야죠.

강호의 눈빛이 서늘하게 반짝인다. 송 회장, 한동안 강호를 노려보더니…

송 회장 …자식을 버리는 애비는 읎다.

37. 우벽그룹, 회장실 / N

굳은 얼굴로 친자 확인서를 보는 오태수.

송 회장 회사 사정 잘 아는 똑똑한 가시나니 잘 데리고 우벽 살릴 구실 좀 만들어달라 캤더니 이래 얼라를 만들어놓으시믄 우짭니까?

오태수 (결과지를 테이블에 탁! 놓으며) 장난이 좀 심하시네요.

송 회장 장난은 의원님이 하셨지요… 그러게 불장난 끝냈으믄 남은 불씨가 없나 잘 살폈어야지….

오태수 겨우 종이 쪼가리 한 장 디밀고 이걸 믿으라는 겁니까?

송 회장 못 믿겠음 관둡시다. 즈 밖에 나가면 믿어줄 사람 천지빼까리니까….

송 회장, 결과지를 집으려 하자 탁! 종이를 잡는 오태수.

오태수 황수현 어딨습니까?

송 회장 하~ 이래 상황 파악이 안 돼가 우째 나랏일을 하신다는 겐지…. 지금 의원님이 만나야 될 사람은 황수현이 아이고 최강홉니다. 만에 하나 최강호가 이걸 듣고 바른한국당에 붙는 날엔 의원님도 저도 고마 끝입니다, 끝!

오태수 …….

송 회장 사실 의원님하고 내하고 30년 동안 못할 짓 마이 했지요… 아입니까? 최강호 점마가 황수현까지 찾아냈을 땐, 뒤에 을마나 많은 걸 손에 쥐고 있겠습니까? 최강호와 따님을 반대하셨다구요. 그때 아가 자존심을 마이 다쳤나 보대요. 아마 의원님을 캔 것도 거서부터 시작된 게 아닐까 싶은데….

오태수 …….

송 회장 우리 그 아~ 들부터 다시 붙여놉시다. 의원님이 못마땅해하시는 부분은 제가 채우겠습니다.

오태수 무슨 뜻입니까?

송 회장 최강호… 제 호적에 올리겠습니다. 경영권 승계 자격이 있는….

오태수 !!!

송 회장 그야말로 누구 하나 쉽게 배신할 수 없는 사이… 가족이 되는 겁니다!

38. 호텔 사우나 / D

사우나 안에 함께 앉아 있는 강호, 송 회장, 오태수. 송 회장 몸에는 여러 흉터들이 가득하다.

송 회장 우리 강호 평생 소원이 뭔 줄 압니까? 아부지 등 한번 밀어보는 거라 카대요. 봐라… 여 아부지도 있고, 아버님도 있다이가…
니 인자 무서울 게 뭐 있노? 니 맘에 묵은 때 맨치로 응어리져
있는 거 싹 다 배껴뿌고 앞으로는 니 쪼대로 살아삐라. 하하하하.

오태수 그 전에… 서로 찜찜한 건 처리하고 가야지 않겠습니까?
(강호 보더니) 유전자 검사 진본, 내 앞에서 없애줄 수 있겠나?

송 회장 에이… 그깟 종이 쪼가리 하나 읎앤다고 읎던 일이 되겠습니까?
(강호 보더니) 진짜 읎던 일로 맹글어 드릴 낍니다… 우리
아들래미가….

강호 !!

39. 도로 / N

어두운 국도를 달리는 자동차 한 대.

40. 자동차 / N

수현이 불안한 눈빛으로 아이를 안고 뒷좌석에 타 있다.

강호 한국보단 훨씬 안전할 겁니다. (홀더의 테이크아웃 커피를 꺼내
내밀며) 절대 찾을 수도 없을 거고….

불안한 눈빛으로 강호를 바라보는 수현.

강호 걱정 말아요… 다 잘될 거니까….

수현 (커피 받으며) 잘 마실게요.

커피를 마시는 수현을 룸미러로 바라보는 강호의 눈빛.

CUT TO

차 안에 잠들어 있는 수현과 아기를 가만히 쳐다보는 강호. 운전대에 머리를 박고 잠시 호흡을 가다듬더니… 이내 결심한 듯 표정을 굳히고 차에서 내린다.

41. 바닷가 간이 선착장 / N

차에서 내린 강호, 뒤쪽으로 돌아가 차량 후미를 힘껏 민다. 스르르 바다 쪽으로 굴러가는 차. 강호, 어딘가로 영상통화를 건다.

강호 방금 처리했습니다.

강호, 휴대폰을 들어 바닷물 속으로 서서히 가라앉고 있는 자동차를 비춘다.

42. 네일샵 앞 / D

[네일 또 네일]이라는 간판 보이고… 꺄악!!! 소리 지르며 서로의 손을 마주치는 미주와 선영.

미주 아, 드디어 우리 가게다.

아아… 하며 둘이 부둥켜안고 좋아하는 미주와 선영. 어느새 흑흑흑 둘이 울기 시작한다.

선영 왜 울고 지랄이야… 좋은 날….

미주 언니가 먼저 울었잖아… 흑흑.

선영 우리 열심히 해서 청담동에 2호점 내자.

미주 백종원처럼 골목골목마다 다 내자.

선영 외국에도 내자. LA에도 내고… 로스앤젤레스에도 내자….

미주 언니… LA가 로스앤젤레스야….

선영 에라이… 똑똑해서 좋겠다, 이년아….

미주 나 돈 진짜 많이 벌어서 우리 예진이, 서진이 데려올 거야. 그래서 우리 쌍둥이들 햄버거, 치킨, 피자도 잔뜩 사주고 예쁜 옷도 많이 사줄 거야.

아아아앙… 울며 다시 껴안는 미주와 선영.

43. 영순네, 마당 / D

누가 봐도 만든 듯한 꽃무늬 고쟁이 바지에 목 늘어난 티셔츠 차림의 예진과 서진. 돼지고기 수육을 한 접시 들고 사이좋게 나눠 먹고 있다.

예진 잡내 잘 잡았다. 그치?

서진 집 된장 풀어서 그랴…. 김치 먹어봐… 묵은지라 맛있어.

예진 여기에 홍어만 있음 딱인디….

서진 잔칫집에 홍어가 빠질라고… 누구라도 가져오겄지.

떡메를 치다 아이늘의 모습을 보고 웃는 이장과 청년회상.

이장 아휴… 저 말하는 것 좀 봐… 요즘 애들은 참 빨러….

청년회장 빨라도 너무 빠른 거 아녀요? 왠지 돌아가신 울 엄니 생각이 나는디….

전을 부치는 박씨. 강아지 안은 이장 부인이 얼굴에 강아지 그림 동물 팩을 하고 앉아 전만 낼름낼름 집어먹는다.

이장 부인 으… 짜…. (다른 전을 한 입 먹더니) 이건 싱겁구…. (전을 강아지에게 내밀며) 너도 먹어볼래? (강아지 외면하자) 어머나~ 개도 안 먹네~

박씨, 부글부글 끓는 얼굴로 이장 부인을 째려본다. 마당 한 켠에 걸어놓은 가마솥에는 돼지고기를 삶고 있고. 그 옆에서 보쌈김치 속을 버무리는 정씨.

정씨 에휴… 좋겄다…. 서방도 읎이 그렇게 혼자서 고생고생 지독하게 키우더니 검사 아들에 국회의원 사돈에… 이제 팔자 피는구먼….

청년회장 팔자가 피는 정도가 아니쥬… 신분이 달라지는 건디….

박씨 (가마솥 삶은 고기 찔러보며) 신분은 개뿔, … 그럼 출장 부페라도 좀 부르든가. 겨우 이 고기 몇 점 갖다놓고… 사람 입이 몇 갠디….

이장 아, 여차하믄 한 마리 끌어다 잡음 그만이제… 돼지 멕이는 집에서 괴기가 읎을까 걱정이여?

그때, 막 작업복 차림의 영순이 들어온다.

영순 아이고… 다들 고생 많으시죠? (정씨에게) 줘요… 내가 할게….

정씨 (코 막으며) 흐미… 냄새… 됐어. 얼릉 가서 씻기나 혀.

이장 그려… 여는 우리헌테 맽기고 퍼뜩 준비나 혀. 아, 국회의원 따님이 오신다는디 그러고 맞을 껴? 흐업~~ (퍽!)

영순 (놀라 정씨를 홱 쳐다보며) 말하지 말라니까….

정씨 아니… 난 그냥… (웃으며) 에이… 좋은 일이니께~

청년회장 근디 국회의원 누구래요?

영순 같이 일하는 수사관님한테 살짝 들은 건데… 저도 누군지는 아직 몰라요. 아무튼 강호 앞에선 절대 그런 소리 하시면 안 돼요. 아셨죠?

박씨 국회의원 딸이건 뭐건 그게 우리네가 좋아할 일이여? 아닌 말로 강호가 법대 나오고 검사 헌다고 우리한테 뭐 하나 좋은 게 있었슈? (전 부친 쟁반 들고 일어서며) 방앗간에서 후딱 뽑으면 될 걸… 오늘내일 허는 노인네까정 불러다 뭐허는 건지… 으이그….

한참 떡메를 내리치던 이장 멍해지고…

이장 저기… 오늘내일 허는 게… 내 얘기는 아니쥬?… 어이, 삼식이 엄니!

박씨, 부엌 쪽으로 팩 들어가버린다.

정씨 (속삭이듯) 지난번 삼식이 절도로 들어간 것 땜시 그랴. 깜빵만 안 가게 혀달라고 그렇게 부탁을 혔는디도 강호가 눈 하나 깜짝 안 하드랴. 그게 아즉까지 고까와서 그랴. 이해혀.

영순, 미안한 눈으로 부엌 쪽을 본다.

44. 영순네, 부엌 / D

박씨, 행주치마를 풀고 있다. 영순이 들어선다.

박씨 난 가볼게… 산기가 있어서 그런가 개새끼가 통 먹덜 못 허고….

영순 언제 나와요?

박씨 피 비치고 허는 거 보니께 뭐 오늘 내일 상간이겄제….

영순 아니… 삼식이요.

박씨 (흠칫 놀라) …?

영순 아니 난… 강호 내려오면 삼식이 일자리 하나 물어보려고….

박씨, 주섬주섬 행주치마를 다시 입으며…

박씨 녹두는 불려놨어? 강호 녹두전 좋아허잖여?

45. 비포장도로 / D

구불구불 비포장도로를 타고 강호의 검정색 벤츠가 달리고 있다. 그때, 울리는 휴대폰 [신림싱싱횟집]이라고 뜬다. 하영의 눈치를 보더니 전화를 꺼버리는 강호. 하영, 멀미가 나는지 헛구역질을 하더니, 물을 급하게 따 마신다. 차가 덜컹하면서 하영 얼굴로 훅 물이 튄다.

하영 아… 진짜….

강호 혼자 갔다 온다니까….

하영 그래도 한 번쯤 인사는 해야지. 오빠 낳아주신 분인데… 오빠 피곤하면 대신 운전도 해주고….

강호 ….

하영 참참! 나 반지 그냥 오 캐럿짜리로 하려고. 너무 커도 요즘은 촌스럽단 소리 듣는대. (립스틱 꺼내 바르며) 괜히 없는 사람들이 있는 사람 따라 하고 싶을 때 그렇게 크기로 승부하는 거거든. 아빠 선거도 있고… 어머머머~

하영의 몸이 심하게 흔들리며 입술에 립스틱이 죽죽 범벅된다.

정씨 V.O 뭐? 오~부?

46. 영순네, 안방 / D

요란한 드라이기 소리가 울리는 가운데… 정씨가 패물함을 들여다보다 놀라 고개를 든다.

영순 (빙그레 웃으며) 서울서도 큰 백화점에만 들어가는 거래요. 거기 보증서도 있어요. 그 안쪽에… 아니 그 반대쪽… (움직이자)

박씨 에헤… 쫌… 가만히 좀 있어….

제법 심오한 표정으로 영순의 머리를 드라이해 주고 있는 박씨.

정씨 으쩐지 알이 굵어. 시상에나… 오~부? (만지려고 하자)

영순 에이… 만지진 말아요….

정씨 아이… 안 만져… (갑자기 한숨을 폭 쉬더니) 에휴… 강호가 우리 미주랑 잘됐으면 을매나 좋아? 거 기억나? 왜 애들 어렸을 때 이담에 크면 사돈 맺자고…

박씨 미국서 결혼해서 잘 살고 있는 애를 두고 뭔 소리여?

정씨 (흠칫 놀라며) 아니 뭐… 말이 그렇다는 거지…. 근디… 날도 안 잡았는데 뭔 패물을 벌써 샀디야?

영순 저도 결혼하기 전에 반지부터 받았거든요… 돼지 목에 금반지를 이렇게 묶어가지고 왔는데…

화장대 위에 놓인 강호 돌 사진의 해식을 보며 잠시 말을 잇지 못하는 영순.

영순 이런 날 같이 봤음 얼마나 좋아….

금세 눈물이 그렁해지는 영순.

정씨 (눈치 보다가) 엠비럴… 난 결혼반지도 읎어… 남편 놈이 딴 년헌티 갖다줘서….

박씨 쓰버럴… 남편 놈은 그나마 해준 놈이니께 낫지… 난 삼식이 놈이 훔쳐서 팔아먹었어… (하더니) 아… 다 됐다….

거울 보면 너무나도 과한 웨이브.

정씨 와~~ 아주 그냥 브룩쉴즈가 따로 읎네… 삼식이가 엄니 닮아서 그렇게 손 기술이 있지 뭐여?

박씨 여서 삼식이 손 기술 얘기가 왜 나와? 지금 돌려까는 겨?

정씨 돌려까긴 뭘 돌려까… 새끼가 에미 닮았다는 게 욕이여?

박씨 그 새끼가 삼식이 새끼니까 그런 거 아니여?

정씨와 박씨 투닥투닥거리는데…

영순 이렇게 한 벌인데… 어때요?

멍한 표정으로 보는 정씨, 퍼뜩 정신 차리고는…

정씨 시상에… 곱다, 고와… 아주 그냥 한 떨기 개나리 같네 그려….

카메라 영순을 비추면 참으로 촌스러운 노란색 투피스 차림의 영순.

영순 괜찮아요?

정씨 가만 보면 색깔 참 잘 골라… 아니 어디서 이런 색을 골랐어?

영순 요즘은 이런 쨍한 색이 유행이래요… (배시시 웃더니)
시골 촌뜨기라 유행도 모른다고 괜히 책잡힐까 봐….

박씨 아니… 어디 감히 며느리 따위가 시에미 책을 잡어? 국회의원 딸이건 뭐건 여차하면 짤라버려, 아주 그냥….

정씨 맞어… 하여간에 도라지건 며느리건, 사위건 첨부터 숨을 콱 죽여놔야 댜. 그래야 난중에도 안 빳빳해지는 겨. 당당허게… 알았지?

이장 V.O 강호네~ 나와봐… 술을 못 찾겄어, 술을….

영순 예~ 가요.

영순, 후다닥 뛰어나간다.

박씨 저기… 어째 쫌 단무지 같지 않어?

정씨, 박씨를 툭 치더니 입술에 손을 긋는다. 그냥 아무 소리 말라는 듯…

47. 영순네, 마당 / D

떠들썩한 잔칫집. 노란 단무지 같은 영순이 여기저기 뛰어다니며 사람들을 챙긴다.

이장 (막걸리 병 들고) 아, 그러지 말고 이리 와서 한잔혀.

영순 저는 이따가 강호 색시부터 보고요….

청년회장 아, 맞다! 아줌니도 강호 샥시 오늘 첨 보는 거쥬?

영순 (웃으며 끄덕끄덕) 네.

이장 에이… 그건 강호가 너무 헌 거여. 그래, 지에미가 지를 어떻게 키웠는데. 샥시를 인제야 보여주는 넘이 어딨어?

정씨 워낙 바쁘신 몸이잖유… 솔직히 난 오늘 내려오는 것만도… (잠시 생각하다가 갑자기) 잠깐!! 혹시 이번에 강호가 내려와서 지 엄마를 서울로 아주 델꼬 가는 거 아니여?

박씨 서울?

정씨 맞잖여. 지난번 종호네도 종호 장개가면서 서울로 아주 이사 간 거 아니여.

박씨 오메… 그러네… 그럴 수도 있겄네.

이장 허긴… 명색이 국회의원 사윈디 엄니 혼자 여서 고생허게 놔둘 순 없겄제….

동네 사람들… '맞네… 그러네… 어쩌구저쩌구…'

정씨 (갑자기 침울) 뭐여? 그럼 이제 헤어지는 거여? 우리?

멍한 얼굴의 영순. 마을 사람들 하나 둘… 잘 가요… 잘됐네… 농장은 어쩔거유? 감자밭은 나헌테 넘겨요… 등등 인사를 건네고… 갑자기 잔치 분위기가 급 이별 분위기로…

박씨 서울 가도 우리 삼식이 취직자리는 알아봐줄 거제? 모른 척 안 할 거제?

영순의 손을 부여잡고 코까지 훌쩍이는 박씨의 표정에 영순도 괜히 찡해진다. 그때, 양씨가 뛰어 들어오며 '왔어유. 강호가 왔어유!!!!' 마을 사람들, 일제히 일어나 후다닥 밖으로 뛰어나간다.

48. 영순네 앞 / D

강호와 하영 차에서 내리다 흠칫 놀란다. 마을 사람들 일제히 와아~ 하며 박수치자 놀라 강호를 보는 하영. 청년회장이 이장을 슬쩍 앞으로 민다.

이장 (국어책 읽듯) 왔.는.가? (하영 바라보며) 에~ 저희 물 맑고 인심 좋은 조우리 마을에 왕림해 주신 두 분을 진심으로 환영합니다.

청년회장 아니 우리 마을에 물이 어딨다고…. 그리고 뭔 환영을 그렇게 AI처럼 해유…. 자 여러분. 우리 최강호 검사님과 국회의원 따님에게 박수.

강호, 인상이 구겨진다. 그때, 영순이 급하게 뛰어나온다.

영순 아이고… 국회의원은 얘긴 하지 말라니까… (강호 보며) 어서 와… 들어가자.

강호의 손을 잡고 돌아서는 영순의 옷깃 위로 삐죽 나와 있는 가격 택. 스티커가 겹겹이 붙어 최종가는 4만 8천 원이다. 하영, 그걸 보고 쿡 웃으며 따라 들어간다.

49. 영순네, 마당 / D

영순 (강호 끌고 들어오며) 먼 길 오느라고 고생했지? 일단 밥부터 먹자.

동네 사람들 우르르 몰려들어 다시 제자리에 앉는다.
이 상, 저 상에 한가득 차려진 음식들. 그야말로 마을 잔치가 벌어졌다.

강호 (못마땅한 얼굴로 영순 보며) 드릴 말씀이 있습니다.

영순 아이고… 뭐가 그렇게 급해. 먼저 한술 뜨고 천천히 얘기하자.

정씨 오매 샤시 고운 것 좀 봐. 노래나 한 곡 허라고 시켜볼까?

박씨 좋지….

동네 사람들 '노래해! 노래해!' 박수 치고…

이장 **♪ 노래를 못하면 시집을 못 가요… 아 미운 사람~~**

하영 (당황) 오빠….

강호 (버럭) 드릴 말씀 있다구요!!

50. 영순네, 안방 / D

영순, 강호와 하영의 손을 잡고 들어와 앉으며…

영순 (신나서) 어저께 꿈에는 웬일로 니 아빠가 다 보이더라. 입을 꾹 다물고 뭐가 화난 사람처럼 날 요러고 째려보고 있더라고…. 도대체 왜 저렇게 삐졌나… 가만 생각을 해봤더니 나만 이렇게 아들, 며느리를 보고 호강하는 게 심통 난 거지 뭐야… 흣.

강호 저…

영순 아! 맞다…

영순, 벌떡 일어나더니 장롱을 열고 이불 사이에 숨겨둔 패물함을 꺼내 와 강호와 하영 앞에 내놓는다. 영순, 패물함을 열자 다이아 반지와 목걸이가 걸려 있다.

영순 이거 읍내에서 제일 큰 금은방에서 산 건데… (반지 꺼내 하영에게 건네며) 다이아야.

하영, 받아야 되나 말아야 되나 다이아 반지와 강호를 번갈아 보는데…

강호 넌 잠깐 나가 있어.

51. 영순네, 마당 / D

하영, 나오면 마당에 아무도 없다. 하영, 대문 밖을 빼꼼히 내다보면 강호의 차를 둘러싸고 사람들이 차 안을 들여다보고 있다.

박씨 오매 저거 무슨무슨 똥 허는 명품 빽 아니여? 시상에….

양씨 처 그 옆에 건 뭐제?

양씨 이쪽서 보니께 무슨무슨 모피라고 써 있는디?

정씨 모피? 오매오매 그 말로만 듣던 밍크코튼가 보네.

이장 부인 밍크는 산 채로 가죽을 잡아 벗긴다던데….

이장 아휴… 무슨 그런 끔찍한 소릴 허고 그랴.

박씨 저기 뒤에도 봉투가 잔뜩 있는디 혹시 우리 것도 사 온 거 아닐까유?

청년회장 오면서 델리만쥬를 사 먹은 거 같아유. 스벅이랑….

하영 뭐 하시는 거예요?

동네 사람들, 다들 기겁을 해서 흩어진다.

52. 영순네, 안방 / D

물컵을 쟁반에 받쳐 들고 들어와 강호에게 건네는 영순. 싱글벙글 신이 났다.

영순 세상에! 세상에! 방금 밖에서 들었는데… 며늘애기…
돼지띠라며? 이런 인연이 있어? 내가 누구야… 돼지 엄마잖아….
진작에 우리 집에 시집 올 운명이었던 거야~ 그치?

물을 마시며 화장대 위에 놓인 돌 사진 액자를 쳐다보는 강호.
컵을 내려놓더니… 종이 한 장을 꺼내 영순에게 내민다.

영순 이게… 뭐야?… (종이 들어보며) 입양…동의…서?
(놀라더니) 뭐야… 니네 애 입양하려고? (나직이) 애기를 못 난대?

강호 저… 지금까지 저를 키워주신 송 회장님의 양자로 들어갑니다.
여기 동의 란에 도장 찍어주세요.

53. 영순네, 마루 / D

안방 문밖에서 엿듣던 마을 사람들 놀라서 서로서로 쳐다본다.

54. 영순네, 안방 / D

영순, 눈을 동그랗게 뜨고 강호를 보고 있다.

영순 너… 너 지금 뭐라고 했어? 누가 널 키워?… 양자라니?

강호 ….

영순 아니, 내가 니 엄만데… 내가 널 낳은 엄만데… 니가 누구 아들로 들어간다는 거야?

강호 송 회장님 아들이 돼서 경영권 승계 받고 국회의원 사위가 될 겁니다.

영순 아니… 아니아니 강호야… 그게 무슨 소리야…. 아무리 돈이 좋고, 힘이 좋아도 그렇지… 어떻게 부모, 자식 사이에 천륜을 끊어?

강호, 그런 영순을 뚫어져라 쳐다보더니…

강호 어머니가 바라던 게 이거 아니었어요?

영순과 강호의 눈이 한동안 아프게 마주친다. 영순, 무슨 말인가를 하려고 입을 벙긋벙긋하다가 이내 한숨을 내뱉더니… 한동안 말이 없다. 그렇게 어색한 침묵이 영순과 강호 사이에 한참 흐르는가 싶더니… 갑자기 좌식 화장대 서랍 깊숙이서 도장을 꺼내는 영순.

영순 그래… 내가 니 엄만데 이깟 종이 쪼가리가 뭐 그리 중요하겠어… 너 하나만 잘 살면 그만이지….

영순, 종이 위에 도장을 가져다대는데… 쉽사리 찍지 못하고 바들바들 떨리는 손.

영순 (못 참겠다는 듯) 나 한 가지만 묻자. 니가 먼저 그런다고 했니? 아니지? 그쪽에서 시킨 거지? 너는 싫다는데도 그쪽에서 니가 필요하니까 억지로… 그치? 응?

강호, 아무 말 없이 종이만 쳐다보고 있다. 그런 강호를 가만히 쳐다보는 영순. 이내 힘없이 고개를 떨구더니… 꾸욱 도장을 찍는다. 순간, 낚아채듯 종이를 홱 들고 일어나는 강호.

영순 (얼른 강호 잡으며) 잠깐만… 강호야 그래도 그냥 이렇게 가는 건 아니야. 바… 밥이라도 한술 뜨고 가….

강호 (순간 버럭) 밥이요?!!!

영순을 바라보는 강호. 원망스러운 눈이 점점점 붉게 물들기 시작한다.

강호 어머니 앞에서 단 한 번도 편하게 먹어본 적 없는 그 밥 말씀하시는 거예요?

영순, 떨리는 눈으로 강호를 쳐다보다가 이내 주섬주섬 패물을 챙긴다.

영순 그… 그럼 이거라도….

강호, 나가려 하자 얼른 강호의 팔을 잡는 영순.

영순 왜?… 왜 이건 안 되는데… 나야 냄새나고 더러운 촌사람이라 창피하다 해도 이건 왜 안 되는데? 이거 다 새 거고 서울에 큰 백화점에도 들어가는 거야… 여기 보증서도…

강호, 홱 영순의 팔을 뿌리치더니 나가버린다.

55. 영순네 앞 / D

조수석에 앉아 있는 하영. 강호가 나와 운전석에 오른다. 마을 사람들 웅성웅성 모여서 수군거린다. 그때…

영순 잠깐! 잠깐만, 강호야….

영순, 달려 나와 커다란 보따리 하나를 뒷좌석에 싣는다.

영순 너 좋아하는 녹두전이야. 가면서라도 먹어… 알았지?

강호, 대답 없이 기어를 넣더니 차를 출발시킨다.

이장 (멀어지는 차에 대고) 저런 싹바가지 없는 새끼가 있어?

청년회장이 얼른 툭 치자 큼… 영순의 눈치를 보며 입 다무는 이장.

박씨 (명품 가방 들고 눈치 보며 국어책 읽듯) 이야~ 이 가방 좀 봐… 서울 여자라 그런지 보는 눈이 고급지지 뭐여?

정씨 (어느새 모피를 꺼내 입고) 시상에 개벼워라… 입은 거 같지도 않어.

이장 부인 근데… 송 회장 아들이면 이제 송강호가 되는 거예요?

순간, 달려들어 이장 부인의 눈코입을 막는 사람들.

영순 괜히 그러실 것 없어요. (배를 만지며) 아침부터 굶었더니 속이 다 쓰리네… (동네 사람들에게) 왜 다들 나와 계세요? 안에 고기고 술이고 잔뜩인데… 자, 어서들 들어가세요.

억지로 환하게 웃으며 사람들을 안으로 미는 영순. 그러다 문득, 강호가 간 쪽을 돌아본다. 눈이 붉다.

56. 자동차 / N

어슴푸레한 저녁 하늘, 구불구불한 도로를 달리는 승용차. 강호, 아무 말 없이 운전을 하고 있다.

하영 (뒤돌아 보따리 보며) 아… 냄새 땜에 멀미 나….

강호 ….

하영 (차 문을 살짝 열며) 진짜 저걸 서울까지 가져갈 거야?

강호 ….

하영 (옷 냄새를 맡아본다) 아 옷에 냄새 배면 안 되는데….

갑자기 급정거하는 차, 그 바람에 하영이 어머머! 하며 앞으로 확 쏠린다. 강호, 차에서 내린다.

57. 도로 / N

강호 뒷좌석 문을 열더니 영순이 싸 준 보따리를 꺼내 든다. 그리고는 일말의 주저함도 없이 갓길 밑 낭떠러지로 휙 던져버린다.

58. 자동차 / N

다시 차에 오르는 강호. 물을 벌컥벌컥 다 마신다. 하영이 눈을 동그랗게 뜨고 쳐다보고 있다.

하영 오빠….

강호, 다시 시동을 넣다가 크게 숨을 내쉬더니 관자놀이를 누른다.

하영 몸 안 좋으면 내가 운전할까?

강호 그래… 미안해.

자리를 바꾸는 강호와 하영.

CUT TO

눈을 감고 누워 있는 강호를 걱정스레 보는 하영.

하영 오빠 괜찮아?…

강호 ….

하영 잠들었네…. 으으… 냄새… 이건 빠지지도 않냐….

하영, 창문을 연다. 순간 바람이 불며 날아가버리는 하영의 붉은색 스카프.

하영 어어… 안 돼!!!

하영, 도로 갓길에 차를 세운다.

59. 도로 / N

차에서 내리는 하영, 스카프를 향해 달려가 간신히 주워 돌아서는데… 그때, 빠아아앙~~ 하는 클랙슨 소리. 놀라, 얼른 몸을 피하는 하영.

덤프트럭 한 대가 속력을 내어 달려오더니 하영을 지나쳐 그대로 강호의 차를 들이받는다. 쾅~~~~~~~~~~~~~!! 하영, 비명을 지르며 주저앉는다.

난간을 뚫고 도로 밑으로 떨어지는 강호의 벤츠에서…

EPISODE
3

그런 말이 있더라고….

엄마는 세상 모든 것을 대신할 수 있지만…

세상 그 어떤 것도 엄마를 대신할 순 없다고….

기대라고 이러는 거 아니여…

암~ 강해지고 독해져야지… 엄만디….

1. 도로 / N

에에에엥~ 사이렌을 울리며 달려오는 구급차. 경찰차가 어지럽게 늘어선 사고 현장에 구급차가 멈춰 서자 대원들이 다급히 뛰어내린다. 바들바들 떨며 울고 있는 하영을 여자 구급대원이 추스르는 사이, 남자 대원들은 부서진 도로 난간 쪽으로 다가와 사고 현장 쪽을 내려다본다. 낭떠러지 아래 처참하게 박살 나 전복돼 있는 강호의 벤츠. 미리 도착한 경찰관과 소방대원들이 차 문을 열려고 안간힘을 쓰는 가운데 차 안에 머리에 피를 흘리며 의식을 잃고 쓰러져 있는 강호 모습이 보인다.

2. 병원, 복도 / N

온몸이 피투성이가 된 처참한 몰골의 강호가 긴박하게 수술실로 옮겨지고 있다. 그 뒤를 쫓아오다 우뚝 멈춰 서는 하영, 겁에 질린 얼굴로 벌벌 떨며 눈물을 흘린다.

3. 병원, 중환자실 / N

쾅! 중환자실 문이 열리는 동시에 다급하게 안으로 뛰어 들어오는 영순.
정신없이 병실 안을 둘러보다 한 침상 앞에 툭 걸음을 멈춘다.
삐~~~~ 주위의 모든 소리와 움직임이 일시정지된 듯한 충격. 온몸에 붕대를 감고 각종 기계장치가 부착된 강호가 죽은 듯 누워 있다.

영순, 넋이 나간 얼굴로 한발 한발 다가가 멍하니 바라보더니… 바들바들 떨리는 손으로 강호의 손을 잡고 흔들며 나직이 강호의 이름을 부른다.

영순 강호야… 강호야… 일어나봐, 강호야…

그러다 점점점 표정이 일그러지더니… 순간 복받친 울음을 토해내는 영순.

영순 아아… 안 돼… 강호야!!! 안 돼!!!

영순이 정신없이 강호를 안고 흔들자… 달려와 그런 영순을 잡고 말리는 간호사들.

간호사 보호자분, 이러시면 안 돼요….

그러자 정신없이 간호사에게 매달리는 영순.

영순 살려주세요… 살려주세요, 우리 아들… 내 새끼… 제발… 제발… 아아~

영순, 그대로 정신을 놓고 쓰러진다.

4. 병원, 진료실 / D

초췌한 얼굴로 멍하니 엑스레이 사진을 바라보고 있는 영순.

의사 일단 경과를 지켜봐야겠지만 뇌출혈로 인한 뇌 손상과

경추골절이 심각합니다. 이렇게 되면 깨어난다 해도 정상적인 생활을 하기가… (머뭇거리다) 최악의 경우 식물인간으로 평생을 살 수도 있습니다.

5. 병원, 중환자실 / D

온몸에 붕대를 감은 채 누워 있는 강호. 영순, 맥없이 강호의 침상 옆에 앉아 강호를 바라보고 있다.

강호 V.O 밥이요?!!!!

인서트 1 영순네, 강호 방 (과거)

밥이 담긴 식판을 책상에 탁! 올려놓는 영순… 책상에 엎드려 자고 있던 초등학생 강호가 벌떡 일어난다. 영순, 창문을 탁탁! 열어젖힌다.

영순 배부르고 뜨뜻하니까 자꾸 잠이 오잖아.

강호 방 보일러 스위치를 탁! 끄는 영순.

인서트 2 영순네, 안방 (과거)

아침밥 먹고 있는 초등학생 강호 옆에서 한자 쪽지 시험지 채점을 하고 있는 영순. 동그라미를 연신 치다가 찍 긋는다.

영순 이것 봐 또 틀렸어. 사법고시 보려면 한자는 필수라고 했지?… 쉬는 시간에 틀린 거 백 번씩 쓰고 다시 외워.

말없이 밥 먹던 강호. 영순의 눈치 보며 숟가락 내려놓더니 힘없이 일어나 책가방을 멘다.

인서트 3 영순네, 마당~마루 (과거)

농장에 다녀온 듯 수건으로 땀을 닦으며 대문을 열고 들어오는 영순. 라면을 먹으며 티브이를 보고 있는 중학생 강호. 영순, 성큼성큼 들어와 티브이를 들더니 그대로 확 마당에 던져버린다. 와장창!

인서트 4 영순네, 부엌 (과거)

어두운 부엌에 숨어 몰래 밥을 먹고 있는 중학생 강호. 그때, 영순이 들어오자, 강호가 얼른 밥그릇을 수챗구멍에 부어버린다.

영순 배부르면 집중 안 된다고 몇 번을 말해!

인서트 5 영순네, 안방 (과거)

붉게 물든 눈으로 영순을 보고 있는 2화 54씬의 강호.

강호 어머니 앞에서 단 한 번도 편하게 먹어본 적 없는 그 밥 말씀하시는 거예요?

6. 병원, 급식실 / D

영순, 멍하니 식판을 쳐다보고 있다. 간신히 젓가락으로 밥알 몇 개를 떠 입에 넣고 오물오물하다가 결국 다시 뚜껑을 닫는 영순.

식판을 들고 급식실을 나가는데… 뒤에서 들려오는 다른 환자 보호자들의 수군대는 목소리.

보호자1 이그… 통 못 먹네….

보호자2 쯧쯧… 자식이 다 죽게 생겼는데 밥이 넘어가겠어요?

순간, 우뚝 걸음을 멈추는 영순. 슥 뒤돌아 보호자들을 바라보더니 차분한 어조로 말한다.

영순 죽다니요… 죽긴 누가 죽어요?… 저렇게 멀쩡하게 숨을 쉬고 있는데… 맥박도 혈압도 다 정상이고… 손발도 따뜻하고 오줌도 나오고… 똥도 나오고…. 우리 아들 안 죽어요… 아니… 내가… 내가 안 죽여요….

영순, 식판을 들고 다시 제자리로 돌아와 앉더니 꾸역꾸역 밥을 퍼먹기 시작한다.

7. 야구장 / D

우벽 BEASTS 홈구장. 우벽 유니폼을 입고 있는 우벽 선수단들이 연습 경기를 하고 있다. 빈 관객석 한쪽에 수행원들에 둘러싸여 자리 잡고 앉아 있는 송 회장.

송 회장 숏! 숏!… 빙살! 빙살! 따불 플레이!!… 됐다, 됐어… 으하하…. 나이스 플레이~!!! (수행원들 보며) 봤제… 육, 사, 삼 빙살~ 정확하잖아!!… 어이 금일봉 준비해라. 하하하하!!

송 회장, 박수를 치며 좋아한다.

CUT TO

수행원들을 거느린 송 회장이 그라운드로 들어서자 일렬로 도열해 있는 선수들. 송 회장, 선수들 한 명 한 명 잡고 악수하며 격려한다…
'캬… 우리나라 최고 강선, 에이스 두수야', '다음 신핑 쓰지마 딥핑 넘기 뿔면 돼…' 등등 인사…

송 회장 아이고, 우리 감독님 고생하셨어요. 이러니까 말이야. 우리가 창단 2년 만에 한국시리즈 진출이라는 쾌거를 이룬 거예요… 으이? 내가 왜 이 구단의 이름을 비스츠라고 했느냐… 야수들이라 이거지… 내야수… 외야수… 전신에 거칠 게 없는 야수들이야!! 하하하하.

그때, 다가오는 소 실장… 송 회장의 귀에 대고 뭔가를 속삭인다. 순식간에 표정이 확 굳더니 홱, 소 실장을 노려보는 송 회장. 소 실장이 고개를 푹 숙인다.

송 회장 … 어데고?

8. 강호 병원, 중환자실 / D

커튼이 쳐 있는 강호의 병상. 커튼 안, 의식 없이 누워 있는 강호를 참담한 얼굴로 바라보는 송 회장.

9. 강호 병원, 중환자실 앞 / D

송 회장이 나오자 소 실장, 차 대리를 비롯한 수하들이 막고 있던 간호사들 길을 터준다. 얼른 송 회장의 뒤를 따르는 소 실장과 차 대리.

송 회장 (나지막이) 하… 엉망이네… 엉망…. 법 가지고 노는 놈이 몬 할 게 뭐 있다고 그깟 도장 하나 받으러 거까지 기이내려가노. (소 실장 보며) 사고 낸 금마는?

소 실장 아직 소재 파악 중입니다.

송 회장 아니… 대한민국 도로에 CCTV가 몇 갠데 그깟 뺑소니범 하나를 몬 잡노?

소 실장 차적 조회 결과 대포 차량이었다고 합니다. 게다가 발견 당시 트럭이 전소돼서 운전자 지문이건 뭐건 하나도 남아 있는 게 없었…

송 회장 뭐라고?… 대포 차? 트럭이 대포 차였다고?

송 회장, 잠시 생각하더니…

송 회장 오태수 딸은 우째 됐노?

10. 하영 병원, 복도 / D

굳은 얼굴의 오태수와 보좌관이 걸어오더니 한 병실 문을 열고 들어간다.

11.　하영 병원, 병실 / D

VIP 병실에 멍하니 앉아 창밖을 바라보던 하영. 문 열리는 소리에 돌아보더니 이내 오태수를 보고는 흐흐흑 눈물을 터뜨린다. 오태수, 다가가 그런 하영을 안더니 등을 토닥여 준다.

하영　…어떻게 됐어요?

오태수　가망이 없다는구나.

하영, 꾸욱 눈을 감는다. 눈물이 떨어진다. 오태수 그런 하영의 귓가에 나직이 속삭인다.

오태수　… 수고했다.

순간, 오태수에게서 몸을 떼는 하영.

하영　잠깐만요… 가망이 없다는 건 어쨌든 안 죽었다는 거잖아요. 그럼 어떡해요? 이러다 다 들통나는 거 아니에요?

그때, 오태수의 휴대폰이 울린다. 보면, [송 회장]이라고 찍혀 있다.

오태수　(일어서며) 그건 이 아빠가 알아서 할 테니 걱정 말고 며칠 푹 쉬다 나오거라.

12. 하영 병원, 복도~강호 병원, 로비 (교차) / D

병실을 나오는 오태수, 전화를 받는다.

오태수 네. 송 회장님.

송 회장 아이고, 하늘이 이래 돕네요. 마침 사고가 났을 때, 따님은 차 밖에 있었다 카대요.이 을마나 다행입니까?

오태수 …최 검사 생각하면 마음이 편치만은 않습니다.

송 회장 후~ 말도 마이소. 방금 보고 나왔는데 내 이 억장이 무너지가… 아무튼 의원님도 따님도 마이 놀라셨을 텐데 잘 추스르시고 조만간 얼굴보고 이야기하십시다.

송 회장, 전화를 끊더니…

송 회장 마음이 편치 않아?… 흥!!… (소 실장을 보며) 당장 그 뺑소니 찾아와!!!

신경질적으로 휴대폰을 던져버리는 송 회장. 차 대리가 달려가 전화기를 얼른 줍는다. 그 소리에 로비 한 켠에서 전화 통화 중이던 영순이 송 회장 쪽을 쳐다본다. 절뚝절뚝 걸어 나가는 송 회장… 그 뒷모습이 우르르 따르는 검은 사내들로 가려진다. 영순, 고개를 갸웃하더니… 다시 고개를 돌려 통화를 이어나간다.

영순 네, 그럼요… 다른 데는 이상 없고 다리를 좀 다쳐서 뼈 붙는 데 시간이 좀 걸린다네요. 농장 일 잘하는 인부 하나 얘기는 해놨는데… 요즘 일 철이라 사람 구하기가 너무 힘들어서… 부탁 좀 드릴게요, 이장님….

13. 마을회관 앞 / D

마을 사람들이 평상에 모여 앉아 있다. 커다란 양푼에 비빔국수를 무치고 있는 박씨, 그 옆에서 동치미 국물을 푸고 있는 정씨. 막걸리와 잔을 세팅하는 청년회장과 양씨. 예진이 숟가락을 놓으면 서진이가 젓가락을 척척!

이장 아휴… 우리도 소싯적에 집에서 다 돼지 멕이고 혔어…. 아무 걱정 말고 강호나 잘 챙겨. 그려… 들어가~ (전화 끊자)

양씨 뭐래유? 강호 괜찮대유?

이장 다리가 쪼까 부러졌나 벼.

박씨 지 에미 가슴에 천불을 지르고 갔는디 지놈이 천벌 안 받고 배겨유?

정씨 에이… 그래도 이웃끼리 그렇게 말하는 건 아니지….

박씨 이웃이니께 허는 말이쥬… 강호네가 강호를 어떻게 키웠시유… 스무 살에 서방 잃고 평생을 새끼 하나 보고 산 거유. 근디 지놈이 감히 에미를 버려유? 에흐~ 속상혀…. 것도 맹추여… 공부공부 그렇게 유난을 떨더니… 그래, 저런 싹수없는 새끼를 볼려고 그 지랄을 한 겨?

청년회장 자식 키우는 사람이 넘의 자식 욕허는 거 아니여…. 막말로 싹수없는 걸로 따지믄 삼식이는 뭐?

박씨 삼식이라뉴? 지금 거서 삼식이가 왜 나와유?… 우리 삼식이가 뭐 어때서유?

청년회장 (헛웃음 지으며) 아휴… 뭐 어떤지 몰라서 물어?… 다들 아시잖아유?

이장 자자… 다들 그만들 혀….

박씨 뭘 그만혀요?!!… 빽하면 삼식이가 어쩌고 저쩌고… 우리 삼식이가 동네북이에유?

청년회장 동네북은 아니고 동네 도둑놈이쥬… 막말로 이 동네서 삼식이 손 한 번 안 탄 집 있슈? 고추며 수박이며, 막걸리… 아니 이장님네 대문간에 붙여놓은 부적은 왜 훔쳐간 겨? 큭큭큭.

박씨 이 인간이 미쳤나?… 그려!… 너도 오늘 내 손 한번 타보자!!!!

박씨, 양념 묻은 비닐장갑으로 청년회장 머리를 잡고 흔든다. 사람들, 몰려들어 '아휴… 왜 이랴…', '얼른 놔' 하며 말린다. 간신히 떨어지는 두 사람… 서로 노려보며 씩씩대는데… 그때, 강아지 '호랑이'를 안은 이장 부인이 얼굴에 딸기 팩을 붙이고 사뿐사뿐 다가온다.

이장 부인 밥 다 됐어요? (놀라며) 어머… 또 맛대가리 없는 비빔국수네….

박씨 (홱, 이장 부인 보며) 뭐?!!… 지금 뭐라고 혔어? 뭔 대가리가 없어?

이장 부인 맛.대.가.리.요. (이장 보며) 당신도 그랬잖아요. 박씨 아줌마가 만들면 똥맛 난다고….

박씨 뭐? 또~옹? 또~옹? 이런 씨부럴!! 똥을 처먹어봤나 보지? 됐어!!… 먹지마!!!!

박씨, 갑자기 비빔국수 양푼을 번쩍 들더니 가버린다.

예진 으른들이 맨날 싸움박질이냐?… 우리 같은 어린이들, 뭘 보고 배우라고….

서진 싸움 하나는 기가 맥히게 배우겄제….

이장 (청년회장 보며) 거… 두 사람은 왜 그리 서로 못 잡아먹어서 안달이여?

청년회장 죄송해유… (휴대폰 열며) 뭐 드실래유?

이장 (휴대폰 열며) 돈까스 먹을까?… 나 배달이츠 쿠폰 있는디….

청년회장 (얼른) 리뷰 쓰셨나 부다.

정씨 (버럭) 이봐유!!!… 지금 삼식이 성님이 저러고 간 마당에……… 돈까스는 좀 늦구요, 짜장면이 제일 빨라유.

예진 난 탕숙!

서진 난 볶음밥!

이장 부인 전… 비빔국수요!

일제히 이장 부인을 보는 사람들 표정에서.

14. 네일샵 / D

미주와 선영에게 네일아트를 받고 있는 사람들, 소파에 앉아 기다리는 사람들.
네일아트를 하면서도 핸드폰을 귀에 끼고 수첩 보며 통화 중인 미주.

미주 내일하고 모레는 예약이 꽉 찼구요. 금요일 저녁 여덟 시 마지막 타임 하나 남았는데… 아, 네… 그럼 그 시간으로 예약해 놓을게요. 네~ (전화 끊자)

아줌마1 이 동네 돈은 이 집이 다 긁네, 긁어….

아줌마2 에유… 우리 보배도 공부 때려치우고 이런 기술이나 배웠으면 좋겠네. 맨날 독서실 간다고 밤 늦게까지 친구들이랑 어울려 쏘다니기나 하고….

아줌마1 아이고, 안 돼… 조심 시켜…. 그저께 요 옆 2동에서 강간 살인사건 난 거 몰라.

아줌마2 아… 맞다맞다… 그랬대매.

아줌마1 여자 혼자 사는 거 알고 따라가서 현관문 열자마자 확 덮쳤대.

미주 어머머 진짜요? 그래서 잡았대요?

아줌마1 못 잡았으니까 난리지. (미주 보며) 자기들도 혼자 살지? 조심해.

선영 아흐… (버퍼 흔들며) 그런 놈은 확 잡아서 이걸로 박박 갈아버려야 되는데….

미주 힘들게 뭘 갈아?… (니퍼 들고 자르는 시늉) 그냥 싹뚝 짤라버려야지.

아줌마1 (능청스레 웃으며) 뭐~를?

미주 (역시 능청스레 웃으며)… 생각하시는 그거?

순간, '아하하하하하' 박장대소하는 사람들. 미주, 같이 웃다가 문득 통유리 너머 가게 안을 들여다보는 누군가를 발견한다. 온통 검은 옷에 검은 모자를 눌러쓴 사내. 미주와 눈이 마주치자 스윽 몸을 숨긴다. 미주, 고개를 갸웃하다 다시 네일아트를 하기 시작한다.

15. 강호 병원, 병실 / D

강호의 링거를 갈고 있는 간호사.

간호사 일반 병실로 옮기셨으니 이제 보호자분이 직접 대소변을 받아주셔야 돼요. 소변 줄 키트랑 좌약은 받으셨죠? 관리 잘 안 되면 염증 생겨서 환자분 고생하시니까 신경 좀 잘 써주세요.

영순 (씁쓸한 얼굴로 강호 보며) 네.

그때, 호호호호호 웃음소리가 들린다. 돌아보는 영순. 강호 또래의 하반신 마비 환자 다리를 주무르고 있는 젊은 여자가 보인다. 챙겨 온 도시락을 먹고 있는 남자. '자기야… 어때? 맛있어?' 하며 살뜰히 챙기는 여자. 그 모습을 가만히 바라보는 영순.

16. 강호 병원, 원무과 / D

머뭇머뭇거리며 원무과 앞으로 다가오는 영순.

영순 저… 지난번에 저희 애 사고로 병원에 왔을 때 같이 왔던 보호자 연락처 좀 알 수 있을까요?

CUT TO

안내 E 지금 거신 번호는 없는 번호이오니 다시 한번 확인하시고…

영순, 힘없이 휴대폰을 끊더니 원무과 여직원에게…

영순 저기… 번호 한 번만 더 확인해 주시면 안 될까요?

직원 벌써 세 번이나 확인해 드렸잖아요.

영순 이상하네…. 근데 왜 없다고 나오죠?

직원 없나 보죠. 아님 없앴던가….

영순 저기 그럼 집 전화번호나 주소라도….

직원 어머니… 저희 이런 거 아무한테나 막 가르쳐드림 안 되거든요?

영순 아… 아무한테라뇨… 우리 아들 약혼자예요. 제 며느리라니까요.

직원 후~~ 어머니… 대부분의 시어머니들은요. 며느리 이름과 연락처를 병원 원무과에서 물어보지 않아요.

영순, 무안해진다.

17. 네일샵 / N

[OPEN]으로 돼 있던 간이 간판을 [CLOSE]로 뒤집는 미주. 카운터에 서서 돈을 정산하고 있는 선영.

미주 (빗자루 들고 쓸며) 오늘은 매출 좀 올랐어?

선영 (시무룩하게) 올랐냐구?… (환하게) 날랐다!! 회원권 여덟 개에 매출 237만 원!!!

미주 (놀라) 뭐어?… 정말?… (뛰어가 노트북 화면 보더니) 대박!!!!!!! 꺄약!!!!

미주와 선영 양손을 마주치며 신나서 방방 뛴다.

18. 거리 일각 / N

함께 걷고 있는 선영과 미주.

선영 기분도 죽이는데 쏘주나 한잔할까?

미주 그제는 비 온다고 한 잔, 어제는 외롭다고 한 잔… 그러다 알콜 중독돼서 (손 떨며) 이렇게 되면… 이 일도 못해.

선영 아아아아… 그러지 말고….

선영, 미주를 잡고 조르는데… 그때 울리는 선영의 전화기.
선영, 슬쩍 번호를 확인하더니, 미주 눈치를 보며 전화를 끈다.

선영 에이~ 그럼 아쉽지만 오늘은 패쓰~ 어! 버스 왔다… 나, 간다.

미주 어디 새지 말고 바로 집으로 가!!

손을 흔드는 미주… 그때, 미주의 폰이 울린다. 번호를 확인하더니 사색이 되는 미주, 얼른 여기저기 간판을 살피다 좁은 골목길 사이에 뭔가를 발견한 듯 후다닥 뛰어 들어간다. [ROSE]라고 쓰인 술집 빨간 네온사인 아래 서서 전화를 받자 예진과 서진의 얼굴이 보인다.

미주 하이~ 마이 썬 앤 도럴!!!!

CUT TO

계속해서 영어 간판이 잘 보이게 서서 통화 중인 미주.

미주 진짜? 이장님네 아줌마한테 영어를 배웠어? 와~ 뭘 배웠는데?

예진 음… 해머, 갱스터, 머더, 블~~러드….

서진 (옆에서) 아이 킬 유….

미주 아니, 그 아줌마는 애들한테 무슨 그런 끔찍한 걸 가르쳐주고 그래? 니들 앞으로 거기 가지 마….

예진 안 돼… 영어 빨리 배워야 엄마한테 갈 수 있단 말이여.

서진 아이 러브 미쿡! 아이 러브 미주!!

미주 (울컥하는 미주) …그래… 빨리 영어 배워서 엄마랑 같이 살자.

예진 근디… 엄마 뒤에 저 아저씬 누구여?

미주 응?

미주, 돌아본다. 아무도 없다.

미주 스읍… 장난치지 말고 얼른 코 자…. 내일 또 전화할게… 굿 나잇~

예진/서진 굿 나잇~~~

미주, 영상통화를 종료하자 검어진 휴대폰 화면. 순간, 두둥! 검은 화면 속 미주 바로 옆으로 보이는 한 남자의 얼굴! 꺄악!!! 소리 지르며 달리기 시작하는 미주… 뒤쫓아오는 남자. 미친 듯이 달리는 미주의 귓가에 맴도는 소리.

아줌마1 V.O 그저께 요 옆 2동에서 강간 살인사건 난 거 몰라.

미주, 정신없이 달리다가 왼쪽 골목으로 방향을 꺾는다. 그런데… 막다른 골목!!!… 암담한 얼굴의 미주. 모자를 푹 눌러쓰고 배낭을 멘 남자가 빠르게 미주가 있는 골목 쪽으로 다가온다. 남자, 골목을 돌자… 순간 날아오는 맥주병. 그대로 뒤통수에 맞는다. 쨍그랑!! 악!! 하며 남자가 쓰러지자, 미주, 이것저것 손에 집히는 대로 남자를 향해 집어 던지다가… 순간, 눈에 보이는 음식물 쓰레기봉투를 들어 냅다 던진다. 동시에 터져나오는 남자의 단말마!

남자 미주야!!!!!!!!!!!

그 말에 멈칫… 남자를 유심히 보는 미주.

삼식 으아~~ 이게 뭐야… 아, 씨… 퉤퉤퉤!!

미주 … 방삼식?

19. 미주네, 거실 / N

방 하나가 딸린 작은 분리형 원룸의 미주네 집. 미주가 잔치국수를 그릇에 담고 있다.

미주 그러게… 출소했으면 집에나 내려가지, 여긴 뭐 하러 와?

미주, 쟁반에 받쳐 돌아서면 밥상 앞에 앉아 있는 삼식. 뒤통수에 커다란 반창고를 붙이고 미주의 꽃무늬 민소매 면 원피스를 입고 있다.

삼식 …나도 지금 겁나게 후회하는 중이여.

미주 (풉 웃더니) 먹어… 아! 맞다… 원래 출소하면 두부를 먹여야 되는데….

삼식 먹였잖여… (뒷머리 만지며) 후두부… 한 방 씨게.

미주, 웃으며 젖어 있는 삼식이 옷을 다리미질하기 시작한다.

미주 근데 내가 여기 사는 건 어떻게 알았어?

삼식 예전에 미주 니가 말이여. 나중에 크면 네일샵을 차리는 게 꿈이라고 혔었어. '네일 또 네일'이라고 가게 이름까지 지어놨다고… 쌈박허지않냐고… 그래서 혹시나 하고 뒤져보니께… 어라! 진짜 있는 거여!

미주 대박이다… 그걸 기억하고 있었다니….

삼식 당연히 기억하제… 나 울 엄니 등에 업혀서 너 태어나는 거 본 것도 기억햐. 니 몸을 본 첫 남자여, 내가….

미주 으휴~~ 미친놈!!!!! (했다가 문득 미안한 표정) 소식 듣고도 면회 한 번 못 가봤어… 미안.

삼식　　　죄짓고 깜빵 간 놈 뭐 이쁘다고 면회씩이나 와….

미주　　　죄를 짓긴 너가 무슨 죄를 지어?… 나쁜 놈들이 너 이용한 거잖아. 넌 바보같이 당한 거고.

삼식　　　미주야… 살다 보니께 말이여… 그게 젤 큰 죄드라… 바보같이 당허는 거…. 근디 힘없고, 돈 없고, 빽 없어서 아무것도 못 허는 거.

미주, 짠한 눈으로 가만히 삼식이를 쳐다본다.

삼식　　　체허겄네… 왜 그런 눈으로 봐….

미주　　　미안해서 그러지. 예전에 너 소년원 간 거… 나 때문이잖아.

인서트 1 화장품 가게 매니큐어 코너 (과거)

교복 입은 미주가 샘플 매니큐어들을 하나하나 손톱에 발라보고 있다. 그 모습을 다른 진열대 앞에 서서 홀린 듯 훔쳐보고 있는 삼식. 그때, 점원이 못마땅한 얼굴로 미주에게 다가온다.

점원　　　저기, 학생. 이렇게 다 발라보면 안 돼요. (혼잣말) 사지도 않을 거면서 몇 시간째 이러고 있는 거야?

미주　　　(얼른 뚜껑 닫으며) 죄송합니다….

미주, 민망한 듯 얼른 나가려다 삼식이와 눈이 마주친다. 얼른 고개를 돌리는 삼식. 미주도 후다닥 뛰어나간다.

인서트 2 경찰서 (과거)

책상 위에 수북 쌓인 매니큐어. 그리고 그 앞에 잡혀 와 있는 삼식이.

점원 그동안도 그렇게 물건이 없어지더라구요. 향수며, 립스틱이며, 스타킹이며….

삼식 아니, 내가 변태 새끼도 아니고 그딴 걸 왜 훔쳐요?

점원 (뒤통수 때리며) 매니큐어는!! 매니큐어는 이 새끼야!!

다시 현재.

미주 사실… 이번에 들어간 것도 따지고 보면 나 때문이지 뭐. 소년원 전과만 없었어도 그렇게 억울하게 누명을 썼겠냐고.

삼식 장물인지도 모르고 물건 갖다 판 내가 등신이지, 그게 왜 니 탓이여. 그리고 그때 매니큐어도 그랴… 왜 그걸 너 때문에 훔쳤다고 생각혀? 나, 매니큐어 좋아혀. 내가 바를려고 훔친 겨.

삼식, 어색해서 어쩔 줄 몰라 얼른 국수를 후루룩 후루룩 퍼먹다가… 뭔가 결심한 듯 탁! 젓가락을 내려놓고 손으로 입을 슥슥 닦는다.

삼식 미주야… 너 인자부터 내가 하는 말 잘 들어.

미주 …?

삼식 혹시… 컵라면 있냐? (고개 절레절레) 못 먹겄어… 도저히 못 먹겄어… 도대체 국물에 뭔 짓을 헌 거여?… 이쯤 되면 아까 먹은 음식물 쓰레기가 나아….

미주 뭐어?… 이게 기껏 끓여줬더니… 먹지 마!!! 내놔!!

삼식 에이, 농담이여… 농담….

하며 얼른 그릇을 미주에게 건네주는 삼식. 요게~~!!! 삼식을 때리려 하는 미주. 으헤헤~! 벌떡 일어나 도망가는 삼식.

20. 미주네 앞 / N

대문 앞에 서 있는 미주와 삼식.

미주 주변에 얘기 들어보니까 원양어선 타는 게 보통 힘든 일이 아니래. 몸조심하고… 또 괜히 뭐 훔치다 걸리고 그러지 말고….

삼식 앞으로 내가 또 뭘 훔치게 된다면… 그건 니 마음일 거여.

미주 (어이없이 쳐다보다가) 잘 가~

미주, 대문을 쾅 닫는다. 계단을 올라가는 미주에게 웃으며 손을 흔드는 삼식.

삼식 두고 봐라… 내가 어떤 모습으로 나타나는지~ 너 아마 기절초풍헐 거여! 그때까지 잘 살고 있어봐~~ 알겄제?!!!

삼식, 돌아서 걷다가 문득 걸음을 멈추고 먼 하늘을 본다.

삼식 최강호… 너도 제발 잘 살고 있어라… 내 손에 아작 날 때까지….

21. 강호 병원, 병실 / N

불 꺼진 병실 안. 모두가 깊이 잠든 가운데 끙끙대는 소리가 들린다.

간이침대에 누워 있던 남자 간병인 하나가 몸을 일으켜 소리 나는 쪽을 보면 강호 몸을 옆으로 돌리려고 애쓰고 있는 영순이 보인다. 남자 간병인, 그런 영순에게 다가와 조용히 말한다.

간병인 의식도 없는 환자를 그렇게 막 다루면 안 돼요. 잘못하면 낙상할 수가 있어요.

남자 간병인, 능수능란한 손놀림으로 강호를 옆으로 잘 눕히더니, 강호 다리 사이에 베개를 끼워준다.

간병인 이렇게 해야 살도 안 밀리고, 피도 한쪽으로 안 쏠리는 거예요.

영순 아… 고맙습니다.

간병인 그러지 말고 제가 잘 아는 간병인 하나 소개시켜 줄까요.
하루이틀 있을 것도 아니고 여자 혼자서 이렇게 다 큰 아들,
힘들어요.

영순, 씁쓸한 표정으로 강호를 한 번 보더니…

영순 말씀은 고맙지만 우리 아들… 엄청 자존심이 센 애라 낯선 사람이 몸에 손대는 거 싫어할 거예요. 이렇게 누워 있어도 다 듣고 느끼고 있을 거 같거든요. 무엇보다… 이렇게 다 큰 아들… 여자는 힘들어도 엄마는 안 힘들어요… (무덤덤히 웃으며) 엄마는 그래요.

영순, 대야에 담긴 물수건을 힘껏 비틀어 짜더니 강호의 등을 문지르기 시작한다. 간병인, 짠한 얼굴로 그런 영순을 본다.

22. 박씨네, 안방 / N

어두운 방… 이부자리에서 슬그머니 일어나는 박씨. 달력을 본다. 출소라는 글자와 빨간색으로 겹겹이 동그라미 표시가 선명한 날짜가 보인다. 빨간색 동그라미가 어느새 빨간 루비로 바뀐다.

23. 박씨네, 마루 (과거) / D

커다란 빨간 루비 반지를 손에 끼고는 요리조리 들여다보고 있는 박씨.

박씨 시상에… 이 알 좀 봐… 즈 이장님 밭 토마토보다 크다야….

반지를 보며 좋아 죽는 박씨를 흐뭇하게 보며 밥을 먹고 있는 삼식과 청년회장.

삼식 원래 첫 월급 타면 내복 사주는 거라는디… 내복은 속에 입는 거라 안 보이잖여. 엄니는 티 내는 거 좋아하는디…. 뭐… 예전에 엄니 결혼반지 잃어버린 것도 미안허고….

박씨 잃어버리긴… 니 놈이 훔쳐 갈까 봐 꽁꽁 싸서 된장독에 박아 논 걸… 귀신같이 찾아다 팔았…을 때… 난 속이 다 시원혔어.
난 니 애비가 사준 그 반지가 증말 싫었응께… 알도 요맨 헌 게 어디 보이지도 않는 걸…. (청년회장 노려본다)

청년회장 그건 손가락에 살쪄서 반지가 파묻혀서 안 보였던 겨….

박씨 (못 들은 척) 암튼 고맙다, 고마워… (삼식이 얼굴 잡고 부비며)

아이고… 내가 우리 새끼가 사준 반지를 다 껴보네….

삼식 이게 뭐라고… 오래만 살어…. 내가 앞으로 돈 많이 벌어서 효도헐 텐께….

그때, 대문 밖에서… '계십니까?' 하는 소리가 들린다.

CUT TO

경찰 두 명과 형사로 보이는 한 남자가 삼식을 끌고 나간다. 그런 형사를 부여잡고 늘어지는 박씨.

박씨 아이고, 아이고 형사님들… 야가 그럴 애가 아니여요….

삼식 이거 놔유… 이거 훔친 게 아니고… 월급 대신 받은 거라니께요!!!

하지만, 얄짤없이 삼식 끌려 나가고… 멍한 얼굴로 서 있는 청년회장과 박씨.

청년회장 효도를 헌다더니 절도를 혔네… 절도를 혔어.

박씨 (오열하며) 으흑흑흑.

울며 그대로 바닥에 엎어지는 박씨. 양손으로 바닥을 짚고 흐느끼다 자신에 왼손에 루비 반지를 본다. '하이고…' 다시 울며 슬그머니 왼손의 반지 위로 오른손을 덮는 박씨. 그때, 검은 그림자가 조금씩 박씨의 머리 위로 드리운다. 박씨 슬그머니 고개를 들자, [증거물3]이라고 쓰인 비닐을 든 형사. 박씨를 향해 조용히 손을 내민다. '내놔' 하듯~~~

24. 교도소 앞 / D

곱게 양장을 차려입고서 두부 한 모를 들고 기다리고 있는 박씨와 청년회장. 드디어 문이 열리고 재소자들이 나온다. 하지만 모습이 보이지 않는 삼식. 교도관이 문을 닫으려 하자 박씨와 청년회장이 달려간다.

청년회장 저기… 저희 아들이 아직 안 나왔는디….

교도관 성함이?

청년회장 방삼식이요.

교도관 (명단 보다가) 출소자 명단에 없는데요?

박씨 그럴 리가요. 출소하려면 출소 보증금인가 뭔가 내야 된대서 어제 보냈는디….

청년회장 출소 보증금?

박씨 아니… 나갔다 또 사고 치지 않는다는 보증… 뭐 이런….

청년회장 옘비럴… 그딴 게 어딨어?!!… 아오… 또 속았네… 또 속았어….

교도관 (또 다른 교도관에게) 저기 혹시 방삼식이라고 알아?

교도관2 방삼식이요?… 아… 당연히 알죠… 일주일 전에 출소했잖아요.

박씨 예?… 일주일 전에요?

교도관2 네… 하… 진짜 황당한 게… 교도소 수건, 비누, 치약까지 싹 훔쳐 나갔어요….

망연자실한 얼굴로 서로를 보는 청년회장과 박씨. 박씨, 점점점 얼굴

붉어지더니 양손으로 곱게 들고 있던 두부를 으깨며 포효한다.

박씨 이… 개… 쓰버럴 놈을…으아~!!!!!!!!!!!!!!!!!!!!

25. 강호 병원, 병실 / D

의식 없이 누워 있는 강호. 영순이 세숫대야에 물을 담아 들어오더니 수건을 물에 적신다.

영순 아들… 오늘은 날씨가 참 좋아. 미세먼지도 하나 없구.
오랜만에 엄마랑 세수 한 번 할까?

하지만 온통 붕대로 감싸 있어 어느 한 곳 닦아줄 수가 없다. 잠시 짠한 얼굴로 보다가 이내 마음을 다잡는 듯 밝게 웃어 보이는 영순. 붕대 사이사이 나온 부분들을 조금씩 닦기 시작한다.

영순 어젯밤엔 잠 좀 잤지? 요 앞에 코 골던 아저씨랑 이 옆에 밤새 게임하던 학생… 퇴원했어. 이제 통원 치료 받는대. 이제 좀 조용히 잠 좀 자겠다… 그치?(웃다가 표정 아련해지더니) 우리 아들도 빨리 일어나서 엄마랑 집에 가자. 집에 가서 맛있는 것도 먹고, 소풍도 가고… 우리 그러자… 알았지?

영순, 깁스 끝에 나와 있는 강호의 손가락을 닦아주다가 길게 자란 손톱을 본다.

CUT TO

탁! 탁! 강호의 손톱을 깎아주는 영순.

영순 그럼 대로변에 농약병을 쌓아놓은 정씨 아줌마가 잘못이야? 아니면 오토바이 타고 가다 깨버린 이장님이 잘못이야?

영순, 얘기하다 시선이 느껴져 돌아보면 영순을 빤히 쳐다보고 있는 환자와 보호자들.

영순 아… 저희 아들이 서울 중앙지검 검사거든요…(얼른) 사시 수석합격!

CUT TO

누워 있는 강호 주위로 몰려든 사람들.

보호자1 그럼 이미 큰오빠 명의로 된 땅을 찾아올 수 있는 거예요?

보호자2 봐요… 이 눈이 짝짝이잖아요… 의료사고 맞죠?

간병인 글쎄 그 올케년이 죽은 동생 이름으로 보험을 열두 개나 들어놨더라고….

간호사 그 새끼가 알고 보니 유부남이였어요… 흑흑흑.

배식 아줌마 …5302.

영순, 종이에 전화번호를 적고 있다.

배식 아줌마 깨나믄 얘기 쪼까 잘 해주쇼. 꼭이요, 꼭!

배식 아줌마, 요플레 하나를 얼른 영순 손에 쥐여주더니 쪼르르 나간다.
영순, 강호에게 사람들의 사연이 빼곡히 적힌 수첩을 주르륵 넘겨 보이며.

영순 봐… 이게 다 너 깨어나기만을 기다리는 사람들이야.
그러니까 빨리 돌아와, 아들….

강호의 손을 잡는 영순… 어느새 강호의 손톱이 다시 길어져 있다.

영순 …손톱이 벌써 길었네.

강호의 손톱을 자르는 영순의 여러 모습이 시간이 경과된 느낌으로 보여진다.
영순의 옷이 바뀌고, 강호의 붕대도 조금씩 조금씩 풀려간다.

CUT TO

햇살이 쏟아져 들어오는 병실. 강호가 누워 있고 그 옆에 영순이 손톱깎이를 든 채 엎드려 자고 있다. 바람에 커튼이 흔들릴 때마다 새어 들어오는 햇살이 강호의 눈가에 아른거린다. 강호, 조금 눈을 찌푸린다. 어렴풋 깨어나는 영순, 눈을 찌푸린 강호를 보고는 무의식적으로 커튼을 닫으려다 순간, 눈이 커지더니 홱 돌아본다. 여전히 인상을 찌푸린 채 이리저리 고개를 젖히다 번쩍 눈을 뜨는 강호! 영순, 놀라서 굳어 있다가 웃음과 울음이 뒤섞인 얼굴로 고래고래 소리 지른다.

영순 여… 여기… (큰 소리로) 여기요!!!!!! 우리 아들 깨어났어요!!…
우리 아들 깨어났어요!!! (강호를 부여잡으며) 강호야… 엄마야,
엄마… 엄마 알아보겠어?

얼떨떨한 눈으로 가만히 영순을 바라보는 강호. 흐릿했던 시야가 점점점 선명해지더니 영순의 얼굴이 보인다. 순간, 눈빛이 점점점 떨려오는 강호. '으으으으으아!~~~~~~~~' 겁에 질린 듯 불안하게 고개를 이리저리 돌리며 소리를 지른다.

CUT TO

팔다리를 움직이지 못한 채 눈만 꿈뻑꿈뻑 천정을 바라보고 있는 강호. 환자복이 아닌 사복이 입혀져 있다. 짐 가방이 보이고, 침상 주변이 깨끗하게 비워져 있다. 영순과 의사가 강호 침상 앞에 함께 서 있다.

의사 일단 병원에서 할 수 있는 치료는 모두 끝났습니다. 통원 치료하면서 경과를 지켜보도록 하죠.

영순 선생님… 우리 강호 다시 일어설 수 있는 거죠?… 열심히 치료하고 재활하면… 그쵸?

의사 1프로의 가능성만 갖고도 열심히 재활치료를 해서 다시 일어선 환우들도 많습니다. 희망 잃지 마십시오. 다만… 한 가지 걱정인 것은 현재 환자의 지능력이… (이해 못하는 듯한 영순의 얼굴 보더니) 에… 그러니까 쉽게 말해 현재 환자의 지능이 7세 수준으로 떨어져 있어…

영순 (놀라) 예?… 7세요? 일곱 살?

의사 그게… 물리적 충격에 의한 뇌기능저하 현상… 그러니까 쉽게 말하자면…

영순 바보…

의사 바보…

얼떨결에 영순을 따라 뱉은 말에 당황한 의사… 멍하니 영순을 보다가…

의사 아니… 뭐 꼭 그렇다기 보단…. (머뭇거리다 이내) 아무튼…
사고 이전 정상적인 생활로 돌아가기는 좀 어려울 것 같습니다.

암담한 얼굴로 강호를 바라보는 영순.

26. 영순네 앞 / N

깜깜한 밤. 영순이 사설 구급차 옆에서 이리저리 불안한 눈으로 주위를 살피고 있다. 그때, 집 안에서 빈 들것을 들고 나오는 대원들.

영순 (봉투를 내밀며) 수고하셨어요. 얼른 가세요, 얼른…. 저거… (손을 돌리며) 위잉위잉 소리 나는 거 틀지 말고… 조용히요….

구급차가 사라지자, 다시 한번 주위를 살피더니 조용히 안으로 들어가는 영순. 잠시 후… 영순의 집 앞으로 다가와 멈추는 검은 승용차. 그 안에 소 실장과 차 대리 보인다.

27. 돼지 농장 앞 / D

영순, 농장 문 열면… 방역복을 외국인 인부와 함께 돼지 똥을 치우고 있던 이장과 청년회장이 똥범벅이 된 채 영순을 본다.

안드리아 싸장님?

CUT TO

농장 안 사료 포대 더미에 걸터앉은 이장과 청년회장, 그리고 외국인 인부 안드리아. 영순, 막걸리를 한 대접씩 따라주자 안드리아, 얼른 핸드폰 번역기를 쳐본다.

안드리아 나는 거부한다. 술 마시는 것을….

이장 6개월 전에 이태리에서 유학왔는디, 듣는 건 되는디 이 말허는 게 안 된댜… 여기 충북대 한국어과 댕긴다고 혔제?

안드리아 당신은 옳다.

청년회장 이태리서 아부지가 돼지 농장을 허는디 한국 돈사 시스템도 배우고 한국어도 배울 겸 알바허는 거래유. 이름이 안드리아래유… 뭘 그렇게 안 드린다는 건진 모르겄지만….

영순 아… (웃더니) 다들 그동안 고생 많으셨죠?

안드리아 그것을 고생이라고 치부하지 마라….

이장 (안드리아 휴대폰 보며) 언 놈이 이렇게 한국말을 어렵게 가르쳐주는 겨?

청년회장 그래, 강호는 인자 퇴원한 거예유?

영순 (힘없이) 네….

이장 에미헌테 몹쓸 소리 허고 가니께 지도 맴이 안 좋았던 겨.

그러니께 허투루 운전허다 사고를 내지… 언제가 될지는 모르지만 결혼 날짜 다시 잡음 꼭 지자리 가서 앉아 있어. 그게 에미로서는 마지막 도리를 허는 자린 거여.

영순 (씁쓸하게 고개를 끄덕인다) 네.

청년회장 (영순 보며) 미주네랑 삼식 엄마는 감자밭에 있을 거예유.

28. 감자밭 / D

정씨와 박씨가 감자를 캐고 있다.

박씨 우리 하우스도 양파랑 고추 따야 허는디 이러고 있네….

정씨 낼이라도 뽑아. 나가 도와줄 테니께…. 대신 마늘 뽑을 때나 함 도와줘.

박씨 그려…. (둘러보며) 근디 뭐 헌다고 이렇게 많이 심었댜?…

정씨 이걸로 사료 값도 애끼고 헌다잖어… 아무튼 천성이 부지런헌 사람이니께….

박씨 에휴… 그럼 뭐 혀? 자식 새끼가 저 모냥인디….

정씨 거 또 씰데없는 소리….

박씨 허긴… 내가 넘의 자식 욕헐 처지는 아니지만.

정씨/박씨 (동시에) 삼식이는 은제 나와? / 미주는 은제 나와?

잠시, 말이 없는 두 사람.

정씨 …일이나 마저 허자고.

박씨 그러자고….

영순 V.O 아이고, 미안해서 어떡해요….

박씨와 정씨 뒤돌아보면 저 멀리 영순이 급하게 밭두렁으로 들어선다.

CUT TO

감자가 가득 실린 노란 플라스틱 바구니를 밭 한쪽에 가져와 놓는 세 사람.

정씨 (어깨 치며) 아이고… 것 좀 혔다고 삭신이 쑤시네….

영순 (봉투 하나를 정씨 주머니에 넣어주며) 이거….

정씨 (다시 주며) 아이고, 미쳤나 봐… 왜 이려….

영순 받으세요. 안 그럼 제가 미안해서 안 돼요…. (이번엔 박씨 손에)

박씨 (주섬주섬 돈 주머니에 넣으며) 에이 이러믄 우리가 더 미안허지… 강호 병원도 한 번 못 들여다봤는디….

정씨 아! 맞다. 강호는? 강호도 같이 온 겨?

영순 예?… 아… 아니요.

박씨 강호가 여길 왜 와? 다 났으면 지 집으로 갔겠제…. 잘나가는 검사님이 몇 달씩이나 누워 있었는디 오죽 할 일이 많겄어.

정씨 다행이여. 을매나 걱정을 혔는지 몰러. 이젠 다 나은 거제?

영순 ……예.

29. 영순네, 안방 / D

어렴풋이 눈을 뜨는 강호. 불안한 눈을 굴리며 주위를 훑는다.
그때, 방문이 열리며 쟁반에 밥을 차려 들어오는 영순.

영순 우리 아들… 푹 잘 잤어?… 배고프지?… 아침 먹자….

영순, 쟁반을 바닥에 놓고, 전동 침대 리모컨을 눌러 강호의 상체를 일으켜 세운다. 2화 1씬에서 영순이 닦고 있던 벽에 붙은 사진들이 조금씩 보인다. 멍한 눈으로 사진들을 보고 있는 강호. 영순, 그런 강호와 사진들을 번갈아 바라보더니, 얼른 달려가 그 앞에 선다.

영순 이거 기억나? (사진들을 가리키며) 니 돌 사진… 이것 봐 판사봉 잡고 있잖아. 진작에 우리 아들은 검사 될 운명이었던 거야. 그치? 그리고 이건 초등학교 졸업 사진. 그날 30년 만에 폭설 와서 체육관에서 졸업식 했었잖아. 이건 중학교 졸업할 때. 우리 아들 전교생 앞에서 교육감상 받는데 그때 엄마 얼마나 좋았는지 몰라…. 이건 고등학교 졸업식 사진. 이건 사시 합격하고 연수원에서 찍은 거. 그날 임명식 끝나고 연수원 식당에서 밥 먹었잖아. 더덕무침에 불고기에 얼갈이 된장국… 그때 우리 아들 진짜 맛있게 잘 먹었는데….

강호, 뚫어져라 사진을 쳐다보고만 있다. 영순, 얼른 다시 강호에게 다가오더니 침상 테이블을 펼치고 그 위에 쟁반을 올리며… 짠!
연수원 식당과 똑같이 더덕무침에 불고기에 얼갈이 된장국이 차려진 밥상.
영순, 밥을 떠 그 위에 불고기를 올리더니 강호에게 내민다.

영순　　자, 아~~~~~~

순간, 피하듯 고개를 뒤로 빼더니 홱 돌려버리는 강호.

영순　　왜 그래?… 밥 먹어야지… 이제 수액도 안 맞아서 밥 안 먹으면 큰일 나. 자, 한 숟갈만 먹자… 응?…

하지만 고개를 돌린 채 꿈쩍도 하지 않는 강호.

영순　　하~ 도대체 왜 이러는 거야…. 자, 강호야… 응?

영순, 숟가락을 강호의 입 쪽으로 가져다 댄다. 그러자 읍! 입을 꾹 다물고 고개를 이리저리 저으며 버팅기는 강호.

30.　　영순네, 부엌 앞 / D

힘없이 밥상을 들고 나오는 영순. 그때, 대문을 열고 들어오는 정씨와 박씨.

정씨　　강호 엄마~~

영순　　(놀라) 아침 일찍 어쩐 일이에요?

박씨　　오랫동안 집 비워서 김치도 다 시어빠졌을 것 같어서… 겉절이 좀 무쳐 왔어.

정씨　　이건 곰탕이여…. 내내 입에도 안 맞는 병원 밥 먹느라 고생혔지… 뜨끈하게 한 그릇 말아 먹고 일허라구….

영순　　아휴… 힘들게 뭐 이런 걸….

박씨　　잠깐!… 누가 왔어?

영순　　(당황) …아… 아니요… 오긴 누가 와요.

박씨　　근디… 왜 수저가 두 벌이여?

정씨　　오매 그르네… 뭐여… 안에 누구 숨겨둔 겨?

영순　　아니… 그게 아니고….

박씨　　이거이거 수상헌디?…. 젊은 의사라도 하나 꼬셔 온 겨?

눈빛 주고받는 정씨와 박씨 동시에 후다닥 안으로 뛰어 들어간다.

31.　　영순네, 안방 / D

'아휴… 형님들… 잠깐만요…' 하는 영순의 목소리 끝에 홱 열리는 안방 문.

정씨　　뭐여… 강호 아녀?…

박씨　　서울 갔다더니… 왜 여깄어?

32.　　영순네, 부엌 / D

멍하니 앉아 있는 영순 옆에 뻘쭘하게 서 있는 정씨와 박씨.

영순 천벌 받았다고 할 거예요.

정씨 강호야~

영순 저러고 목숨 부지하느니 차라리 그 자리에서 죽는 게 나았겠다, 할 거고….

박씨 아휴… 왜 그려… 누가 그런 소릴 헌다고….

영순 내가 그랬어요… 남들 이런 일 당한 거 보면서 내가 그랬다고….

정씨와 박씨 무슨 말을 해야 될지 모르고 있는데…

영순 근데… 아니에요… 내가 겪어보니까 그게 아니더라구요. 그냥 살아준 게 고마워… (목소리가 떨린다) 우리 강호… 내 금쪽같은 새끼… 이렇게라도… 살아준 것 만도… 허… 허, 허엉.

영순, 말끝에 울음을 터뜨리자… 정씨, 얼른 영순을 안으며 등을 토닥인다. 박씨, 마음이 짠해져 소매 깃으로 눈물을 찍는다.

33. 박씨네, 안방 / D

막걸리와 두루치기가 놓인 밥상에서 밥을 먹고 있다가 놀라 고개를 드는 청년회장. 박씨는 샐러드 한 접시를 앞에 놓고 먹고 있다.

청년회장 뭐?!!!!!!!!… 강호가?

박씨 그랬다니께… 아들놈 검사로 키웠다고 그렇게 힘주고 돌아댕기더만 으휴~ 사람 일 한치 앞을 모르는 겨.

청년회장 뭔 말을 그렇게 혀?… 강호 엄마가 은제 힘을 주고 댕겼다고?

박씨 티는 안 냈어도 알게 모르게 쫌 그런 게 있었어.

청년회장 아이고… 이 여편네 이거 못 쓰겄네… (버럭) 야! 이 사람아 그러는 거 아니여. 딴 사람도 아니고 워치키 강호 엄마를 모함혀? 냄새나는 농장헌다는 이유로 있는 거 읎는 거 다 퍼다 줘가며 마을 사람들헌티 을매나 잘혔어?

박씨 아, 몰라유… 나도 속상해서 그러쥬….

박씨, 막걸리를 따라 마시더니 두루치기도 한 젓갈 집어 먹는다. 황당해서 보는 청년회장.

청년회장 다이어트를 끊든가… 고기를 끊든가… 둘 중 하나는 끊어야 되는 거 아니여?

박씨 아, 시끄러워요…. 아무튼 당신… 절대 방앗간 가서 나불거리지 마요.

청년회장 아! 이 여편네가 사람을 뭘로 보고…내가 당신 같은 줄 알어? 내 입이 을마나 무거운디…. 일제시대 때 태어났으믄 난 김구여, 김구!

34. 방앗간 / D

'히익!', '오매~', '세상에' 놀라 멈춰 서 있는 사람들. 가래떡이 끊임없이 나오고 있는데 가위질을 멈춘 아줌마. 참기름병에 기름이 줄줄줄 넘치는데도 멍한 아줌마. 고춧가루가 넘쳐나는 포대 자루를 잡고 있는 아저씨… 모두가 일시정지 상태다. 그 앞에서 김구처럼 근엄한 얼굴로 말하고 있는 청년회장.

청년회장 에~ 일찍이 김구 선생님께서는 이런 말씀을 하셨어유.
'결국 모든 것이 나로부터 시작되는 것이다' 그러니께 다들…
주둥이 다물어유!!!!

35. 마을 일각 / D

- 동네 여기저기서 삼삼오오 얘기하고 있는 사람들이 빠르게 보여진다.

동네 여자1 시상에… 강호가 바보가 됐댜….

동네 남자1 불구가 됐다매?

양씨 에휴… 그렇게 아들 하나에 목매고 살드만….

양씨 처 유난도 그런 유난이 없었지, 뭐….

동네 남자2 강호도 강호지만….

동네 여자2 강호 엄마 불쌍해서 어떡혀.

- 밭을 매며 휴대폰 들고 통화를 하고 있는 정씨.

정씨 에휴… 그렇다니께… 아무튼 절대 비밀이니께 아무헌테도
말하믄 안 댜.

- 서진이와 예진이가 어깨동무를 하고 온 동네를 돌아다니며 마치 서동요

퍼뜨리듯 노래한다.

예진 강호는 바보 됐대요~

서진 비밀이니께 말허면 안 돼요~

강아지를 안고 그 옆을 지나치던 참숯 마스크팩을 한 이장 부인, 아이들을 돌아본다.

36. 이장네, 거실 / N

이장과 팩을 붙인 이장 부인이 티브이를 보며 부부 요가를 따라 하고 있다.

이장 (놀라 멈추더니) 아니… 다리만 쪼까 다쳤다더니… 그게 뭔소리여? 자네… 저녁 약 먹고 들은 거 맞어?

이장 부인 그럼요… 제가 잘못 들은 거면 텍사스 전기톱으로 이 귀를 짤라버려도 돼요.

이장 텍사스가 왜 나와… 가만… 그게 중요한 게 아니지… 그럼 인쟈 강호는 어떻게 되는 겨?

이장 부인 뭘 어떻게 돼요? 이미 바보가 됐다니까요….

이장 하~~~~ (큰 한숨을 쉰다)

가만히 누워 있던 강아지가 쪼르르 열린 현관 문틈으로 나가더니 밖에 대고 월월월월월~~~ 짖는다. 번쩍 고개를 드는 어느 집 누렁이, 또 다른 집 셰퍼드,

말라뮤트, 똥개…. 갑자기 개들이 월월월… 멍멍멍… 아오~~~ 마치 무언가를 서로 전하는 듯 이어 짖기 시작한다. 점점점 퍼져가는 개들의 울음소리. 심지어 소리가 '강호, 강호오~~' 하며 들리는 듯하다.

37. 영순네, 안방 / N

잠든 강호를 물끄러미 쳐다보고 있는 영순, 일어나 밖으로 나간다.

38. 영순네, 마루 / N

마루에 쭈뼛거리며 서 있는 영순.

영순 미안해요… 혼자 둬서….

영순, 고개를 돌려 보면… 마루에 달랑 하나 걸려 있는 해식의 영정 사진.

영순 당신한테는 강호 저런 모습 보여주고 싶지가 않아요.

영순, 고개를 푹 숙였다가 이내 번쩍 고개를 들더니…

영순 근데요!!! 나 알죠?… 나 절대로 포기 안 해요. 모두가 안 된다고 했어요… 절대 못 깨어날 거라고… 근데 봐요… 저렇게 살아났잖아요. 살아났으니까… 살아가게 만들 거예요. 일어나서 걷고 뛰고… 일곱 살이니까 내년에는 여덟 살…

후년에는 아홉 살 되게… 그렇게… 처음부터 다시 잘 키우면 되잖아요. 두고 봐요. 우리 강호… 지 발로 걸어 나와서 여기 이렇게 서서 당신 얼굴 볼 수 있게 내가… 그렇게 만들게요. 꼭!

39. 강호와 돼지 키우기 몽타주

♪ **나는 행복합니다**가 흘러나오는 가운데…

- 안방, 창문을 활짝 여는 영순.
- 농장, 창문 천막을 걷어 올리는 영순.

- 안방, 대야에 수건을 빨아 강호의 얼굴과 팔, 다리를 씻기는 영순. '이야, 우리 아들 잘생겼네… 깨끗이 씻으니까 너무 좋지?' 이것저것 신나서 떠드는 영순, 하지만 무표정한 얼굴의 강호.
- 농장, 안드리아와 농장 여기저기에 물을 분사하며 아기 돼지들을 씻기는 영순. 아기 돼지들 놀랐는지 신났는지 까불까불 뛰어다니고…
- 그 사이 영순네 집, 눈치를 보고 들어와 닭백숙을 마루에 놓고 도망가는 양씨와 양씨 처.

- 안방, 닭 살을 발라 호호 불어 강호의 입에 넣어주는 영순. 하지만 여전히 고개를 돌리며 음식을 거부하는 강호. 속상해하는 영순.
- 농장, 외수레에 사료포대를 싣고 다니며 아기 돼지들 밥그릇에 사료를 덜어주는 영순. 레버 줄을 당기자 모돈의 먹이통에 자동으로 사료가 후루룩

떨어진다.

- 영순네 집, 눈치를 보고 들어와 굴비 한 두릅 놓고 도망가는 동네 남자1.
- 안방, 끙끙대며 강호의 몸을 뒤집는 영순. 뜨거운 수건으로 등 마사지를 한다.
- 농장, 뜨거운 수건으로 끙끙대며 어미 돼지의 젖 마사지를 하는 영순.
- 영순네 집, 눈치를 보고 들어와 복숭아 한 상자를 놓고 도망가는 동네 여자2.

- 안방, 강호의 기저귀를 갈아주는 영순.
- 농장, 안드리아와 함께 돼지 똥을 외수레에 실어 농장 한쪽 축분장에 쏟아놓는 영순.

- 안방, 복숭아를 깎아 강호에게 내미는 영순 / 호박죽을 떠서 내미는 영순 / 초콜릿을 까서 내미는 영순 / 치킨, 피자, 햄버거, 떡볶이, 짜장면… / 침상 테이블에 가득 음식 차려놓고 강호에게 먹이려고 애쓰는 영순, 하지만 미동조차 없는 강호… 눈에 띄게 야위고 초췌해졌다.

- 안방, 잠이 든 강호를 애달픈 눈으로 바라보며 쓰다듬다가 불을 꺼주는 영순.
- 농장, 통로를 걸으며 양쪽 우리 안을 쭈욱 살피고 나와서는 전원 스위치를 내리는 영순.

40. 영순네, 마루 / N

이장과 청년회장이 마루에 놓인 봉지들을 하나씩 열어보고 있다.

떡, 고춧가루, 참기름, 소고기 등이 놓여 있다.

이장 이건 또 뭐여?

이장, 큰 냄비를 열자 갑자기 튀어나오는 장어들. 난리를 부르며 장어를 간신히 잡아 안에다 넣는 이장과 청년회장.

이장 으아아아아~ 아휴… 끔직햐…. 어떤 미친놈이 산장어를 갖다 놨어.

청년회장 지가 갖다 놨어유.

이장 잉?

청년회장 이장님 사모님이 시켜서요. 어제 냇가 산책허다 잡으셨다고… 자연산이라고….

이장 니미 지난번엔 자연산이라고 방울뱀을 잡아 와서 사람 기겁허게 허더니….

청년회장 어떻게… 여까지 왔는디 얼굴이라도 한번 들여다볼까요?

이장 그려… 그러자고.

두 사람, 마루에 올라가 강호가 있는 방문을 막 열려는데…

영순 [V.O] 뭐 하세요?

놀라, 돌아보는 이장과 청년회장… 영순이 서 있다.

이장 이… 여깄었네… 딴 게 아니고… (병 하나 내밀며) 이게 뽕나무

가지 달인 물인디… 좀 먹어보라고.

영순 뽕나무요?

이장 응… 이게 몸이 마비된 데 먹으면 그렇게 좋디야….
뭐… 사람이 살다 보면 마비 한 번쯤은 오고 그러잖여…
(청년회장 보며) 안 그려?

청년회장 아휴, 그럼유… 지는 감기는 안 와도 마비는 한 번씩 꼭
오더라구유.

영순 (말없이 두 사람을 보더니) …그건 뭔데요?

청년회장 (손에 든 책을 내밀며) 아… 이거는 읍내 서점에 갔다가 이번 주 추천
베스트셀러가 나왔다길래 한 권 사봤어유, 책 좋아하시잖어유.

청년회장이 내민 책을 받는 영순. 『기적은 있다. 재활치료의 모든 것』

청년회장 아… 그러고 이건 혼자서 적적허실 때 보세유… 혼.자.서….

청년회장이 내민 DVD… 〈말아톤〉, 〈맨발의 기봉이〉, 〈포레스트 검프〉다.

영순 (차갑게) 제발 이러지들 마세요!! 자꾸 이러시면… 제가…
제가… 약해지잖아요. 자꾸 기대고 싶어지잖아요. 저 그러면 안
되거든요… 진짜… 진짜 독해져야 되거든요…. (이를 악물고 참고
참다가 울음이 터진다) 허엉….

이장이 다가와 영순을 안고 어깨를 다독여준다.

이장 그런 말이 있더라고…. 엄마는 세상 모든 것을 대신할 수 있지만…

세상 그 어떤 것도 엄마를 대신할 순 없다고…. 기대라고 이러는 거 아니여… 암~ 강해지고 독해져야지… 엄만디….

41. 양씨네, 법당 / D

징징징징~~ 징과 장구 소리에 맞춰서 펄쩍펄쩍 뛰고 있는 무당 양씨.
그 옆에서 열심히 절을 하며 빌고 있는 영순… 땀이 비 오듯 흘러내린다.
갑자기 무당 양씨가 춤을 멈추다가 영순을 홱 노려본다.

42. 영순네, 다락방 / D

다락, 여기저기 뒤지며 열심히 무언가를 찾는 영순.

양씨 V.O 안방 다락을 뒤져보면 나무로 만든 게 하나 나올 거여. 근디 그게 내가 산 게 아니고 남헌테 얻은 거여…. 돈 있음 사서 써. 밖에 물건 함부로 집 안에 들이는 게 아니여. 못 먹어서 굶어 죽은 조상귀신이 거기 붙어 들어왔어… 오냐 두고보자… 분허고 원통혀서 이 집안 씨는 다 말려버리겄다…. 으이그… 강호 아부지도 그래서 갔네…. 강호 귀밑머리 열 가닥에 그 나무때기를 한데 태워 뒷산에 묻어버려. 그럼 쟈는 지 손으로 먹게 돼 있어….

영순, 먼지를 뒤집어쓰고 다락 깊숙한 곳까지 기어 들어가 찾는다. 그러다 문득 [최강호]라고 쓰인 낡은 라면 박스가 보인다. 상자를 꺼내 들고 조심스럽게 열어보는 영순, 갑자기 얼굴에 미소가 감돈다. 그 속엔 강호가 어린 시절 추억이 담긴 물건들이 들어 있다. 강호의 배냇저고리, 애기 담요, 보행기 신발, 색종이 카네이션, 새총, 딱지, 로봇, 미미인형, 성적표와 상장들… 그리고 스카치테이프로 덕지덕지 붙여놓은 여러 그림들. 물건들을 하나씩 꺼낼 때마다 영순의 눈앞에 스쳐 가는 강호의 어린 시절.

- 해식이 죽던 날 배냇저고리 만들고 있던 영순.
- 포대기로 강호를 업고 자장가를 불러주는 영순.
- 보행기 신발을 신고 아장아장 걷는 강호에게 손을 내밀며 환하게 웃는 영순.
- 해식이 사둔 로봇과 미미인형을 양손에 들고 노는 강호.
- 영순이의 얼굴을 그려 내밀며 볼에 쪽 뽀뽀하는 유치원생 강호.
- 올백 시험지들을 내미는 초등학생 강호를 얼싸안고 좋아하는 영순.

그러다… 순간 영순의 표정이 굳는다. 영순, 한참 멍하니 상자 속을 보다 손을 넣어 조심스럽게 꺼낸다… 나무로 만든 판사봉이다.

43. 뒷산 / D

영순이 낡은 분유 깡통 하나를 앞에 놓고 웅크리고 앉아 있다. 영순, 검은 비닐봉지 속에서 휴지에 싼 무언가를 꺼낸다.

정씨 V.O 그려서 뽑았어?

영순 V.O 뽑으라니까 뽑았죠.

영순, 휴지를 조심스럽게 펼치면 강호의 머리카락이 들어 있다. 영순, 머리카락을 깡통에 집어넣는다.

정씨 V.O 그럼 그건? 나무로 맨들었다는 거….

영순, 검은 비닐봉지를 열고 한참을 들여다본다.

영순 V.O 내 돈 주고 안 산 게 딱 하나 있긴 하더라고요….

박씨 V.O 그랴? 오메오메 그게 뭐였는디?

영순 V.O 그게….

영순, 몇 번을 망설이더니 조심스럽게 손을 넣어 그걸 꺼낸다.
[조우반점]… 중국집 나무젓가락이다.

정씨 V.O 뭐어?

정씨와 박씨의 웃음소리가 까르르 들리는 가운데… 영순, 한숨을 푹 쉬더니 깡통에 나무젓가락을 넣고는 성냥을 그어 훅 집어넣는다.

44. 돼지 농장 앞 / D

돼지 먹이통을 잔뜩 떼어다 놓고 물로 닦고 있는 영순과 정씨와 박씨.

박씨 그놈의 양씨 말 믿지도 마. 무당에 부동산에 양조장에… 이일 저일 잡일을 하도 해서 잡신이 들었나… 어뜩히 맞추는 게 하나도 읎어…. 그 전에 미주 아부지 바람났을 때도 뭐 태우라고 혔잖여?

정씨 아휴… 그땐 말도 마…. 글씨 나한텐 미주 아부지 빤쓰랑 겨드랑이 털을 태우라는 거. 그것도 스무 개니 [illegible] 그거 잡아 뽑느라고 음청 애먹었네….

영순 겨드랑이 털은 왜요?

정씨 겨드랑이에 보이지 않는 날개가 있어 바람이 난 거랴….

박씨, 또다시 까르르 넘어가고 영순은 심각하다.

영순 그… 그래서 효과는 봤어요?

정씨 효과? 난 그 냥반 죽었다는 소식도 읍내 마담년헌테 들었어…

으이그… 내가 그때 생각만 허면 자다가도 이가 갈려서….

박씨 에이… 그랴서 결국 복수혔잖여….

영순 복수요?

정씨 응… 죽으믄 혼이라도 자유롭게 떠돌고 싶다고… 꼭 화장해 달라고… 신신당부를 혔다는 거여. 그려서 지랄하고 있네, 냅다 묻어버렸지…. 맘 같아선 관 뚜껑에 용접이라도 허고 싶더라고… 아주 그냥 고자리에서 꼼짝 못 허게….

박씨 까르르 또 넘어가고… 영순, 표정이 씁쓸해진다.

45. 교회~성당~절 / D

교회 예배당 안에서 통성으로 기도하는 사람들. 영순, 그런 상황이 낯설어 눈도 못 감고 여기저기 쳐다본다. 사람들이 저마다 간절하게 소원을 말하며 열심히 기도한다. 영순, 이러다 안 되겠다 싶은지… 십자가를 보며…

영순 저기요… 우… 우리 강호요….

자신의 목소리가 옆 사람들의 기도 소리에 묻히자, 영순, 다급하게 십자가 보며…

영순 (조금 크게) 제 소리 들리세요?

하지만 사람들의 기도 소리가 너무 커 왠지 안 들릴 것 같다는 불안감.

영순 (더 큰 소리로) 제 소리 들리시죠?

펄쩍펄쩍 뛰는 사람들… 우는 사람들… 소리치는 사람들….
아… 내 말은 안 들리면 어쩌나? 안절부절 어쩔 줄 모르는 영순.
급격히 얼굴이 빨개지더니… 벌떡 일어나…

영순 (고래고래) 우리 강호 좀 살려주세요!!

교인들, 놀라 일순간 조용해진다.

영순 같은 엄마로서 제 맘 누구보다 잘 아실 거 아니에요.

카메라 돌아가면 어느새 성당 성모마리아상 앞에 양손을 모으고 서 있는 영순.

영순 제발 밥이라도… 밥이라도 먹게 해주세요. 그럼 제가 백팔배… 아니 백만팔천배라도 올릴게요.

하며 그대로 바닥에 엎드려 절을 하는 영순, 양손 바닥을 하늘을 향해 올린다. 불당 안에 닥닥틱틱! 목탁 소리가 울리기 시작한다.

46. 영순네, 안방 / D

강호 눈에 모빌처럼 천장에 주렁주렁 물건을 달고 있는 영순의 모습이 보인다. 미미인형, 판사봉, 종이 카네이션, 새총, 딱지, 팽이… 등등.

영순 이건 새총, 이건 딱지, 이건 팽이….

하지만 강호의 시선에서 점점점 흐릿해지는 물건들. 강호, 눈에 힘을 주어 물건을 똑바로 노려보지만 점점 더 희미해지는 물건들. 영순, 마지막으로 로봇을 달더니 가만히 만져본다.

영순 이건… 아빠가 강호 너 태어나면 주려고 사 둔 건데… 맨날 물고 빨고 니가 엄청 좋아했던 로보트야… 기억나?

영순, 강호를 향해 로봇을 보이는데… 눈을 감고 머리가 축 처져 있는 강호.

영순 뭐야… 또 그냥 자는 거야?… 강호야… 제발… 뭐라도 먹고 자야지… 벌써 며칠째야….

영순, 강호를 흔드는데… 아무런 미동이 없는 강호. 순간, 불길한 얼굴이 되는 영순.

영순 강호야… 강호야?… (흔들며) 애가 왜 이래… (소리 지르며) 강호야!!!!!!

CUT TO

링거를 맞으며 자고 있는 강호. 챔버를 조절하고 있는 나이 지긋한 의사와 곁에서 의료 장비들을 챙기고 있는 구급 대원들 보인다. 혼이 나간 얼굴로 서 있는 영순과 그런 영순을 부축하는 정씨.

의사 한 대 맞고 나면 좀 나아질 거유.

이장 아니 그러게 왜 영양실조가 올 때까지 밥을 안 먹어? 희한허네….

의사 (영순에게) 지 좀 잠깐….

47. 영순네, 마당 / N

의사와 영순이 함께 서 있다.

의사 전신마비 환자들헌티는 흔해유. 하루아침에 몸이 저리 되니께 상실감에 살고 싶은 의지를 놔버리는 거쥬. 옆에서 잘 돌봐주고 그래도 계속 저러면 시설에 입원을 시키든가 하세유.

영순, 그 말에 가만히 의사를 쳐다보더니

영순 …일곱 살짜리도 죽고 싶을 수 있어요?

의사 예?… 그게 무슨….

영순 일곱 살짜리도 상실감에 삶의 의지를 놔버릴 수 있냐구요?

어리둥절한 의사.

48. 영순네, 안방 / N

밥상을 강호 앞에 차리는 굳은 얼굴의 영순. 숟가락으로 밥 한술을 크게 떠 강호에게 내민다.

영순 자… 먹어!!!

강호 ….

영순 먹으라고!!!!!

강호, 영순이 숟가락을 입가에 갖다 대자 고개를 또 돌린다.

영순 안 먹어?… 먹어… (한 손으로 양 볼을 잡고 벌리려 하며) 먹어, 먹어….

강호, 입을 꽉 다물고 미친 듯이 고개를 피한다.

영순 먹어!! 먹어!!! 먹으라고!!!!! 왜 안 먹어? 왜!!!! 진짜 죽고 싶어서 그래!!!

영순, 숟가락을 팍 팽개친다. 충격받은 얼굴로 한참을 멍하니 영순을 바라보는 강호… 이내 천천히 입을 연다.

강호 ……배부르면 잠… 와… 잠 오면… 공부 못 해….

표정 없는 강호의 눈에서 눈물이 주르륵 흘러내린다.

영순 … 뭐?

강호 배부르면 잠 와… 잠 오면… 공부 못 해…
배부르면 잠 와… 잠 오면… 공부 못 해….

강호, 계속해서 같은 말을 반복한다. 영순, 점점점 눈이 붉어지더니 이내 그 자리에 스르륵 주저앉는다.

영순 (멍하니) 그… 그래서… 안 먹었던 거야? …그래서?

영순, 바닥에 그대로 엎어져 엉엉 울기 시작한다. 그런 영순을 가만히 보다 다시 말을 시작하는 강호.

강호 배부르면 잠 와… 잠 오면… 공부 못 해….

순간, 벌떡 일어나는 영순. 강호 앞에 앉더니…

영순 아니야… 아니야, 강호야… 밥 먹어도 돼… 이젠 먹어도 돼.
봐… (밥 한 숟가락을 입에 넣고 꾸역꾸역 씹는다) 엄마도 먹지…
그러니까 강호도 먹자…. 졸리면 자도 돼… 이젠 공부 안 해도 돼….

영순, 밥을 떠서 강호에게 내민다. 가만히 영순만 쳐다보는 강호.

영순 먹어… 제발… 먹어…. 엄마, 우리 강호 사랑해. 너무너무 사랑해서 그랬어. 우리 아들은 행복하라고… 엄마, 아빠처럼 살지 말라고… 용서해 줘, 강호야….

영순의 눈에서 줄줄 흐르는 눈물을 바라보는 강호. 한참을 그러고 있더니… 조금씩 입을 벌린다. 그리고는 밥을 받아먹는다.

영순 아아… 고마워… 고마워 강호야….

영순, 강호를 꼭 안고 흐느낀다.

49. 아파트, 복도 / D

허름한 복도식 아파트 통로를 걸어가고 있는 형사와 소 실장, 차 대리.

형사 양구만이란 사람인데 연변에서 온 불법체류자라 신분 확인도 안 되고 진짜 애먹었어요. 다행이 휘발유를 산 주유소 CCTV에 얼굴이 찍혀서 망정이지… 노름에 사채에 얼마나 빚을 져놨는지 얼굴 뜨자마자 여기저기서 제보가…. 근데… 아무리 송 회장님 지시라도 업무 중에 이러시면 곤란한데….

소 실장 저도 업무 중입니다.

형사, 어느 집 문 앞에 선다. 벨을 누르는 형사. '양구만 씨! 양구만 씨!' 하지만 아무 대답 없다.

형사 당연히 안 열어줄 거고….

소 실장 (차 대리 돌아보며) 열어.

차 대리 네! (다가오려 하자)

형사 (막으며) 아아… 그렇게 막 열면 안 되죠… 무단침입인데….

형사, 방범 창살 사이로 창문을 옆으로 밀어보자 창문이 조금 열린다. 창틈 사이로 안을 들여다보는 형사. 그때, 형사의 눈에 거실에 쓰러진 남자가 보인다.

형사 (놀라며) 여… 열어!!! 열어!!!! 문 열어!!!

차 대리, 얼른 열쇠 구멍에 핀을 꽂더니 능숙하게 문을 연다. 철컥, 문이 열리자마자 급하게 뛰어 들어가는 형사와 소 실장. 약통과, 유서… 그리고 바닥에 쓰러져 죽어 있는 한 남자의 사체가 보인다.

50. 공장 / D

기저귀가 생산되고 있는 공장. 송 회장이 생산라인 이곳저곳을 이리저리 둘러보다 우뚝 멈춰 서더니 소 실장 돌아본다.

송 회장 뭐?… 자살?

소 실장 네.

송 회장, 하~~ 망연자실한 표정으로 고개를 젓더니 다시 걷는다.

송 회장	지 목줄 쥐고 있던 놈은 하루 아침에 바보로 만들드만, 유일한 증거였던 트럭 기사는 자살을 시킸다?… 오태수 마! 내랑 엮이는 게 그래 싫드나?

차 대리	(놀라) 오태수요?

소 실장이 홱 째려보자 움찔하며 표정을 바로 하는 차 대리. 송 회장, 벨트를 따라 일렬로 움직이고 있는 기저귀 한 팩을 집는다. 사랑스럽게 아기를 보고 있는 엄마의 모습이 박힌 겉포장지를 가만히 보는 송 회장.

송 회장	그 트럭 기사놈 처자식이 연변에 있댔제?

51. 오태수네, 마당 / D

브리핑하는 보좌관과 함께 정원을 가로지르는 오태수.

보좌관	대중들에게 좀 더 친숙한 이미지로 다가갈 수 있도록 시청률과 선호도가 높은 프로그램 위주로 방송 출연을 검토 중입니다.

오태수	그래, 수고했어… 경선 참여 선언은 언제, 어디서 하는게 효과적일지도 같이 검토해 봐. 아! 그 전에 우벽그룹과 관련된 건 사업이건 사람이건… 명함 한 장 남기지 말고 싹 다 정리하구.

보좌관	네, 알겠습니다. 아, 그리고 양구만은…

오태수	(멈춰 서서 보좌관 쏘아보더니) 양구만? 그게 누군데?

보좌관	그… 트럭… (하다가 오태수의 눈빛을 보더니) …죄송합니다.

그때, '아아아아악!!!' 하는 하영의 비명 소리가 집 안에서 들린다.

52. 오태수네, 하영 방 / D

'아아아아악!!!' 계속되는 하영의 비명 소리에 놀라 들어오는 태수 부인과 가정부.

태수 부인 하영아 왜 그래? 무슨 일이야?

하영 (손에 들린 붉은색 스카프 보이며) 이게… 왜 여깄어? 왜 여기 있냐고?!!!

가정부 아… 그게… 쓰레기통에 들어가 있길래… 세탁해서 갖다 놓았어요. 아가씨가 제일 아끼시던 거라….

하영 누가? 누가 이걸 아껴?!! 누가?!!!!

하영, 미친 듯이 스카프를 찢어 가정부에게 던지더니 옷장에서 옷들을 꺼내 집어 던진다. 스카프, 옷… 모두 강호네 집에 내려갔던 날 입었던 것들이다.

태수 부인 (말리며) 하영아… 너 도대체 왜 이래?

하영 당장 갖다 버려!!… 당장 다 없애버리라고!!!!!!!!!!!!!!

하영, 화장대 위의 물건들, 악세서리함 등도 모조리 휩쓸어 바닥으로 팽개친다. 광기 어린 하영을 말리는 태수 부인과 가정부… 그때…

오태수 정신 안 차려?!!!!

오태수 무섭게 하영을 노려보며 들어오는 듯하더니, 이내 부인을 보고 서서는.

오태수 사고 충격으로 힘든 애한테 에미라는 여자가 도대체 뭐 하는 거야? 예전 물건 싹 다 갖다 버리고… 벽지며 가구며… 속옷에 양말 한 장까지 싹 다 새걸로 다시 바꿔줘… 알았어?!!

태수 부인 네….

오태수, 바들바들 떨고 있는 하영을 안아준다.

오태 괜찮아… 괜찮아, 내 딸…. 절대 아무 일도 일어나지 않아… 너한테도… 이 아빠한테도… (몸을 떼고 하영 보더니) …그렇게 해줄 거지?

하영의 어깨를 잡은 오태수의 손아귀에 꽈악~ 힘이 들어간다. 하영, 겁에 질린 눈으로 오태수의 잔혹한 눈빛을 보다가 이내 바들바들 고개를 끄덕인다.

53. 영순네, 안방 / N

강호의 팔을 주물러주며 전신마비를 극복한 유튜버 영상을 티브이로 보는 영순.

영순 강호야, 저것 좀 봐…. 저 사람도 전신마비 판정을 받았었대. 근데, 재활훈련 받고 운동해서 지금은 저렇게 건강해진 거야. 대단하지? 우리 아들도 할 수 있어. 열심히 치료받고 운동해서 꼭 이 손 다시 움직이는 거야… 알았지?

영순, 강호의 팔을 잡고 흔들며 보면, 뚫어져라 천장에 매달린 로봇을 바라보고 있는 강호.

영순 에이… 그러고 있음 눈 아퍼….

영순, 로봇을 끌러 강호 침상 테이블에 올려놔 준다. 그때, **♪ 나는 행복합니다** 휴대폰 벨소리가 울린다.

54. 영순네, 마루~부엌 / N

나오며 전화를 받는 영순.

영순 여보세요.

전화 안녕하세요. 여기 한누리재활원인데요. '최강호 님' 입원 신청해 주셨죠?

통화를 하며 부엌으로 들어오는 영순.

영순 (반갑게) 아, 네….

전화 그런데 저희가 현재 환자가 다 차서 당장은 입원이 불가능할 것 같은데… 어떻게… 기다리시겠어요?

영순. 주머니에서 수첩을 꺼내 보면 수십 개의 재활원 목록에 이미 엑스자가 그어져 있다. 맨 마지막에 있는 한누리재활원.

영순 얼마나 기다려야 될까요? 이게 뼈가 굳기 전에 하루라도 빨리 재활치료를 받아야 된다던데….

전화 그건 저희도 정확히 말씀드리기가 어려워요. 환자들이 퇴원을 해야 자리가 나는 거라….

영순 아… 네… 그럼, 자리 나는 대로 꼭 좀 연락 주세요. 꼭이요, 꼭!!… (허리 숙이며 간절하게) 부탁드립니다.

전화를 끊으며 후우~ 한숨 쉬는 영순. 쌀을 퍼 씻기 시작한다.

55. **영순네, 안방 / N**

강호, 침상에 앉아서 테이블에 놓인 로봇을 쳐다보고 있다. 어린 강호를 향해 로봇을 흔들어주던 영순의 모습이 스쳐 간다. 강호, 자신의 손을 쳐다본다… 끄응 힘을 줘보지만 움직이지 않는 손. 강호, 다시 손에 힘을 줘보려 애를 쓴다. 그렇게 몇 번의 노력 끝에 손이 살짝 꿈틀!

CUT TO

밥상을 들고 들어오는 영순.

영순 강호야… 저녁 먹자.

웃으며 강호를 보는 영순… 순간, 와장창 밥상을 떨어뜨린다. 바닥에 떨어져 팔 한쪽이 떨어져 나간 로봇이 보인다.

CUT TO

침상 테이블 위에 올려진 로봇을 쳐다보며 강호가 온 얼굴이 빨개져 끙끙대고 있다. 그러다 이내 맥을 탁 놓고 고개를 젓는 강호.

강호 못해요….

영순 왜?… 왜 못해? 한 번만… 응? 강호야… 한 번만 다시 해보자.

강호, 영순의 말에 다시 손에 힘을 줘보지만 맘처럼 쉽지 않은 듯 끄으으응… 이내 탁! 몸에 힘을 풀며 헉헉!! 숨을 몰아쉬는 강호.

강호 안 돼요….

영순 돼!!… 아까도 했잖아… 강호야… 니가 했어… 니 힘으로 했다고… (강호 팔을 주무르며) 할 수 있어… 자 여기 로보트… 아까처럼 떨어뜨려 봐.

강호, 간절한 영순의 표정에 다시 한번 끄응 힘을 준다. 아주 살짝 들리는 손.

영순 봐!!!!… 봐!!!!… 됐어… 됐어!!!! 힘 줘!!!!

하지만 이내 힘없이 툭 떨어지는 손.

영순 안 돼… 포기하지 마, 강호야….

강호 (절레절레 고개를 흔든다) 못해….

영순 아니야… 할 수 있어. (벽에 붙은 유튜버 사진 가리키며) 저기, 저 사람 봤지? 노력하면 너도 할 수 있어… 다시 움직일 수 있다고….

자… 조금만 더 힘내봐….

강호, 다시 힘을 주기 시작한다. 그렇게 몇 번을 낑낑대다가 본인도 짜증난 듯 버럭!

강호 밥 줘!!

56. 미주네, 거실 / D

죽을 퍼서 보온병에 담고 있는 미주… 뚜껑을 꽉 닫는다. 스피커폰으로 신호가 가고 있는 휴대폰에 [선영 언니] 이름이 보인다. 미주, 수납장을 열어 쇼핑백을 찾는다. 신호 끝에 메시지로 넘어가는 전화기. 삐~

미주 왜 이렇게 전화를 안 받아? 아직도 몸이 많이 안 좋아?
나 언니 주려고 전복죽 쒔는데….

순간, 손이 멈칫하는 미주. 쇼핑백들 사이에 하얀 에코백 하나를 꺼내 든다.

미주 …아무튼 연락 줘.

전화를 끊고는 물끄러미 에코백을 바라보는 미주. 가방 한 쪽에 [사시세끼♥]라고 수가 놓여 있다. 이내 굳은 얼굴로 에코백을 대충 접어 한구석에 처박는다.

57. 네일샵 앞 / D

네일샵을 향해 걸어오는 미주… 네일샵 앞에 사람들이 몰려 서 있는 게 보인다. 미주, 다가가서 아줌마들 틈에 끼어 가게 안을 들여다보며…

미주 무슨 일이에요?

아줌마1 (쳐다보지도 않고) 이년들이 날랐어… 회원권만 홀랑 쏙 빼먹고….

미주 제가요?

그 말에 쳐다보는 아줌마1, '에그머니나!!' 하며 물러서더니…

아줌마1 여… 여깄다!!!

사람들 그 소리에 일제히 쳐다보더니 '야! 이년아' '내 돈 내놔!!' 소리치며 우르르 달려든다. 그 바람에 보온병을 떨어뜨리는 미주. 데굴데굴 굴러가버린다.

미주 잠깐만!! 잠깐만요!!… 아, 말로 하세요, 말로… 왜 이러시는 건데요?

아줌마2 네일샵 팔았다며?… 여기 이 여자가 가게 인수했다던데?

인수녀 아, 같이 네일샵 하던 분이세요? 어제까지 싹 비워주시기로 해놓고 이게 뭐예요… 곧 인테리어 업자들 오기로 했는데….

미주 그게 무슨 말이에요… 말도 안 돼….

미주, 얼른 휴대폰을 꺼내 전화를 한다.

안내 **E** 지금 거신 전화는 없는 번호이오니…

헉!!! 숨이 멎는 미주. 안 돼… 안 돼… 고개를 젓더니 스르륵 주저앉는다.

58. 돼지 농장 앞 / D

힘없이 들어서는 영순, 한쪽에 세워진 외수레를 집는다. 그리고는 사료포대를 집어 수레에 실으려는데… 뭔가 그 속에서 꿈틀!!

영순 어맛!!

영순, 놀라서 사료포대를 떨어뜨린다. 사료포대 안에서 아기 돼지 한 마리가 뛰어나온다.

안드리아 (뛰어오며 휴대폰 번역기 보더니) 방금 발생한 사건은 무엇입니까?

바닥에 쏟아진 사료를 허겁지겁 먹는 아기 돼지. 영순, 어이없는 눈으로 돼지를 바라보더니…

영순 세상에 그걸 먹겠다고 저 높은 걸 넘어서 나왔어?

안드리아 내가 하는 생각에 의하면 돼지의 아기는 과도한 허기를 느꼈다.

영순 그래, 맞아… 얼마나 배고팠으면….

안드리아가 아기 돼지를 안아 우리 안에 넣자, 영순, 빗자루로 쏟아진 사료를 쓸기 시작한다. 그러다 문득, 아!… 뭔가가 떠오른 듯 눈이 커지는 영순,

스르르 아기 돼지를 한번 돌아보더니… 이내 빗자루를 던져버리고 후다닥 뛰어나간다.

59. 영순네, 안방 / D

영순이 밥상을 들고 들어오자 웃으며 영순을 보는 강호.

영순 우리 아들 배고프지?

영순, 밥상을 바닥에 내려놓더니, 밥과 반찬이 담긴 식판을 침상 테이블 위에 올려놓는다.

영순 밥 먹자.

영순, 숟가락과 젓가락을 테이블 위에 올려주고는 무심하게 티브이 쪽으로 돌아앉더니 혼자 우적우적 밥을 먹는다. 강호, 황당한 얼굴로 밥과 영순의 뒤통수를 번갈아 쳐다보며…

강호 엄마….

영순, 티브이 볼륨을 더 키우더니 달랑무 김치 하나를 손으로 들고 우적우적 씹는다. 어쩐지 눈빛이 살벌하다.

CUT TO

상 위에 놓인 빈 그릇들. 영순, 슬그머니 돌아본다. 강호가 애처로운 눈빛으로 영순을 보고 있다.

영순 어?… 왜 밥을 안 먹었어? 아~ 배가 안 고픈 모양이구나?

영순, 강호의 식판을 홱 들어 밥상에 놓더니 들고 나간다. 강호, 놀라서 '엄마… 나 배고파… 배고파… 엄마~~~!!!' 한다.

60. 영순네, 부엌 / D

상을 들고 들어오자마자 그대로 바닥에 털썩 주저앉는 영순.

강호 [V.O] 엄마… 엄마 왜 그래?… 밥 주세요… 나 배고파요, 밥!!!

애절하게 영순을 부르는 강호의 목소리…

영순 미안해… 미안해, 강호야… 엄마가 한 번만 더 할게….
한 번만 더 나쁜 엄마 할게….

영순, 벌떡 일어나더니 밥상에 놓인 강호 밥을 밥통에 다시 붓는다.

61. 강호 손 움직이기 몽타주

- 밥을 가져와 강호 앞에 놓는 영순… 잠시 후 다시 밥을 가져가는 영순.
- 또다시 밥을 가져다 놓는 영순… 잠시 후 다시 가져가는 영순.

- 병원에서 전동 손 자전거 운동, 물리치료 등을 받는 강호.
- 강호 팔에 고주파, 쑥뜸, 봉침, 치료하는 모습.
- 안경 끼고 앉아 노트북에 검색된 내용을 노트에 적는 영순.
  '마비에 좋은 약재' 밑으로 아로니아, 백하수오, 참깨, 누에, 희첨, 조구 등 등등 적는다.
- 밥을 가져다 놓는 영순, 거의 제정신이 아닌 강호. 미친듯이 손을 뻗어 식판을 쥐려고 한다. 손끝이 아슬아슬 밥그릇에 닿는 듯하더니… 결국 식판을 쏟는다. 영순, 들어와 쏟아놓은 음식들을 식판에 다시 담더니… 들고 나간다.
- 강호의 등을 타고 앉아 어깨를 주물러주는 영순. 팔을 잡고 구부렸다 폈다 해주는 영순.
- 강호의 손에 빨래집게를 쥐여주고 손을 같이 쥐어 오므렸다 폈다 해주는 영순.
- 다시 밥을 가져다 놓는 영순, 사색이 되어 바들바들 정신없는 강호.
  끄으응 팔을 뻗더니 결국 밥 한 주먹을 손에 쥔다. 그러나 맘처럼 팔이 잘 안 구부려진다. 들썩들썩 몸을 버팅기며 입을 가져다 대려는 강호.
  영순, 들어오더니 강호 손에 들린 밥을 손으로 긁어 가져간다.
  '으아아아아아~ 나쁜 엄마!!!' 하며 소리 지르는 강호.

62. 돼지 농장 / D

아기 돼지들에게 밥을 주고 있는 영순.

영순 (부러운 듯 보며) 참~ 잘도 먹는다. 니들 엄마가 보면 얼마나 행복할까?

그때, ♪ **나는 행복합니다** 휴대폰 벨소리.

영순 네. 여보세요.

전화 예… 여기 한누리재활원인데요. 다음 주에 입원 가능하셔서 연락드렸어요.

영순 (반갑게) 아! 정말요!! 그럼 다음 주부터 재활훈련 받을 수 있는 거예요? 아… 감사합니다… 감사합니다.

전화를 끊는 영순, 기분이 좋아서 얼른 장갑을 벗고는 농장을 나간다.

63. 영순네, 안방 / D

'강호야, 강호야!' 소리 지르며 신나서 뛰어 들어오는 영순.

영순 됐어, 됐어… 이제 드디어…

순간, 눈이 커지며 헉! 숨이 멎은 듯 멈춰 서는 영순. 보면… 온 얼굴과 이불에 밥풀을 묻힌 채 손에 쥔 밥을 먹고 있는 강호. 원망스러운 눈으로 영순을 힐끔힐끔 흘겨보며 맛있게 먹는다.

영순 ………돼다.

영순, 기쁨에 웃는 듯 우는 듯…

EPISODE 4

사람들은 누구나 어린 시절로 돌아가고 싶어 하거든.

엄마도 그래… 다시 돌아가고 싶어…

그러면 바꿀 수 있는 게 엄청 많거든.

하지만 이 세상 그 누구도 그때로 돌아갈 수 없어….

근데 강호 넌 돌아간 거야. 이건 하늘이 주신 기회야!

1. 돼지 농장 / D

한쪽 분만사 문이 열리고 그 안에서 아기 돼지들이 우르르 쏟아져 나온다. 그리고 그 뒤에서 작업복을 입고 아기 돼지들을 한쪽으로 모는 영순과 안드리아 보인다.

영순 이쪽으로… 이쪽으로 몰아….

그때… 아기 돼지 한 마리가 갑자기 방향을 틀더니 영순의 다리 사이로 쏜살같이 도망을 친다. 처음 돼지들이 나왔던 바로 그 분만사 쪽이다. 영순, 허겁지겁 아기 돼지를 뒤따라가 잡고 보면 열심히 밥을 먹는 어미 돼지가 보인다.

영순 이그… 그래서 니가 짐승이다…. 그래, 새끼 떼면서 밥이 넘어가?

그때… '어이쿠…이런…' 하며 영순, 고개 돌려보면 농장 문 앞에 놀란 얼굴로 서 있는 따돈업자. 그리고 천지사방으로 흩어져 있는 돼지들.

영순 (놀라며) 아이고, 이놈들….

2. 돼지 농장 앞 / D

꽥꽥 돼지의 비명이 울리는 가운데… 트럭에 마지막 어미 돼지를 싣고 있는 영순과 안드리아, 따돈업자. 안드리아는 '내부로 진입하라'를 연신 외치며 돼지를 민다.

돼지, 안 들어가려고 버팅기고… 업자와 영순은 당기고, 밀고… 진땀을 뺀다. 트럭 빗장을 채우는 업자.

업자 매번 허는 일이지만 그라도 서운허시쥬?

영순 (장갑으로 옷 먼지를 털어내며) 왜 아니겠어요? 남편보다 오래 끼고, 자식보다 오래 멕였는데….

업자 (종이 한 장 건네며) 자, 거래명세서 받으시고….

영순 (트럭에 돼지들을 씁쓸한 얼굴로 쳐다보며) 잘 가라. 너희 새끼들은 내가 잘 멕이고 잘 키울 테니까 아무 걱정하지 말고….

영순, 한쪽에 놓인 비닐봉지를 집어 따돈업자에게 건넨다.

영순 감자가 포슬포슬하니 맛있어요… 애들하고 쪄 드세요.

업자 아이고, 매번 감사해서 어떡해유…. 아! 참… 아드님은 좀 어떠세유?

3. 들판 / D

노을이 지는 언덕 꼭대기. 휠체어에 앉아 저 먼 풍경을 바라보고 앉아 있는 강호. 상념에 잠긴 듯한 쓸쓸한 얼굴 위로 머리카락이 흩날린다. 그런 강호의 뒤에서 들려오는 목소리.

예진/서진 안 내면 진 거… 가위, 바위, 보!… 보!… 보!

예진　　　　앗싸!!! 내가 이겼다….

예진, 신나서 달려가더니 강호의 휠체어 손잡이를 잡는다. 후우~ 좌절한 듯 한숨을 내쉬며 서진을 보는 강호. 서진, 안됐다는 표정으로 강호에게 손을 흔들어준다.

예진　　　　자… 간다!!!!

예진, 휠체어를 힘껏 민다.

강호　　　　엄… 마아아아아아아아아아아아아~~~~~~~~~~~~~~~~~~~~~!!!!

언덕을 따라 빠르게 내려오는 휠체어. 속도가 생각보다 빨라지자 '어어어' 하며… 손잡이를 놓아버리는 예진. 강호, 그대로 계속해서 내려가더니 결국 휠체어와 함께 고꾸라져 짚 덤불 속에 처박힌다.

4.　　　　영순네, 마당 / D

청년회장과 이장이 휠체어를 고치고 있다.

이장　　　　뭐든 뚝딱뚝딱 잘도 고치네…. 하여간 이 집안 손 기술 하나는 알아줘야 혀.

청년회장　　손 기술이 좋다는 말에 기분이 나빠지는 건… 자식새끼 잘못 둔 애비의 옹졸함일까유?

이장　　　　에이… 뭐 또 거까지 가고 그랴? 암튼 아무도 안 다쳐서 천만다행이여… 큰일 날 뻔했지 뭐여.

그 모습을 지켜보던 영순이 화난 얼굴로 홱 고개를 돌려 쳐다보면… 나란히 툇마루에 앉아 있다가 얼른 손을 드는 예진, 서진… 그리고 얼굴 여기저기 망가진 강호.

강호 (영순의 눈치를 살피며) 운동하넌… 엄마가 좋아하실 거라고 했어요.

영순 누가?

강호, 스윽 예진과 서진을 쳐다본다.

이장 아이고… 우리 엄마 껌딱지가 엄마 기분 좋게 해드릴라고 그랬구나?

청년회장 그쥬… 영악한 쌍둥이들은 그 약점을 노린거구요.

영순 (쌍둥이들에게) 얘들아… 이러면 위험하다고 몇 번을 말해? 이건 장난감이 아니야. 강호 삼촌 다리라고… 다리!!

강호 (영순에게 작은 소리로 가르쳐주듯) …다리 아니고 휠체어예요.

영순이 확 째려보자 얼른 자세를 바로 하는 강호.

영순 아무튼 앞으로는 이거 가지고 장난치면 안 돼. 진흙탕 길, 빙판길, 울퉁불퉁 돌밭 길, 수로, 논두렁, 밭두렁… 특히 높은 데서 타는 건 절대 안 돼… 알았지?

강호 (이르듯이) 셋이서 같이 타는 것도 안 되죠?

영순 당연히 안 되지!!!

강호 (예진, 서진 보며) 거봐… (얼른 또) 바퀴에 고무 빼서 훌라후프하는 건요?

영순 뭐?!!!!!

마침 휠체어 바퀴 고무를 빼 들고 있던 이장이 황당해서 고무를 쳐다본다.
그때, 뛰어 들어오는 정씨.

정씨 아후… 내가 그냥 이 쌍!!!! 둥이들을…

정씨, 예진과 서진에게 달려들려 하자… 그런, 정씨를 얼른 말리는 영순.

영순 하지 마요. 하지 마…. 제가 알아듣게 잘 얘기했어요.

정씨 아니 왜 몸도 성치 않은 사람을 끌고 나가서 괴롭히고 난리냐고!!

예진 괴롭힌 거 아니여… 강호가 운동한대서 도와준 거여!

정씨 도와주긴 뭘 도와줘?… 저 꼴이 도와준 거여? 그리고 강호가 뭐여, 강호가?… 강호가 니들 친구여?

예진 (홱 강호 째려보며) 뭐여? 친구 아니었어?

서진 (같이 노려보며) 친군 줄 알고 있었는디?… 일곱 살이라매.

강호 맞아… 의사 선생님이 나 일곱 살이라고 했어… 맞죠? 엄마?

하아~~~~ 영순, 깊은 한숨을 내쉰다.

5. **영순네, 안방 / N**

쟁반에 담긴 콩을 나무젓가락으로 집어 냉면 그릇에 옮겨 담고 있는 강호. 부들부들 떨리는 손… 자꾸만 콩을 떨어뜨린다. 강호, 해도 해도 줄지 않는 콩 더미를 암담한 눈으로 보다가… 슬쩍 문 쪽을 살피더니 얼른 콩 한 주먹 쥐어 입에 쑤셔 넣는다. 그때, 문이 열리며 들어오는 영순.

영순 그거 삼키면 배 속에서 콩 난다?

그러자 에베베~ 콩을 뱉어내는 강호…. 피식 웃으며 서랍장에서 스케치북과 크레파스를 꺼내는 영순. 강호 침상 옆 간이 의자에 앉아 스케치북에 '35'라고 크게 쓴다. 그리고는 척! 강호 쪽으로 들어 보이는 영순.

영순 서른다섯… 따라 해봐….

강호 서른다섯….

영순 맞아… 강호 넌 서른다섯 살이야. 그런데 지금은 조금 아파서 잠깐… 아주 잠깐 일곱 살이 된 거야.

강호 … 나 그거 뭔지 알아요….

영순 ?

강호 바보… 맞죠?…

영순 (표정 굳어지더니) 아니야!!… 누가 그래? 누가 너한테 바보라 그래?

강호 엄마가….

영순 …뭐?

강호 엄마가 의사 선생님이랑 그랬잖아요… 쉽게 말하자면… 바보!

영순, 가만히 강호를 쳐다보다가…

영순 아니야, 강호야…. 그때는 엄마가 잘 몰라서 그렇게 얘기한 거야. 음… 그러니까… (잠시 생각하더니) 아! 그래… 강호 너는 지금 어린 시절로 다시 돌아간 거야. 사람들은 누구나 어린 시절로 돌아가고 싶어 하거든. 엄마도 그래… 다시 돌아가고 싶어… 그러면 바꿀 수 있는 게 엄청 많거든. 하지만 이 세상 그 누구도 그때로 돌아갈 수 없어…. 근데 강호 넌 돌아간 거야. 이건 하늘이 주신 기회야!… 처음부터 다시 사는 거라고.

강호 하늘이 주신 기회?

영순 응… 하늘이 주신 기회…. 그러니까 행복해야 돼… 슬퍼하거나 무너지지 말고 기뻐해야 된다고….

강호 기뻐?

영순 응… 엄마는 강호가 다시 돌아와서 (박수 치며) 기뻐.

강호 (따라서 박수 치며) 기뻐….

영순, 그런 강호를 꼭 안아준다.

영순 기뻐….

6. 어촌 마을 어시장 / D

바다가 보이는 부두 옆 어시장 한 켠에 쭈그리고 앉아 집에서 싸 온 도시락을 먹고 있는 한 60대 아줌마(선영 모)의 모습 보인다. 조심스럽게 다가오는 미주.

선영 모 (얼른 일어서며) 어서 오이소. 오늘 오징어랑 고등어 물 억시로 좋심더….

미주 저… 혹시 선영 언니 어머님 되세요?

순간, 표정이 확 굳어버리는 선영 모. 가만히 미주를 쏘아보더니…

선영 모 와요?… 그년이 아가씨 돈도 떼먹고 토꼈심니꺼?… 하이고 미친년! 내 몬 산다… 몬 살아….

가슴을 퍽퍽 내리치는 선영 모.

CUT TO

탁! 탁! 생선을 토막내고 있는 선영 모. 그 옆에 작은 의자에 쭈그리고 앉아 있는 미주.

선영 모 어데서 제비 같은 놈 하나 만나가꼬 있는 돈 없는 돈 다 갖다 바치드만… 결국엔 금마 노름빚 갚아준다꼬 사채 빚까지 끌어다 쓴 거 아인교. 집이며 가게며 지 애비 고깃배까지 싹 다 잡히뿌고… 아이고 무시라….

미주 ….

선영 모　　문디가시나가 그래놓고 생전 연락 한 번 없드만… 어디 LA인가 로스앤젤레슨가… 거서 돈 벌어 온다꼬 문자 하나 달랑 남기고 사라졌심더….

미주, 그 말에 멍하니 선영 모를 바라보다가 어흑흑 울음을 터뜨린다.

선영 모　　딸년 잘못 키운 죄… 누굴 탓하겠노… 내를 잡아가소… 내를… 하아아앙.

선영 모가 더 크게 울자… 으아앙~ 아예 바닥에 퍼질러 앉아 대성통곡하는 미주.

7.　　부둣가 횟집 앞 /D

노상 테이블에 처량 맞게 앉아 소주를 따르는 미주. 그때, 문자 알림음이 울린다. 보면… [00카드, 이*주님 장기 연체로 법적 절차 착수 예정임을 알려드립니다] 미주, 문자를 하나씩 올려보면 밑으로 줄줄이 보이는 여러 카드사의 연체 통보 문자들. 그때, 핸드폰이 울리며 [집주인]이라고 뜬다. 잠시 암담한 얼굴로 망설이다가 어쩔 수 없이 전화를 받는 미주.

미주　　네… 아줌마.

집주인　　아가씨 정말 이러기야? 사정 딱해서 보증금도 미리 땡겨 줬잖아. 근데 월세까지 이렇게 밀리면 어쩌자는 거야? 더 이상은 나도 못 참아. 오늘까지 안 넣으면 방 뺄 테니 그렇게 알아!!!

탁! 전화를 끊어버리는 아줌마. 미주, 후~ 깊은 한숨을 내쉬더니 가방 안에서 통장 하나를 꺼내 펼쳐 본다. 통장에 빼곡히 쓰인 통장 편지 문구가 보인다.

서진아예진아♡/ 너희들을위해서/ 통장을만들었어/
열심히돈모아서/ 맛있는것사주고/ 예쁜옷도사주고/
장난감도사줄게/ 우리파이팅하자/ 엄마도힘낼게/
정말로보고싶다/ 사랑해서진예진/ 등등…

통장 위로 뚝, 눈물 한 방울이 떨어진다. 눈물을 훔치며 고개를 돌리는 미주… 점점 표정이 굳어진다. 미주의 눈에 물고기들이 가득한 횟집 수족관이 보인다.

직원1 V.O 쁘띠네일 신림점 식구가 되신 걸 격하게 환영합니다.

8. 신림싱싱횟집 (과거) / N

와!!! 짝짝짝짝 박수 치는 직원들. 20대 미주와 선영, 그 외 네일샵 직원 두 명이 한 자리에 모여 있다.

직원2 경력 몇 년 차라고 했지?

미주 자격증은 학교 다닐 때 땄구요. 이대점에서 3년 반 일했어요. 이번에 여기 신림동으로 이사 오면서 옮기게 된 거예요.

직원1 잘 오셨어요. 손도 빠르고 아트도 잘해서 여대생들 사이에 인기 많았다고 점장님이 엄청 자랑하셨어요…. 아무튼 같이 잘 해봐요.

미주 네. 열심히 하겠습니다.

그때, 종업원이 테이블에 회 한 접시와 각종 반찬들을 내려놓기 시작한다.

선영 이 집 회가 진짜 맛있어. 여기 사장님이 직접 배 타고 나가서 잡아 온 거래.

미주 와~ 그럼 이게 진짜 자연산…

하며 종업원 얼굴을 보다가 흠칫! 놀라는 미주. 20대 중반의 강호다.

미주 강호?

선영 아니 광어 아니고 우럭이야 우럭. 자연산 우럭! (강호 보며) 여기 쏘주도 한 병 주세요.

강호 (멍하니 보다가) …미주?

선영 아니 미주 아니고 쏘주요, 쏘주!

미주, 스르르르 일어나 가만히 강호를 보더니… 갑자기 짝! 강호의 뺨을 내리친다. 그리고는 울먹울먹… 확 강호를 끌어안고 눈물을 터뜨리는 미주.

미주 그동안 어딨었어, 이 나쁜 놈아… 하앙.

9. 신림싱싱횟집 앞 (과거) /N

물고기들이 헤엄쳐 다니는 커다란 수족관 앞에 나란히 앉아 있는 강호와 미주.

미주 서울 올라가고 어떻게 연락 한 번을 안 하냐?… 얼마나 기다렸는데….

강호 기다리지 말고 먼저 하지 그랬어?

미주 어떻게 하냐? 연락처를 모르는데… 아줌마도 안 가르쳐주시고….

강호 학교 어딘지 알았잖아.

미주 나도 쳐들어가고 싶었지…. 근데… 못 하겠더라… 나 땜에 시험도 망쳤는데… 또 뭘 망치려고…. (씁쓸하게 웃다가) 근데… 너 사시… 포기한 거야?

강호 흠… 어제 1차 시험 봤는데 포기하긴 좀 이르지 않나?

미주 아~ 흐흐흣… 그랬구나… (표정 굳더니) 잠깐… 근데 여기서 뭐 해?

강호 아르바이트.

미주 (버럭) 야! 사시 준비생이 무슨 얼어 죽을 아르바이트야.

강호 안 얼어 죽으려고 하는 거야. 사시 준비생도 먹고는 살아야지.

미주 그게 무슨 소리야? 엄마가 안 도와주셔?

강호 (잠시 말이 없다가 피식 웃으며) 나이가 몇인데… 이제 알아서 해야지.

미주 그래도 일분일초가 아까울 때잖아.

강호 알바 몇 시간 한다고 떨어질 놈이면… 알바 안 해도 떨어져. 걱정 마… 식당이라 밥도 주고 좋아…. 사모님이 가끔 빨래도 해주시고, 주말에 사장님이 배도 태워주시고… 무엇보다…

강호, 수족관에 얼굴을 바짝 대고 안을 들여다본다.

강호 …난 이 물고기들을 보고 있는 게 좋아.

미수 치… 쫌 있으면 죽을 애들 보고 있는 게 뭐가 좋냐?

강호 그러니까… 쫌 있으면 죽을지도 모르는데… 얘들은 아무리 아파도, 무서워도 울거나 비명을 지르지 않잖아…. 법관도 그래야 된다고 생각해. 닮고 싶어.

미주 태어나면서부터 억지로 정해진 운명이라고 그렇게 싫어하더니… 이젠 생각이 바뀐 모양이네?

강호 아니 바뀐 건 없어. 여전히 싫고 여전히 무거운데… 너무 싫고 무거워서 어떻게든 꼭 해내고 말거야. 그게… 태어나면서부터 억지로 정해진 내 운명에 대한 복수야.

미주와 강호의 눈이 한동안 마주친다.

강호 (어색해서 시선 피하며) 아! 미주 넌 어때? 하는 일은 잘되고?

미주 (강호 얼굴 확 잡더니) 아직까지 잘돼본 적도 없고… 왜 잘돼야 되는 지도 몰랐거든. 근데 이제부터는 잘되려구…. 지금 막 하고 싶은 일이 생겼어.

강호 ?

미주 너 공부만 해라…. 알바해도 붙을 놈이 알바 안 하면 수석 할 거 아니야. 나 너한테 투자할래…. 가진 게 없어서… 일단은 나부터…. 그 복수… 내가 도와줄게.

미주, 빙그레 웃는다.

10. 신림싱싱횟집 (과거) / D

횟집 주인과 사모가 강호와 함께 서 있다.

횟집 사모 우리가 자식이 없어서 그른가… 아들같이 정들었는데 아쉽네.

횟집 주인 아쉽긴 뭐가 아쉬워… 공부 열심히 해서 판검사 될 사람인데. 머리 식히고 싶으면 언제든 놀러 와. 배 태워줄 테니까.

강호 네, 그럴게요… 감사합니다.

횟집 주인 그래, 건강하고… 나중에 판검사 되면 잘 좀 부탁해.

강호 나중이라도… 판검사한테 부탁할 일 없으셔야죠….

횟집 주인 아! 그런가?

하하하하, 다 같이 웃는 세 사람.

11. 강호와 미주 몽타주 (과거)

- 횟집에서 나오는 강호. 기다리고 있다가 얼른 강호 팔짱을 끼려는 미주. 부끄러워 얼른 팔을 빼내더니 도망가는 강호… 웃으며 따라가 다시 팔짱 끼는 미주.
- 열심히 공부하고 있는 강호, 열심히 네일아트하는 미주.

- 선영을 비롯한 직원들 밥 먹는데, 탕비실에서 혼자 유부초밥 만드는 미주.
- 유부초밥 먹던 강호가 스윽 뒤돌아보면, 강호 방을 열심히 청소하고 있는 미주.
- 열심히 공부하는 강호, 욕실에서 빨래하는 미주.
- 네일아트하는 미주, 선영이가 미주를 툭툭 치더니 문 밖을 가리킨다. 통유리 밖에 종이 하나를 대고 서 있는 강호. 미주, 다가와서 보면 1차 합격 통지서다. '꺄악~' 유리창을 사이에 두고 손바닥을 마주치며 좋아하는 두 사람.
- 모두가 퇴근한 네일샵에 혼자 앉아 에코백에 [사시세끼] 라고 수를 놓는 미주.
- 에코백 안에서 도시락을 꺼내 강호에게 내미는 미주.
- 2차 합격 통지서를 유리창에 붙이는 강호. 유리창을 사이에 두고 뽀뽀하는 미주와 강호.
- [사시세끼♥] 에코백에서 도시락 꺼내 강호에게 주는 미주.
- 네일아트샵 탕비실에서 설거지하려고 도시락 통 여는데 그 안에 들어 있는 쪽지 편지.

〈사시세끼 리뷰〉

별점 ★★★★☆

우와~ 이 집 정말 맛집이네요.

소시지가 쫄깃쫄깃하고 너무 맛있었어요.

간도 딱 맞아서 싹 비웠습니다.

그리고 문어가 사장님을 닮아서 귀여워요.

다만 사장님이 바쁘다고 뽀뽀를 한 번만 해주고 가셔서

별 하나 뺐습니다.

나만의 일등 맛집 사시세끼!!

무지무지 사랑합니다!!

- 편지를 읽는 미주의 얼굴. 빙그레 웃고…
- 3차 합격 통지서를 유리창에 붙이는 강호. '아아…' 눈물을 흘리는 미주. 문을 열고 뛰어나가 강호에게 팍 안긴다.
- 한 침대에 누워 있는 미주와 강호. 사랑스럽게 미주의 머리를 쓸어준다.

미주 그거 알아? 니가 나 두 번이나 살려준 거? 목에 사탕 걸렸을 때 한 번, 오토바이 사고 났을 때 또 한 번…. 한 번만 더 살려주면 그땐… 결혼해 줄게.

강호 이상하다?… 착한 일을 했는데 왜 벌을 받지?

미주 (무슨 말인가 생각하다가) 뭐어?… 벌?… 너 일루 와!!

미주, 벌떡 일어나려하자 '아니야, 아니야' 하며 미주를 다시 꼭 안아주는 강호.

강호 진짜 고마운 사람은… 살려주는 사람이 아니라… 살고 싶게 만드는 사람이야. 살고 싶어… 너랑 오래오래 같이….

강호, 미주의 입술에 입을 맞춘다.

12. 부둣가 횟집 앞 / N

어느새 노을이 지고 어둠이 깔리기 시작하는 바닷가. 입술을 꾹 깨문 채 붉어진 눈으로 수족관을 노려보고 있는 미주. 통장을 쥔 손이 바들바들 떨리더니… 소주를 병째 들고 벌컥벌컥 마신다.

13. 영순네, 마당 / D

아침, 햇빛에 눈살을 찌푸린 강호의 얼굴이 들썩들썩한다. 화면 커지면 청년회장 등에 업혀 있는 강호, 그 뒤로 휠체어를 끌고 나오는 서진, 예진. 박씨가 트럭 조수석 문을 열자 청년회장이 강호를 바짝 차에 갖다 대고… 강호가 팔 힘에 의존해 조수석으로 기어오르자 영순이 차 안에서 강호를 끌어올린다. 능수능란하게 휠체어를 접어 트럭 뒤에 싣는 정씨. 이장, 고리가 달린 로프로 휠체어를 칭칭 동여매 트럭 뒤 기둥에 고정한다. 한두 번 해본 솜씨가 아닌 양 모두들 손발이 척척 맞는다. 안전벨트를 매는 강호. 조수석 창문을 징, 내린다. 영순, 조수석 창문 통해 이장에게…

영순 매번 미안해서 어떡해요.

강호 (영순 눈치 보더니 얼른 이장에게) 미안해서 어떡해요.

이장 (강호 보며) 미안허냐? 미안허면 빨랑 일어나…. 그래야 엄니도, 니도, 우리도 다 편헌 겨….

청년회장 그래도 재활원에 입원 안 허고 통원 치료 허는 게 어디에유. 많이 좋아졌쥬.

정씨 (영순에게 작은 보따리 내밀며) 전복죽 좋아허길래 좀 끓여봤어….
물김치도 좀 쌌으니께 강호 치료받는 동안 한술 떠… 때 거르지 말고….

영순 아휴… 성가시게 왜 이런 걸….

강호 …(다시 영순 눈치 보더니 정씨에게) 성가시게 왜 이런 걸….

박씨 거 속 안 좋고 허는 거 다 신경성이여. 왼종일 이것저것 신경 쓰고 밥도 부엌서 쪽밥만 먹으니께 속이 배겨나?

이장 그려… 이쟈 우리 강호 많이 나았으니께 맴 좀 편히 먹어….

강호 (영순에게) 맴 좀 편히 먹어요….

영순 (웃으며 강호 머리 쓰다듬더니) 예. 다녀올게요.

그때, '잠깐만요~~' 하며 호랑이를 안고 허겁지겁 뛰어오는 머드팩을 한 이장 부인.

이장 부인 헉헉… 아… 가셨을까 봐… 얼마나 걱정했는지…. 이거…

하더니 오만 원짜리 한 장을 강호 손에 쥐여준다.

영순 아휴… 아니에요… 웬 돈을…

이장 부인 병원 후문 쪽에 애견 수제 간식집이 하나 있어요. 거기서 알레스카 연어 타르트랑 리코타 치즈 쿠키, 오트밀… 읍!

이장 (부인 입을 막고 〈괴물〉의 변희봉처럼) 가!!… 가!!… 어여 가!!

부르르릉, 트럭이 움직인다. '읍읍' 소리 지르는 이장 부인과 일제히

'잘 다녀와~' 손 흔들어주는 마을 사람들.

14. 재활병원, 복도 / D

영순, 치료실 통유리 너머로 다리 재활치료를 받는 강호 모습이 보인다. 평행봉을 팔 힘으로 버티고 있는 강호. 힘겹게 팔 힘에 의존에 다리를 움직여보려고 애를 쓰지만 쉽지 않다. 영순, 그 모습을 보다 명치를 탁탁 친다. 끄윽 트림이 나온다.통유리 너머로 계속 영순을 바라보며 운동을 하는 강호. 영순이 엄지손가락을 치켜들면, 히죽 웃으며 다시 신나서 운동을 한다. 영순, 계속해서 소화가 안 되는지 명치를 탁탁 치다가… 마침, 차트를 들고 재활센터에서 나오는 간호사 보며…

영순 저기… 혹시 소화제 좀 타려면 어디로 가야 돼요?

15. 재활병원, 치료실 / D

끄으으응, 치료사에게 의지한 채 강호가 온 힘을 다해 한 발을 간신히 움직인다. 성공!!… 해냈다는 기쁨에 얼굴이 환해지는 강호, 신나서 얼른 영순 쪽을 본다. 하지만 영순의 모습이 보이지 않는다.

16. 재활병원, 복도 / D

약 봉투를 들고 복도를 걸어오는 영순. 재활치료실 쪽에서 '엄마, 엄마' 하며 애타게 엄마를 찾는 강호의 목소리가 들려온다. 깜짝 놀라 치료실을 향해 뛰기 시작하는 영순. 그때, 휠체어를 끌고 문을 박차고 뛰쳐나오는 강호.

치료사들이 따라 나와 강호를 말리며… '이러면 안 돼요', '엄마 금방 오실 거예요' 하는데… 미친 듯이 버둥대며 치료사들을 밀어내는 강호. 그러다 달려오는 영순과 눈이 마주친다. 순간, 눈시울이 붉어지더니 정신없이 휠체어를 밀며 달려오는 강호. '엄마!!!!!!!!!!!!' 하며 영순의 허리를 팍! 끌어안는다. 영순, 얼른 강호의 손을 풀고 앉아 눈높이를 맞추더니, 두 손으로 강호의 얼굴을 잡는다.

영순 강호야. 엄마 봐… (손에 힘을 주며) 엄마 좀 봐… (버럭) 얼른 똑바로 봐!! 엄마가 안 보이면 어디 있다 그랬지?

강호 (가만히 쳐다보다가) …돼지 농장, 감자밭…

영순 그리고…

강호 화장실… 부엌….

영순 그리고… 거기도 없으면?

강호 …전화를 …건다.

강호, 말끝에 자신의 목에 걸린 휴대폰을 쳐다본다.

영순 그래… 맞았어…. 엄마는 강호 두고 절대 아무 데도 안 가… 절대!…

영순, 환하게 웃어 보인다. 강호도 따라 웃는다.

17. 방송국 스튜디오 / D

특집 [새 시대, 새 사람을 만나다]라고 쓰인 큰 화면이 보이고…
그 앞 데스크에 여자 앵커와 함께 앉아 하하하 웃고 있는 오태수.

오태수 다들 제 발언을 두고 사이다, 사이다 하시니… 대통령보다는 사이다 광고 모델이 되는 게 개인적으론 더 쏠쏠할 것도 같고….

하하하하 앵커를 비롯한 방청객들 웃는다.

앵커 (웃으며) 아무튼 우리 오태수 의원님 말씀하시는 센스는 아무도 못 따라갈 것 같은데요. 이번 달 차기 대권주자 선호도 조사 결과 오태수 의원님께서 42.5%로 선두를 차지하셨어요. 이는 많은 국민들이 오 의원님의 대선 출마를 응원하고 있다는 뜻 아니겠습니까? 출마를 하신다면 가장 자신 있게 내걸고 싶으신 공약이 있을까요?

오태수, 그 말에 빙그레 웃으며 잠시 생각하더니… 천천히 입을 연다.

오태수 '내가 죽으면 내 손을 무덤 밖으로 빼놓고 묻어주게… 천하를 손에 쥔 나도 죽을 땐 이렇게 빈손이라는 걸 세상 사람들에게 말해주고 싶다네…' 페르시아 제국과 이집트, 유럽, 아시아, 아프리카… 스무 살 나이에 세계를 정복했던 알렉산더 대왕이 죽으며 남긴 마지막 유언입니다. 맞습니다. 사람은 누구나 빈손으로 왔다가 빈손으로 갑니다. 아니… 가야만 합니다. 그 명확하고도 단순한 진리를 잊어버렸기에 전대의 많은 대통령들이 국민들에게 실망과 분노를 준 것 아니겠습니까? 만약 제가 정치를 시작한다면 제 공약은 오직 하납니다. 공수래공수거!… 저, 오태수… 빈손으로 왔다가 빈손으로 가겠습니다!

와아!!! 일제히 박수 치는 방청객들. 방청석 맨 앞자리에 태수 부인과 함께 앉아 희미하게 억지로 웃고 있는 하영. 오태수, 하영을 바라보며 뿌듯하게 웃다가 표정이 굳는다. 방청객 너머로 보이는 소 실장과 차 대리.
오태수와 눈이 마주치자 90도로 깍듯하게 인사하는 소 실장.

18. 우벽그룹, 회장실 / D

오태수와 송 회장이 함께 앉아 있다.

오태수 도대체 무슨 근거로 그런 끔찍한 말씀을 하시는 겁니까?

송 회장 와요? 골치 아픈 황수현이도 처리됐고, 워낙에 눈에 안 차던 아 아입니까? 언제 트질지 모를 시한폭탄 하나 안고 사느니 고마 확 안전핀 뽑고 던지뿐 기죠. (놀리듯이) 쾅!!!! 콰콰콰쾅!!

오태수 (불쾌한 듯) 도가 지나치시네요… (일어서며) 가보겠습니다.

오태수 돌아서 나가려는데 순간, 타다닥 불이 꺼지며 암흑이 된다. 당황해서 돌아보는 오태수. 그때, 한쪽 벽면 커다란 빔 스크린에 영상이 플레이된다.

(화면) 연변 시골의 한 허름한 집.
작은 방에 앉아 있는 소 실장과 차 대리 그리고 한 여자가 보인다.

여자 F 방금 뭐랬쇼? 돈을 다시 돌려달라고 했슴까?

소 실장 F 사고 후 바로 한국을 떠나는 것이 계약 조건이었습니다. 그런데 양구만 씨가 갑자기 자살을 하는 바람에 경찰 수사가 들어갔고 결국 저희까지 위험해졌습니다. 이건 명백한 계약위반입니다.

여자 F 웃기지 마쇼… 뺑소니부터 자살까지 다 계약에 있던 거 내 다 알고 있슴다. 갑자기 통장에 큰돈이 들어오자마자 남편이 죽었다고 연락이 왔슴다. 그리고 그 이튿날 남편의 유서가 도착했쇼. 거기 다 써 있었슴다. 그 큰돈이 어디서 났는지, 누가 그런 짓을 시켰는지, 왜 자기가 자살을 해야만 되는지… 흑흑.

여자, 북받치는 울음을 끅끅 토해내더니…

여자 F 아픈 자식 살려보겠다고 내 남편은 목숨까지 내놨슴다… 근데 이제 와서 일이 틀어지니까 그 돈을 도로 내놓으라구요?… 당신들이 사람임까? 돈 없어 절박한 사람들 이용해 어케 이런 짓을 한단 말임까?!!

소 실장 F 양구만 씨 유서… 지금 어딨습니까?

여자 F (확 노려보며) 나랑 우리 애 털끝 하나 건들기만 하쇼… 그 유서 바로 경찰서로 갈 테니….

카메라 빠지면, 일시정지 버튼을 누르는 송 회장. 스크린 화면 앞에서 얼굴 굳어져 서 있는 오태수. 송 회장, 오태수 잔에 술을 따른다.

송 회장 우리 오 의원님은 늘 마무리가 문제다…. 볼을 씨게만 던지면 우짭니까? 정확하게 던지야지…. 입단속 하나 제대로 몬 시키가 아무나 가서 찔러도 술술 다 불어뿐다 아입니까. 하하하.

송 회장, 자기 잔에도 한 잔을 따르더니 쭉 마신다.

송 회장 뭐 더 보실랍니까? (테이블 위에 서류들을 밀며) 내 이 재미난 것들 찾아내느라 엄청 오랫동안 애먹었다 아입니까…. 사고 당시, 강호가 차 안에서 잠이 들어 있었다 카대요. 하~ 이기이기 말이 됩니까? 모자지간 천륜을 끊고 올라오던 놈이 잠을 처잤답니다. 인마가 진짜 천하의 개호로새낀가… 아니믄 누가 수면제라도 멕있나?… 맞다! 그러고 보이까 따님이 사고 전날 수면제를 마이 처방해 갔다 하데예.

오태수 (버럭) 회장님!!!

송 회장 에에… 그 정도로 놀래지 마소. 진짜로 기가 찬 건 사고 당일 뽑아 논 강호 혈액이랑, 검사 결과가 감쪽같이 사라졌다는 깁니다. 참 희한하지예? 근데 뭐 괘안습니다… 다행히 얼마 전에 우리 아~ 들이 사고 현장 근처서 피 묻은 생수 통 하나를 찾았다 아입니까….

오태수 !!!

송 회장 뭐… 나머지는 대한민국 과학수사에 맽겨봐야지예. 아! 참… 방송 잘 봤심니더. 말씀을 억수로 잘하시대…. 빈손으로 왔다가 빈손으로 가겠습니다… 캬!!!… 누가 그걸 보고 사위 될 아 청부 살인시킨 파렴치한이라 보겠십니꺼?

오태수, 그 말에 송 회장 앞에 앉더니 갑자기 벌컥벌컥 술을 마시고 탁! 내려놓는다.

오태수 최해식… 기억하십니까?

송 회장 최… 누구요?

오태수 87년도 성화봉송로 사업 때 봉우동에서 돼지 농장 했던 최해식 말입니다.

송 회장 에이… 어제 본 놈도 이자뿠는데 30년 전 놈을 우째…. 근데 와요?

오태수 제 딸아이와 최강호… 어떻게 만났는지 아십니까? 제 딸이 마약 소지 혐의로 최강호에게 연행을 당했다더군요. 뭔가 이상해서 알아보니 그 당시엔 마약과 관련한 어떠한 수사 지시도 제보도 없었다고 합니다.

인서트 1 검사실, 강호 방 (과거)

강호, 오태수에 관련된 자료들을 잔뜩 찾아놓고 보고 있다. 그중 오태수와 발레리나인 딸 하영이 함께 나온 잡지의 기사와 사진을 들여다보는 강호. 노트북에 '오하영 공연'을 검색해 본다.

오태수 V.O 맞습니다. 그놈이 의도적으로 접근한 겁니다.

인서트 2 발레 공연장 (과거)

무대 위에서 발레 공연을 하는 하영을 보는 강호. 스윽 눈길을 돌리면 오태수가 보인다.

인서트 3 정신과 (과거)

진료실에서 나오는 하영을 대기 의자에 앉아 보고 있는 강호.

인서트 4 약국 (과거)

약을 타서 바로 그 자리에서 먹는 하영을, 물건을 고르는 척하며 슬쩍 보는 강호.

인서트 5 호텔 클럽 앞 (과거)

하영이 친구들과 클럽 안으로 들어가는 모습이 보인다. 그 모습을 차 안에 앉아 보고 있는 강호… 어딘가로 전화를 건다.

강호 마약 제보 하나 떴습니다.

CUT TO

호텔 앞으로 끼익! 와 서는 승용차 두 대.

강호 (무전기에 대고) 한 명도 빠져나갈 수 없게 정문, 1층 계단, 2층 VIP룸 확보하세요. 전 비상계단으로 해서 바로 스테이지로 진입하겠습니다. 자, 정신 바짝 차리고 한 번에 갑시다.

의미심장하게 웃는 강호.

오태수 V.O 아마 제 딸을 이용해 저에게 접근하려던 거겠죠.

다시 현재, 심각한 얼굴로 오태수 말을 듣고 있는 송 회장.

오태수 그런데 제가 결혼을 반대하자 이번엔 다른 방법을 찾습니다. 바로 제 뒤를 캐서 그걸 필요로 하는 사람에게 먹잇감으로 던져주는 거죠. 그게 바로… 회장님입니다. 최강호는 이미 다 알고 있었던 겁니다. 30년 전 자신의 아버지를 죽인 사람들이 누군지.

송 회장 최강호 아부지를 누가 죽였는데예?

오태수 최해식 아들입니다. 최강호!

송 회장 (가만히 오태수를 쳐다보다가) 그러니까… 그 최강호 아부지 최해식이를 누가 죽였냐고요… 의원님이 죽였십니꺼?

오태수 회장님!!

송 회장 아! 내가 죽였쓰예? 그래요?… 하~~ 내는 증거가 없어가 몰랐제. 근데 희한하제? 수사관도 부검의도 아무 혐의점이 읎어가 자살로 종결시킨 사건이 사실은 타살이었다. 그리고 그 범인이 송우벽이다. 최강호 금마는 그걸 우째 알았답니까? 그래!! 뭐, 우째우째 알았다고 칩시다. 지 아부지 죽인 원수를 갚겠다고 온 놈이 '내가 최해식 아들이오…' 하믄서 내 밑으로 기이들어 왔다?!… 캬~ 기가 막힌다이….

오태수, 멍한 얼굴로 송 회장을 바라보더니…

오태수 그게 무슨 말씀입니까? 그럼… 회장님은 최강호가 누군지 알고 계셨다는 겁니까?

송 회장 어이 보소, 오 의원… 그라모 내가 내 밑창 다 까발리면서 일 맽길 식솔을 그냥 거뒀겠습니까?

이미심장한 미소를 짓는 송 회장의 얼굴 위로 '꺄악~~' 하는 비명 소리 선행되며

19. 송 회장네, 거실 (과거) / N

방문을 열고 나오는 송 회장. 눈이 커진다. 피가 튀어 옷과 얼굴이 피로 물든 외손자 윤재민을, 가정부가 바들바들 떨며 보고 있다. 윤재민, 비틀비틀 쇼파로 가 앉더니 새하얀 쿠션을 들어 얼굴의 피를 벅벅 문질러댄다.

윤재민 아니… 하… 글쎄… 그 미친년이… 내 약을 훔치고… 내가 죽였어… 큭큭큭.

약에 취한 듯 눈이 풀려 횡설수설 중얼거리는 윤재민. 그때, 현관문 열리며 뛰어 들어오는 소 실장. 송 회장이 턱짓을 하자 떨고 있는 가정부를 밖으로 끌고 나간다. '회장님!! … 회장님!! …' 하며 끌려나가는 가정부.

20. 서울지방검찰청, 법정 (과거) / D

검사석에 앉은 강호의 모습이 보인다. 그리고 피고석에 앉아 있는 불안한

모습의 30대 남자… 정종구.

변호사 당시 떡볶이 노점상을 운영하던 정종구 씨는 피해자 우미정이 놓고 간 립스틱을 돌려주기 위해 갔다가 현장에 숨저 있는 우미정을 발견했습니다. 정종구는 우미정의 의식 상태를 살폈고 그때 그 모습을 목격한 행인의 신고로 근처에 있던 경찰에게 현장 검거됐습니다.

CUT TO

강호가 정종구 앞에 서 있다.

강호 그날 우미정이 립스틱을 챙기지 않고 급하게 가게를 나간 이유가 뭐였죠?

정종구 그… 그게… 저한테 화가 났어요.

강호 왜 화가 났지요?

정종구 제가… (가슴을 가리키며) 여기… 떡볶이 국물을 닦아주려고 했는데 갑자기 때렸어요… 얼굴을.

강호 아… 굉장히 기분이 나빴겠군요… 호의를 베풀려고 한 건데… 그쵸?

정종구 네… 아니… 그냥 좀….

강호 그럼에도 불구하고 립스틱을 돌려주러 갔어요. 그것도 큰 대로변에서 무려 80여 미터나 떨어진 골목 안 어귀까지. 그런데 우미정이 다른 남자와 함께 있는 것을 보고 오해를 살까 봐 돌아왔다고 진술하셨네요… 맞습니까?

정종구 네….

강호 본인 물건을 돌려주러 왔는데, 오해를 산다? 그게 무슨 말이죠? 달리 말하자면 평상시에 오해할 만한 감정을 가지고 있었단 말인가요? 우미정 씨 좋아했어요?

정종구 (당황)

변호사 이의 있습니다. 검사 측은 지금 본 사건과 관련 없는…

강호 이 감정적인 요소가 이 사건을 바라보는 가장 근본적인 단초이자 단서입니다. (판사를 본다)

판사 검사 측 계속 심문하세요.

강호 다시 말해… 평소 우미정에 대한 감정이 없었다면 립스틱을 그냥 돌려주는 것이 맞습니다. 그런데 그러지 않았지요. 이것은 피고인 정종구가 단지 립스틱을 돌려주기 위해 우미정에게 간 것만은 아니라는 것이 됩니다. 따라서 피고인 정종구는 평소 좋아했던 우미정에게 호의를 베풀다 폭행을 당했고 그에 따른 수치심과 모멸감을 느낀 상태에서 다른 남자와 함께 있는 피해자의 모습을 보고 범행을 결심하게 됐다는 결론을 유추할 수 있는 것입니다.

방청석에 앉아 그런 강호의 모습을 보고 있는 2화 4씬의 할아버지와 부인인 듯한 할머니. 그리고 그 뒤쪽에 앉아 있는 소 실장과 차 대리.

21.　송 회장네, 정원 (과거) / D

현관문이 열리며 나오는 송 회장. 손에 들린 서류를 계속해서 보며 나오다 강호와 부장검사를 보더니 반색한다.

송 회장　어어… 왔어요? (보고 있던 서류 소 실장에게 건네며) 이 페이지 고대로 책상에 올려놔…. (하더니 다시 웃으며) 아이고 먼 길 왔어요…. 내 경황이 읎어 옷이 이래… 하하하.

송 회장이 부장검사와 악수를 한다.

부장검사　이번에 재판을 맡았던 최강호 검삽니다. 잘 부탁드립니다.

강호　안녕하십니까? 서울지검 최강홉니다.

척! 손을 내미는 송 회장. 얼른 두 손으로 악수를 받는 최강호.
그런 최강호를 미소를 머금고 아래 위로 훑어보다가 급 정색하며…

송 회장　윤재민!… 일어나 인사해.

옆에 다리를 꼬고 휴대폰을 보고 있던 윤재민이 짜증스런 얼굴로 일어나 인사한다.

CUT TO

식사 자리. 강호와 송 회장만 앉아 있다.

송 회장　서남부 연쇄살인사건, 휘암동 유괴사건, 주평계곡 살인사건,

금진항 마약밀수사건… 캬~ 임용된 지 얼마 안 된 초임 검사가 굴지의 사건들을 이래 다 해결해 뿔면… 선배들은 뭐 해 먹고 살라고…. 하하하 대단하다 대단해….

송 회장, 웃으며 와인을 쭉 들이키더니…

송 회장 진짜 궁금하네… 우리 법조계를 이끌 이 유망한 검사님을 만드신 부모님은 어떤 분들이실까…. 아버님은 어떤 일을 하세요?

강호 …돌아가셨습니다.

송 회장 아… 이런… 내가 괜히 맘 아픈 얘길 꺼냈네. 미안해요….

강호 아닙니다. 제가 태어나기 전에 일이라… 아버지에 대한 기억이 전혀 없습니다.

송 회장 아이고… 최검이 나기도 전이면… 젊은 나이셨을 텐데… 우짜다….

강호 (잠시 머뭇거리다) …자살이라고 들었습니다.

송 회장 (눈을 희번뜩하더니) 자살? 아니 왜?

강호 운영하던 농장이 화재로 망하면서 심적으로 많이 힘드셨던 것 같습니다. 그 이상은 저도 잘… 아니… 솔직히 말씀드리자면 알고 싶지 않습니다. 제게 아버지란 사람은… 아내와 배 속의 자식을 버리고 도망간 무책임한 인간일 뿐이니까요.

송 회장 흠… 어찌 됐든 유감이네요…. 자, 한잔 들어요.

송 회장 잔을 내밀자 공손히 건배하는 강호. 술을 마시며 강호를 유심히 보던 송 회장, 잔을 내려놓더니……

송 회장 근데, 최 검사. 내 뭐 하나 물어봅시다… 이유가 뭐예요?

강호 예?

송 회장 이번 재판 말이야… 돈입니까? 힘입니까?

강호, 가만히 송 회장을 바라보다가 이내 천천히 입을 연다.

강호 원하면… 주실 수 있습니까?

송 회장 내 손자놈을 살려줬는데… 못 줄 것도 없지.

강호 그럼… 둘 다 주십시오.

송 회장 (가만히 보다가 이내 호탕하게 웃는다) 하하하하… 이야~ 우리 최 검사… 싸나이네~ 으이?… 하하하하….

송 회장, 손짓하자 소 실장이 다가와 007가방을 열어 보인다.
골드바가 가득한 가방… 강호의 얼굴이 환해진다.

송 회장 대신 인자부터 니는 내 식구데이.

강호 (멍하니 보다가 벌떡 일어나더니) 감사합니다… 감사합니다, 회장님… 열심히 하겠습니다.

계속해서 인사하는 강호와 그런 강호를 만류하는 송 회장. 카메라 점점 멀어지면 송 회장 서재 책상에 놓인 서류 보인다. 최강호, 최해식, 진영순, 봉우동 돼지 농장, 조우리 등등 강호와 관련된 서류들이다.

22. 우벽그룹, 회장실 / D

오태수와 마주보고 있는 송 회장.

오태수 설마 그놈 말을 믿으시는 겁니까? 거짓말입니다… 연기하는 거라구요!

송 회장 황수현과 그 얼라를 죽인 것도요?

오태수 !!!

송 회장 말은 못 믿지요… 근데 본 건 믿습니다.

오태수 그건… 하~ (뭔가 말하려다 답답한 듯 얼굴을 쓸어내린다)

송 회장 강호 금마가 무슨 꿍꿍이로 내한테 접근했건 상관없십니다… 그게 야욕이든, 복수심이든…. 지도 이자 구정물에 발을 담갔거든…. 난 그저 그놈이 가지고 있는 능력만 잘 써먹고 버리믄 그만입니다. 아!… 그… 영화 대부에 보면 그런 대사가 나와요. 친구는 가까이 두고, 적은 더 가까이 둬라…. (손바닥 펴 보이며) 내 손바닥 안에 이래 잘~ 있던 아를 그래 맹글어가… 어? 그라이까네… 앞으로 이런 어리석은 짓을 할 거 같으믄 내랑 상의라도 하입시다. 그라고… 인자부턴 우리는 쪼매 더 가깝게 지내입시다. 으이?

오태수를 향해 양주잔을 내미는 송 회장. 오태수, 굳은 얼굴로 가만히 앉아 있다. 그런 오태수의 잔에 짠, 잔을 부딪치고 마시는 송 회장. 픽 웃음을 짓는다.

23. 돼지 농장 안 / D

주삿바늘 끝에서 약이 쭈욱 솟는다. 영순, 인상을 찌푸린 채 고개를 돌리고 서서는 힐끔 쳐다보다가… 도저히 못 보겠는지 다시 고개를 돌린다.
화면 커지면 동물병원 원장과 또 다른 직원이 함께 아기 돼지들에게 주사를 놓고 있다.

원장 원래 환절기 때라 사람이나 짐승이나 호흡기 질환이 많아요.
봐서 침울해 있거나 잔기침이라도 하는 놈들은 따로 격리해서
개체 치료하셔야 돼요…. 안 그러면 워낙 몰려다니면서
부비부비하는 걸 좋아하는 놈들이라 금방 전염되거든요.

직원 헤헤헤 아이고 우리 원장님… 부비부비 찾으시는 거 보니께
어제 또 읍내 관광나이트 함 다녀오셨네….

원장 내가 언제 부비부비라고 했어… 부비는 거라고 했지….

직원 에이 발뺌헐 걸 해유… 아줌니도 들었쥬? 분명히 부비부비라고
혔쥬?

보지도 않고 돼지 뒷다리 안쪽에 주사를 찌르는 직원. 아기 돼지들, 주삿바늘 들어올 때마다 꽥꽥 소리 지른다.

영순 아, 쓸데없는 소리 좀 말고 제대로 좀 보고 놔요… 안쓰러워
죽겠네, 그냥.

직원 헤헤헤 그러고 보면 우리 아줌니도 참 소녀 같으셔….
아, 다른 농장 사장님들은 다덜 직접 찔러유.

원장 그래요… 이참에 사장님도 좀 배워놓으세요. 시간 있을 때야 저희들이 해드리지만 구제역 같은 거 함 터지면 이동 제한 걸려 못 오는 거 아시잖아요.

직원 자, 보세유 아줌니… 지가 갈쳐드릴께. 쉬워유. 그냥 이렇게 뒷다리를 잡고유… 냅다 찔러유!!

24. 영순네, 안방 / N

영순 (옆으로 고개 홱 돌리며 눈을 꾹 감는다) 으윽!!

잠깐 그러고 있다가 슬그머니 샛눈을 떠보는 영순. 영순의 바로 옆에서 꽤나 진지한 표정의 박씨와 정씨, 이장 부인이 보인다. 영순, 좀 더 고개를 돌려 보면… 강호 다리에 커다란 장침을 꽂으려는 채로 멈춰 있는 이장. 벌건 얼굴로 숨을 참고 있다가 이내 '푸하~~' 숨을 내뱉는다.

정씨 (이장에게) 아니… 지금 한 시간째 뭐 허시는 거여요?

이장 아니… 그게… 하… 잠깐 이게 들숨하고 날숨하고 박자가 자꾸 안 맞아서…. 미안미안… 자, 이번엔 진짜로 찌를게유….

이장, 다시 침을 다잡아 들더니… 숨을 흡! 들이마시고 꽂으려다가… 얼굴이 빨개지다가… 이내 푸하~~ 숨을 내뱉으며 또 실패한다. 같이 숨을 참고 있다가 푸하~ 같이 터지는 사람들.

박씨 옘비럴~ 물고기 새끼도 아니고 뻐끔뻐끔 숨만 쉬고 자빠졌네….

영순 (한의사 면허증 들어 보이며) 저기… 이장님… 이거 면허증… 진짜 맞죠? 제가 좀 불안해서….

그 말에 영순과 이장의 손에 들린 침을 번갈아 보는 강호. 갑자기 냅다 이장에게서 침을 뺏더니 이장에게 겨눈다. 헉! 놀라는 이장.

정씨/박씨 아이고, 야가 왜 이랴 / 그럼 안 디야!!

강호 (침을 들고 이장 위협하며) 엄마가 불안해요….

영순 안 돼, 강호야… 위험해… 이리 내놔….

강호 (계속 침 겨누며) 이거 면허증 진짜예요?

이장 아후… 진짜라니께… (이장 부인 보며) 당신이 말 좀 혀봐.

이장 부인 이 사람 면허증 같은 거 위조할 사람 아니에요. 예전에 주민등록증은 한 번 위조했지만.

이장 이런 옘비럴 여편네가… 그건 당신 꼬실라고 그런 거 아니여… 나이 차가 하도 나서 싫어헐깨 배….

이장 부인 어머… 어머어머… 그런거야?… 나 꼬시고 시퍼떠?… 아잉….

이장 부인과 이장 서로 어깨 부딪히며 수줍어한다.

정씨 옘병! 지금 이 상황에 저 지랄들이네….

이장 아! 참….

영순 강호야… 그거 찔리면 피 나…. 너 피 나면 엄마 속상해… 엄마 속상한 거 좋아?

강호, 영순의 눈치를 보더니 얼른 침을 건네준다.

영순 (강호 쓰다듬으며) 잘했어. 우리 아들…. (이장에게 침을 주며) 죄송해요… 놀라셨죠?

이장 에이… 아니여… 괜찮어….

이장 부인 뭐… 드럽게 믿음이 안 가면 그럴 수도 있죠….

이장, 천장을 향해 후~~~ 깊은 한숨을 쉬더니…

이장 저기 혹시 방충리 사는 오중근이라고 알라나 모르겄네….

박씨 오중근? 아… 그 정미소 집 둘째 아들이요?

이장 맞아요… 아, 그니가 작년 가을에 트랙터 몰다가 고꾸라져서 반신불수 됐던 거 아니유? 내가 이러면 내 자랑허는 것 같지만유? 열 번도 아니요. 딱 여덟 번 놨어. 일주일에 두 번씩 격주로다가…. 근디 시방 그니 어뜩히 됐슈? 방충리 조기 축구회 회장이유…. 거 방충리 가서도 '오중근이' 이러믄 아무도 몰러. '날쌘돌이' 이래야 알지. 오죽허면 포지션도 없슈. 공격허다 수비허다 뭐 급허면 꼴끼파까지 다 허니께….

영순, 정씨, 박씨 입이 헤 벌어져서 '아~~~~'

이장 (박씨 가리키며) 자 다음은 네기리 붕어 양식장 허는 최문식라고 아시쥬?

그때, ♪ **나는 행복합니다** 영순의 휴대폰 벨소리가 울린다.

영순 예, 여보세요? 아… 부동산이요?… 네네 잠시만요.

영순이 핸드폰을 들고 얼른 나간다. 이장, 그대로 손을 박씨를 가리킨 채 멈춰 있다.

박씨 아~ 네기리에 그 큰 양식장… 알쥬.

정씨 이… 그래유… 지도 들어봤시유….

그러나 이장, 마치 몸이 그대로 굳은 듯 박씨를 가리키며 가만히 있다.

박씨 아 글씨 안다구유… 그래서유?

정씨 왜 이런디야?… 이장님 얘기허세유….

강호 얘기하세요….

그때, 방문이 열리며 영순이 들어선다. 멈춰 있던 이장, 갑자기 다시 움직이며…

이장 그러니께 그 최문식이가…

영순 저… 내일 서울 좀 다녀와야겠어요.

25. 영순네, 마당 / D

다음 날 아침. 외출복 차림의 영순. 마당에 강호와 정씨, 박씨가 함께 있다.

영순 (정씨, 박씨에게) 염치없이 형님들께 자꾸 부탁만 드려서 죄송해요.

정씨 아휴, 한동네 살면서 뭔 그런 섭섭한 소릴 혀?

박씨 그려, 돼지 밥이랑 강호 사료랑… 아니아니 돼지 사료랑 강호 밥이랑 잘 챙길 테니께 어여 다녀와.

영순 농장은 안드리아가 있으니까 강호만 좀 신경 써주세요. 그럼…

영순, 돌아서는데… 영순의 옷자락을 붙들고 놔주지 않는 강호.

영순 강호야… 엄마, 강호 짐만 가지고 금방 내려올 거야.

강호 나도 같이 갔다가 금방 내려올게요.

영순, 강호 앞에 쭈그리고 앉는다.

영순 엄마가 얘기했지? 거기 가면 이사하느라 먼지도 많고… 그런게 몸 속에 들어가면 강호 아파져. 그럼 엄마는 속상해. 강호, 엄마 속상한 거 좋아?

강호 아니요….

강호, 영순의 옷자락을 놓는다. 그랬다가 얼른 다시 잡으며…

강호 (울먹) 금방 언제 오는데요?

영순 음… (손가락 펴며) 한 다섯 시?

강호 (손가락 펴며) 다섯 시….

영순 응. 그러니까 우리 강호, 아줌마들 말씀 잘 듣고 있어야 돼. 운동도 하고, 공부도 하고… 알았지?

강호 (힘없이) 네….

26. 영순네, 마루 / D

강호가 눈을 동그랗게 뜨고 벽에 걸린 시계를 뚫어져라 쳐다보고 있다.
그러다 점점점 내려오는 눈꺼풀, 얼른 정신을 차리고 눈을 부릅뜨는 강호.
또 다시 내려오는 눈꺼풀. 찰싹! 자기의 뺨을 때리는 강호. 근데 너무 아프다.
그때…

예진 [V.O] 내 말이 맞지? 바보짓 하고 있을 거라고….

강호, 그 말에 놀라 돌아보면 예진과 서진이 마당에 으스스하게 서 있다.

강호 (소스라치게 놀라며) 여… 여기는 왜…

예진 소문 들었어. 아줌니 다섯 시에 온다며? (하더니 서진 보며) 근디 다섯 시가 몇 시여?

서진 우리가 아직 일곱 살이라 시계는 못 보지만 느낌상 디게 많이 놀 수 있다는 건 확실혀….

예진/서진 오예!!~~~~~~

강호 저기… 나… 못 놀아…. 공부도 하고 운동도 해야 돼.

예진 공부?… 우리가 도와줄게…. 운동?… 알잖아, 우리가 전문인 거….

예진, 서진 달려 들어와 강호의 휠체어를 밀고… '안 돼~~~!!!!' 소리 지르며 실려 가는 강호.

27. 강호 오피스텔 / D

1005호 오피스텔 문을 빤히 쳐다보고 서 있는 영순. 윙윙 전동 드라이버 소리
마침내 열쇠공이 오피스텔 현관 도어락을 뜯어낸다.

열쇠공 휴~ 다 됐어요.

영순, 서서히 문을 열고 들어가는데… 현관에 보이는 강호의 구두.
영순, 가만히 구두를 쳐다보다 조금씩 쭈그리고 앉더니 구두를 들어 품에 꼭 안아본다.

CUT TO

이삿짐 박스들과 골프채 가방 등등을 옮기는 이삿짐센터 직원들 몇몇 보인다. 거실 한쪽 책상 서랍 속 물건을 상자에 옮겨 담고 있는 영순. 서랍 속 무언가를 보고 손을 멈춘다… 강호의 검사증이다. 검사증에 있는 강호의 사진을 먹먹한 얼굴로 쓰다듬어 보는 영순.

영순 금방 다시 돌아올 수 있을 거라고 생각해서 그대로 뒀는데…
계약 기간이 끝났다고 연락이 왔어…. 미안해… 강호야….

그때… '이게 마지막 짐인가요?' 하는 소리가 들린다. 영순, 번뜩 정신을 차리고 이삿짐 직원들 돌아본다.

영순 아, 네…. 아까 드린 집 주소로 가시면 뒤란 쪽에 파란 지붕으로 된 창고가 있을 거예요. 거기다 넣어주시면 돼요.

'네~' 직원이 영순 앞에 상자를 번쩍 들고 나간다. 영순, 손에 들고 있던 검사증을 주머니에 챙겨 넣으며 주변을 한 바퀴 둘러본다.

영순 그렇게 와보고 싶었는데… 결국 이렇게 와보네….

영순, 씁쓸하게 고개를 돌리다 문득 뭔가를 본다. 책장 옆으로 삐져나온 핑크색 보자기 끝자락. 지난 번 영순이 반찬을 싸다 준 보자기다. 다가가 보자기 끝자락을 당겨보는 영순. 순간, 책장이 앞으로 움직이더니 그 뒤쪽으로 팬트리 같은 공간이 나타난다. 안으로 들어가보는 영순. 온갖 서류들과 박스들이 가득하다. 둘러보다가 한쪽 구석에 놓인 쇼핑백을 발로 툭 치는 영순. 쇼핑백이 넘어지면서 안에 있던 물건들이 쏟아져 나온다. 영순, 놀란 얼굴로 물건들을 하나씩 들어본다. 긴머리 가발과 하이힐, 검정 외투… 그리고… 2화 7씬에서 황수현이 강호에게 건넸던 노란색 USB가 보인다.

28. 서울중앙지검 앞 / D

보자기에 싼 서류 뭉치를 트럭 뒷자리에 싣고 주차장으로 향하는 영순. 그때, 영순의 눈에 검찰청 앞에 피켓을 들고 1인 시위를 하고 있는 한 할머니 보인다. 지난번 강호와 실랑이했던 할아버지가 들었던 피켓과 [악질 비리 검사 최강호를 고발한다], [인간 말종 쓰레기 검사], [천벌을 받아라!] 등등이 적힌 피켓을 나란히 들고 있다. 최강호?… 영순, 고개를 갸웃하는데 뒤에서 빵빵! 영순, 얼른 지하 주차장으로 들어간다.

29. 검사실 / D

수사관1이 박스 하나와 쇼핑백 하나를 들고 나온다.

수사관1 짐이 많지는 않아요. (쇼핑백 보이며) 일단 검사님 개인 물품들은 여기에 다 넣어놨구요… 아! 저 화분도 검사님 건데….

수사관2 죽은 거 같은데… 그냥 놓고 가세요. 저희가 버릴게요.

영순 죽긴 왜 죽어요. 줄기가 아직 멀쩡한데…. 주세요. 제가 가져갈게요.

수사관2, 영순에게 화분을 건네주자 마른 잎을 만지작거리며…

영순 물 좀 주지… 불쌍하게….

그때, 문이 열리며 들어서는 한 여자와 그 뒤를 급하게 쫓아 들어오는 수사관3.

여자 최강호 어딨어? 그 개새끼 어딨냐고?!!! 우벽에서 돈 받아 처먹었지? 그래서 무혐의 때린 거지? 내 딸이 증건데 뭐가 증거불충분이라는 거야!!!

수사관3 (영순, 눈치 보더니 데리고 나가며) 아휴… 글쎄 여기서 이러시면 안 된다구요…. 자꾸 이러시면 공무집행방해로 체포합니다… 나가세요, 나가….

수사관3이 여자를 끌고 나간다.

영순 (멍한 얼굴로 수사관1을 보며) 지금 저분… 무슨 소리 하는 거예요?

CUT TO

충격받은 얼굴로 앉아 있는 영순.

영순 말도 안 돼… 우리 강호가 그런 짓을 할 리가 없어요.

수사관1 그럼요… 말도 안 되죠. 피해자들 입장에서 재판 결과가 안 좋으면 종종 저런 경우가 있어요. 신경 쓰지 마세요.

영순, 그 말에 창문 쪽을 확 노려보더니… 벌떡 일어나 나간다.

30. 서울중앙지검 앞 / D

피켓을 들고 쭈그리고 앉아 있는 할머니 앞으로 저벅저벅 걸어오는 영순.

영순 저기요!

퀭한 눈에 초췌하고 힘들어 보이는 얼굴로 영순을 올려다보는 할머니.

영순 지금 뭐 하시는 거예요? 우리 아들이 뭘 잘못했다고 이렇게까지 하시냐구요?

할머니 당신이 최강호 검사 에미요?

영순 네!!… 제가 엄마예요…. 억울한 게 있으면 절차 제대로 밟아서 다시 재판하면 되지, 왜 남의 귀한 자식한테 이렇게 심한 욕을 해요, 왜!!!

영순, 할머니가 들고 있던 피켓을 잡아 뺏는다.

할머니 아니, 이 여편네가…. 이리 줘… 이리 내놓으라고!!

할머니, 영순의 손에서 다시 피켓을 뺏으려고 하는데… 그 피켓을 발로 팍팍 밟아 부러뜨리는 영순. 할머니, 멍한 얼굴로 그런 영순을 보더니…

할머니 우리 아들 지체장애 2급이어라.

영순 (멈칫한다) ….

할머니 개미 새끼 한 마리 무서워서 못 죽이는 애기였다고…. 다 암서… 돈 많은 놈한티 돈 받아먹고 내 새끼를 살인범으로 만들드만 그 억울한 사정 쪼까 들어달라는 애비한테 그라고 모진 말을 해가꼬 쓰러지게 만들어? 어째 그런 새끼를 낳았어? 어째 그런 버러지 같은 새끼를 낳았냐고!!!!

할머니가 울부짖으며 영순의 등짝을 퍽퍽 내리친다.

할머니 나 니 새끼 가만히 안 둬…. 하루 세끼 밥때는 잊어부러도 니 새끼 천벌 받아 뒈지라는 기도는 안 잊어불 거여!! 알겄어?

영순 (그 말에 홱 돌아보더니) 우리 아들이 왜 천벌을 받아!!! 벌은 죄를 지은 당신 아들이 받아야지!! 돈을 받아먹었다구? 우리 아들이 왜?!! 뭐가 부족해서?!! 당신이 봤어?!! 봤냐고!!! 한 번만 더 그딴 소리 지껄이면 그땐 내가 당신!… 가만 안 둬!… 알았어?!!

영순, 부서진 피켓을 쓰레기통에 처박아버리고 씩씩대며 걸어간다.

31. 들판 / D

심각한 얼굴로 동그랗게 둘러 앉아 있는 강호, 예진, 서진.

예진 자, 다음 문제는 과학이여…. 이 곤충은 꽃에 삽니다.

강호 (손을 번쩍 들며) 나비!

예진 땡.

강호 (손을 번쩍 들며) 벌?

예진 땡.

서진 (손을 번쩍 들며) 좀벌레, 청벌레, 벼룩벌레, 진딧물.

예진 딩동댕동…. 사실 이 꽃은 배추꽃이었어… 자, 이서진 10점!

강호, 황당한 얼굴로 예진을 보더니…

강호 야! 이예진 그런 게 어딨어?… 얘 네 개 말했잖아… 그럼 40점을 줘야지.

예진 (멍하니 보다가) 그… 그래 40점 줄게….

강호 (서진 보고 웃으며) 큰일 날뻔했다… 그치?

서진 (어색하게 웃으며) 그… 그르게….

예진 자, 다음 문제… 이번엔 수학이여. 서진이가 사과를 다섯 개 가지고 있었습니다. 근디 예진이가 세 개를 훔쳐 갔어요. 그럼 남은 건?

강호/서진 (동시에 손을 번쩍 든다)

예진 강호가 빨랐어.

순간, 눈빛이 탁! 변하는 강호.

강호 타인의 재물을 절취하는 단순절도죄는 형법 제329조에 의거 6년 이하의 징역 또는 1000만 원 이하의 벌금에 처한다.

예진/서진 (멍하니 보고 있다) …

서진 (강호 보며) 단순절도가 뭐여?

강호 (같이 어리둥절한 얼굴로)…단순절도가 뭐여?

CUT TO

강호 (인상 찌푸리고) 으으으윽…

보면, 강호의 어깨와 머리를 밟고 올라가 긴 막대기로 나뭇가지를 휘젓고 있는 예진. 그런 예진을 잡고 있는 서진. 그때, 통통볼이 툭 아래로 떨어진다.

예진 잡어!!!

서진, 달려가 공을 잡더니 예진에게 준다.

예진 (강호에게) 그러니께 잘 받았어야지…. 울 엄마가 미국에서 보내준 건디 하마터면 잃어버릴 뻔했잖여.

강호 미국?

예진 그래 미국…. 이것 봐. 여기 영어로 써 있지. 미.국.꺼!

자세히 보면 [made in china] 쓰여 있다.

강호 미안해….

예진 아무튼 한 번만 더 공 놓치면 그땐 알아서 해….

서진 자자! 플레이볼!

서진, 막대기를 잡고 타자석에 서고, 강호는 신문지로 만든 글러브를 끼고 포수를 맡는다. 제법 그럴싸하게 와인드업을 하는 예진. 던진 통통볼을 강호가 간신히 휠체어 밀고 달려가 팔을 뻗어 잡는다.

예진 스뜨롸이크!

강호 (어이없단 듯) 야! 이예진, 이게 스트라이크야?

예진 응.

강호 너 진짜!!…… 야구 잘한다… 아빠가 가르쳐준 거야?

순간, 흠칫! 하며 눈빛을 교환하는 예진과 서진. 빠르게 주변을 살피더니 얼른 강호에게 다가와 소곤소곤 말한다.

예진 쉿!… 앞으로는 절대 아빠 얘기하지 마…. 특히 우리 할머니 앞에선….

강호 (소곤소곤) 왜?

예진 이건 진짜 비밀인데… 사실 우리 아빠는… (귓속말로 속닥속닥)

강호 뭐? 호로새끼?… 니네 아빠가 호로새끼라고?…

서진 확실해… 우리 할머니가 백 번도 넘게 말했어.

강호 그렇구나…. 근데 호로새끼가 뭐야?

그 말에 서로 얼굴을 쳐다보더니 가소롭다는 듯 하하하하 웃는 아이들.

예진 (서진 보며 턱짓으로)… 설명해 줘!

서진 음… 너 호로영화가 뭔지 알어? 엄~청 무서운 영화란 뜻이여…. 그러니께… 우리 아빠는 엄청 무서운 사람이라는 말이제.

예진 얼마나 무서우면 할머니가 우리 아빠 얘기 나올 때마다 아주 그냥 온몸을 부들부들 떨어.

서진 나는 할머니 눈 뒤집히는 것도 봤어….

강호 와… 진짜 엄청 무서운 사람인가 보다.

예진 그러니께 너도 우리 말 잘 들어… 안 그럼 우리 호로아빠헌티 확 일러버릴 거니께. 알겄어?

강호 네.

예진 에이… 뭐 그렇다고 존댓말까지 할 필요는 없고….

강호 응.

예진 자자, 그럼 다시 야구 시작할까?

다시 각자 자기 포지션에 가 서는 강호와 아이들. 예진, 멋지게 와인드업을 해 던진다. 그런데 땅바닥을 맞고 그대로 튕겨 날아가버리는 공.

강호 (사색이 돼) 아… 아… 안 돼… 안 돼~~~

강호 미친 듯이 공을 따라 휠체어를 달리기 시작한다. 그러다 공을 잡으려고 손을 뻗는데 돌부리에 걸려 그대로 넘어가는 휠체어. 우당탕탕 언덕 밑으로 굴러떨어지는 강호. 진흙 바닥에 처박힌다. 달려오는 예진과 서진.

예진 괜찮아?

강호 으으…응… 괜찮아….

예진 아니 너 말고 공! 내 통통볼 괜찮냐고!!

그제서야 놀라 '헉' 주변 풀숲을 정신없이 헤집는 강호.

서진 서… 설마….

예진 (부들부들 떨면서) 최강호!! 너가 감히 내 통통볼을 잊어버려?!!! 넌… 넌… 우리 아빠헌티 죽었어!!!!!

예진, 울며 돌아서 뛰어가자 서진, 후다닥 예진 뒤를 따라 뛰어간다.

강호 예진아!! 서진아~~~~~!!

32. 시골길 / D

굳은 얼굴로 트럭을 운전하는 영순.

할머니 V.O 우리 아들 지체장애 2급이어라. 개미 새끼 한 마리 무서워서 못 죽이는 애기였다고…. 다 암서… 돈 많은 놈한티 돈 받아먹고 내 새끼를 살인범으로 만들드만 그 억울한 사정 쪼까 들어달라는 애비한테 그라고 모진 말을 해가꼬 쓰러지게 만들어? 어째 그런 새끼를 낳았어? 어째 그런 버러지 같은 새끼를 낳았냐고!!!!

'아니야… 말도 안 돼!!' 고개를 절레절레 젓는 영순. 순간, 무언가를 보고 끼익 급브레이크를 밟는 영순. 그때, 뒤에서 쾅 들이받는 충격에 몸이 휘청인다. 영순 트럭 앞에 서 있던 흑염소 한 마리가 빠르게 도망간다.
영순의 차를 들이받은 고급 오픈카, 앞범퍼가 심하게 찌그러졌다.
오픈카 안에서 뒷목을 잡고 내리는 50대의 한 남자. (이하 트롯백)

트롯백 아… 아… (앓는 소리를 내다 앞범퍼 보더니) 으아아아아아아악!!!!!

영순 (차에서 내리며) 괜찮으세요?

트롯백 이게… 뭐야… 아우씨!!!… 돌아버리겠네!!!!!

트롯백, 핸드폰을 꺼내 정신없이 사진을 찍다 영순이 다가오자 영순을 팍! 찍는다.

영순 (얼굴 가리며) 어머! 지금 뭐 하시는 거예요?

트롯백 가해자 신원 확보!

영순 네?… 가해자라뇨?…

트롯백 봐!… 당신 똥차가 내 차에 얼마나 끔찍한 위해를 가했는지…. 하~ 뽑은 지 한 달도 안 된 차를… (킁킁대더니) 잠깐!… 이게 무슨 냄새야? (트럭에 대고 냄새 맡더니) 으윽… 뭐야, 이거… 진짜 똥차잖아! 으악 재수가 없을라니까….

영순 아저씨가 뒤에서 받으셨잖아요.

트롯백 아줌마가 갑자기 서서 내 앞을 받은 거지!!!! 후~ 긴말 필요 없고… 합의해 줄 테니까 이백 내놔요.

영순 아니… 누가 누구한테 합의를 해줘요?… (핸드폰 들며) 경찰 부를게요.

트롯백 경찰? 당신 내가 누군지 알아?… 이 여자가 좋게 좋게 넘어가 줄려고 했더만 당신 진짜 콩밥 먹고 싶어?

영순 아니 제가 왜 콩밥을 먹어요? 아저씨가 안전거리를 두고 오셨어야죠.

트롯백 안전거리? 봐봐 이 그지 같은 시골길…. 이 불안전한 거리에서 무슨 놈의 안전거리를 찾아?… 운전을 못하면 집에서 애새끼 밥이나 차려주고 서방이 벌어다 준 돈으로 홈쇼핑이나 쳐 할 것이지, 어디 여편네가 차를 끌고 기어 나와서 남자의 앞길을 막아?!!

영순, 가만히 트롯백을 쳐다보다가 서슬퍼런 목소리로 입을 연다.

영순 돈 벌어다 주는 서방은 없는데… 애새끼 밥은 먹여야 되니까… 그래서 돈 벌려고 저 냄새나는 똥차…

하며, 트럭을 가리키다가 뭔가를 보고 깜짝 놀라는 영순.

트롯백 아… 서방이 읎어?… 으쩐지 따박따박 말대꾸하는 뽄새하며 팔자 사납게 생겼다고 했어.

트롯백의 말에 아랑곳없이 멍한 얼굴로 서서히 트럭으로 다가가는 영순.

사고 충격으로 흩어진 짐꾸러미들 사이에 엎어진 박스. 그 위로 서류들이 올려져 있어 보이지 않았던 현금 다발과 골드바… 몇몇 시계 케이스들.

33. 영순네, 마당 / D

거품이 가득한 커다란 다라이에 강호가 담겨 있고 그런 강호 머리를 감기고 있는 박씨. 등과 가슴을 목욕 타월로 닦아주고 있는 정씨. 옆에서 호랑이 안고 보고 있는 이장 부인. 강호는 통통볼 잃어버린 생각에 불안한 얼굴로 앉아 있다….

정씨 걱정 말고 댕겨오라고 큰소리 쳐놓고 이 지경을 만들어놨으니 이쟈 워쪌 껴. 에휴. 하여간 이늠의 쌍둥이들을 그냥… 잠깐!… 근디 요 밑에도 씻겨야 되는 거 아니여?

박씨 에이~ 그냥 눈 한 번 질끈 감고 혀…. 시방 야는 일곱 살짜리다… 생각허고….

정씨 아무리 그려도 몸이 일곱 살이 아닌디….

박씨 아, 그럼 죄~ 진흙투성인디 그냥 놔둘 껴?

정씨 (목욕 타월 건네며) 그럼 자기가 해봐… 시방 야는 삼식이다… 생각허고….

박씨 내가 그 쓰버릴 새끼 목욕을 왜 시켜?!!

이장 부인 그럼 제가 할게요… 우리 그이도 제가 씻기거든요… 뽀독뽀독…. 안 씻겨주면 막 삐지고 밥도 안 먹고 어찌나 앙탈을 부리는지….

박씨/정씨 (놀라) 에에?… /풉!

이장 부인, 목욕 타월 들고 다가가는데… 그때, 쾅! 대문 열리는 소리.
굳은 얼굴의 영순이 들어온다.

박씨 (신나서) 아이고, 왔네, 왔어!!

강호, 환하게 웃으며 영순을 본다.

강호 엄마!!!!!!

34. 영순네, 안방 / N

돈다발이 담긴 상자들과 007가방, 골드바, 명품 시계가 들어 있는 여러 케이스를 황망한 얼굴로 바라보고 있는 영순. 트렁크 팬티만 입고 휠체어에 앉아 티브이를 보고 있는 강호. 화면 속에서 무릎 반사 훈련을 하는 것을 보며 판사봉을 들고 자신의 무릎을 계속해서 쳐본다. 하지만 아무런 반응 없고. 시무룩해지는 강호… 스윽 영순의 눈치를 보더니…

강호 엄마… 저 잠깐만 나갔다 오면 안 돼요?

영순, 아무 말 없이 일어나 강호의 잠옷 바지를 꺼내더니 강호에게 입히기 시작한다.

강호 제가 놀다가 예진이 통통볼을 잃어버렸어요. 아니아니 논 건 아니구요. 운동한 거예요. 공부도 했어요. 꽃에는 좀벌레, 청벌레, 벼룩벌레, 진딧물이 살아요. 사실 이 꽃은 배추꽃이거든요… 흐흣 난 그걸 몰랐어요. (그러다 다시 암담한 얼굴로) 하… 빨리 통통볼 찾아야 되는데…. 아빠한테 이른대요. 근데 걔네 아빠가 호로새끼라서 진짜 무섭대요. 응? 엄마 제발… 엄마….

잘 들어가지 않는 바지… 점점 얼굴이 붉어지는 영순…. 갑자기 발에 꿰고 있던 바지를 홱 벗겨 집어 던지고는 판사봉을 뺏어 강호를 패는 영순.

영순 너 왜 그렇게 살았어? 도대체 왜 그렇게 살았냐고? (돈 가리키며) 이거 다 뭐야? 너 돈 받고 뇌물 받고 나쁜 짓했어? 아니지? 아니라고 해!! 아니라고 해!!! (다시 때리며) 남의 눈에 피눈물 뽑고, 가슴에 대못창 꽂고… 그러고도 니가 잘살 줄 알았어? 멀쩡할 줄 알았냐고?!!! 봐…. 니가 지은 죄 때문에 지금 무슨 벌을 받고 있는지 보라고!!!!

퍽퍽퍽퍽!! 북받쳐 오르는 화를 참지 못하고 정신없이 강호를 두들겨 패는 영순. 순간, 판사봉 앞부분이 뚝 부러져 날아간다. 흐흐흑… 바닥에 주저앉아 우는 영순.

영순 다 내 잘못이야. 불쌍한 사람들 도와주라 해놓고… 억울한 사람 살려주라고 해놓고… 정작 내가 널 이렇게 키운 거야. 돼지처럼 우리에 가둬놓고 숨도 못 쉬게 하면서 공부공부공부! 돈 있고 힘 있는 사람 만들려다 피도 눈물도 없는 괴물을 만들었다고! 내 잘못이야… 다 내 잘못이야….

부러져 나간 판사봉을 쥔 손으로 자기 가슴을 내리치며 고개를 푹 숙이는 영순. 순간, 쿵! … 영순, 놀라 고개를 들어보면 바닥에 떨어져 있는 강호. 아픈 듯 어깨를 매만지더니… 영순을 향해 기어 온다.

강호 엄마… 울지 마… 잘못했어요…. 다시는 안 그럴게요…. 근데… 생각이 안나요…. 나 나쁜 사람이에요? 그래서 벌 받은 거예요?… 하늘이 주신 기회가 아니고 벌 받은 거예요?

가슴이 미어지는 영순, 덥석 강호를 끌어안더니 이내 엉엉 목 놓아 운다.

35. 돼지 농장 앞 / N

영순이 축사 앞 한쪽에 강호의 화분을 옮겨 심고 있다. 모종삽으로 탁탁 마무리를 하더니 '휴우~ 다 됐다…' 하고 일어서는 영순. 돌아보더니 손짓한다.

영순 이리 와….

겁먹은 듯한 얼굴로 축사 쪽을 보는 강호…. 코를 막고는 조금씩 휠체어로 뒷걸음질 친다….

강호 냄새나….

영순 맞아…. 그래서 강호 넌 여길 끔찍이도 싫어했어. 물론… 엄마도 너를 이렇게 냄새나고 지저분한 곳에 데리고 오고 싶지 않았고. (다가와 휠체어 밀며) 근데… 너에게 꼭 보여주고 싶은 게 생겼어.

36. 돼지 농장 / N

우리 안에 있는 돼지들을 함께 바라보는 영순과 강호.

영순 머리부터 발끝까지 단 하나도 버릴 게 없는 동물이 있어. 그게 뭔지 알아?… 사람… 그리고 돼지. 돼지 하면… 모두가 더럽고 냄새나는 동물이라고 생각하지만 사실 그렇지가 않아. 돼지는 똥, 오줌도 한 자리에서만 누고, 잠도 깨끗한 데서만 자. 체온을 낮추고 벌레를 떼내기 위해 진흙목욕도 자주 하고 말이야. 그런데 사람들이 그런 돼지를 좁은 우리에 억지로 가둬놓은 거지. 결국 진흙으로 목욕을 할 수 없게 된 돼지는 자신의 똥과 오줌에 몸을 비비게 됐고… 그렇게 점점 더 더러워지고 난폭하게 변해간 거야. 참 가엾지 않니?

강호 …가여워.

영순 그런데 진짜 가여운 건 말이야. 돼지는 고개를 들 수가 없어서 평생 땅만 보고 살아야 한다는 거야. 오직 돼지가 하늘을 볼 수 있는 유일한 방법은 하나. 그건 바로… 넘어지는 거지.

강호 넘어져요?

영순 응… 그래 맞아…. 넘어져 봐야 이제까지 볼 수 없었던 또 다른 세상을 볼 수 있는 거야… 돼지도… 그리고… 사람도.

영순, 강호의 휠체어를 돌려 마주보고는 강호의 손을 꼭 잡아준다.

영순 우리는 지금 넘어진 거야… 엄마도… 강호 너도…. 그렇게…

또 다른 세상을 보게 된 거야…. 한 번도 본 적도 없고, 볼 수도 없었지만… 꼭 봐야만 했던 너무나도 소중한 세상.

강호 소중한 세상….

가만히 고개를 돌려 돼지들을 바라보는 강호. 빙그레 웃는다.

37. 네일샵 / D

네일샵 유니폼 입고 앉아 있는 미주. 한참 손님 네일을 정리해 주는데 전화가 울린다.

미주 여보세…

목소리 야! 너 어디야? 도대체 내 돈 언제 갚을…

얼른 전화를 끊어버리는 미주.

미주 (손님에게) 죄송합니다.

미주, 다시 네일을 해주는데 또 다시 울리는 전화. 손님, 하아~ 짜증스런 얼굴로 미주를 본다. 미주, '죄송합니다. 죄송합니다' 하며 아예 핸드폰을 꺼버린다. 그때, 문이 열리며 무더기로 들어오는 3화 57씬 아줌마 무리. 순간, 화들짝 놀라 얼른 책상 밑으로 몸을 숨기는 미주.

아줌마1 여기 이미주라고 있죠? 어딨어? 응?…이미주 이년 어딨어?

그때, '지금 뭐하시는 거예요?!!' 하는 소리가 들려온다. 모두가 일제히 돌아보면 8씬 직원1(사장)이다.

아줌마2 당신이 여기 사장이야?

사장 네, 그런데요.

아줌마1 이미수 어딨어? 그 여자가 우리 회원권 돈만 떼먹고 도망갔다고!

아줌마2 난 그 백선영이란 년한테 이백이나 뜯겼어.

아줌마들 저마다 자기가 당한 억울한 사정을 호소하며 난리를 친다.

사장 자자자… 진정하시고…. 조용… 조용… 하~ 씨…
(버럭) 조용!!!!!!!!!!

일동 ….

사장 여기 그런 사람 없으니까 나가주세요.

아줌마1 이 여자가 어디서 거짓말이야?

아줌마2 여기서 일한다는 거 다 듣고 왔거든?

사장 네… 일한 건 맞는데… 며칠 전에 나갔어요. 돈통에 있는 동전까지 싹들고 날랐다구요. 가뜩이나 빡치는데 영업방해로 신고하기 전에 당장 나가요!!!

사장이 화를 내며 밀어내자 아줌마들 '어휴… 나쁜 년', '이젠 또 어디서 찾어?', '잡히기만 해봐' 어쩌고 하며 우르르 나간다. 휴우~ 책상 밑에서 한숨을 쉬는 미주.

CUT TO

네일샵 한쪽 소파에 앉아 있는 미주와 사장.

사장 언니 사정 아니까 지금까지 참았는데 이제 더 이상은 안 되겠어. 다른 애들도 나이 많은 사람이랑 같이 일하는 거 불편해하고, 언니 전화 받느라 일 집중 못 한다고 손님들도 불만이 많아.

미주 미안해…. 그치만 내가 그동안 가불한 돈도 있고… 그거 다 갚을 때까지는 일하고 나갈게.

사장 아니아니… 그럴 필요 없어. 그건 그냥 퇴직금이라고 생각하고… 지금! 나가줘… 당장!

38. 배 위~공공 놀이터 (교차) / D

끼룩끼룩 갈매기가 날고 있는 파란 하늘. 저 멀리 파란 망망대해가 펼쳐진 배 위 난간에 기대어 통화를 하고 있는 삼식.

삼식 그래서 쏘주 마시고 있는 겨?

그네에 앉아 모래를 발로 파내고 있는 미주.

미주 대낮에 쏘주는 무슨….

삼식 얘가 뭘 모르네…. 쏘주는 짤리고 마시는 쏘주가 최고여.

미주 그러게… 또 짤렸네…. 나이 많아서 짤리고… 신용불량자라

짤리고, 빚쟁이 쫓아와서 짤리고….

한 켠에서 미끄럼을 타며 노는 아이들을 물끄러미 보더니…

미주 나 그냥 애들한테 내려가서 농사나 지을까?

삼식 농사나?… 너 시방 농사 비하허는 겨? 농사가 을매나 힘든 건디…. 너 모내기할 때 상하좌우 몇 센치 간격으로 심어야 되는 줄 알어? 고추에 살균제, 살충제, 영양제는 언제 언제 뿌려야 댜? 마늘에 제일 무서운 벌레가 뭔지 아냐고?!!

미주 ….

삼식 그러지 말고 나랑 미국이나 가자…. 그래서 선영이도 찾고, 니 버리고 미국 갔다는 그 새끼도 잡아서 위자료 팍팍 뜯어내고… 어떠?

미주 비자가 나올까? 난 신용불량자고… 넌 전과잔데?

삼식 와~ 똑똑한디?

미주 넌 어때?… 원양어선은 탈만 해? 지금은 어디야?

삼식 응?… 여기…가 태평양 어디쯤일 텐디… 와 저 앞에 돌고래 뛰노는 거 봐라….

미주 와~ 그렇게 멀리 있는데도 전화가 되게 잘 들린다.

삼식 내 마음이 늘 니 옆에 있어서 그랴….

미주 치…. (피식 웃다가) 아무튼 너라도 마음 잡고 살아서 다행이야.

삼식 야, 내가 그 마음 왜 잡았게… 쫌만 기다려. 내가 돈 많이 벌어서

니 그 빚 다 갚아줄게…. 근데… 그때까진 내가 아는 이미주로 있어 주라. 남자애건 아부지건 언니들이건 절대 안 지려고 이 악물고 대들던 그 이미주 말이여!

미주 (피식 웃더니) 고맙다, 방삼식… 잘 지내….

삼식 그려, 또 연락헐게.

전화를 끊는 삼식. 그때, '삼식아~~~ 너 준비 안 허고 거서 뭐 허냐…' 하는 소리가 들린다.

삼식 아, 예… 가요~

화면 커지면, 우리나라 어느 항구 한 켠에 정박돼 있는 크고 낡은 '태평양'호. 삼식, 선실로 내려가더니 입구에 걸려 있는 조끼와 나비넥타이를 척척 맨다.

삼식 원양어선을 타긴 탔제….

삼식이 문 하나를 열고 들어가자 담배 연기가 자욱한 도박장이 쫙 펼쳐진다.

39. 영순네, 욕실 / D

강호, 얼굴 세수를 씻겨주는 영순. 양치를 해주는 영순. 머리도 빗겨주고 화장품도 발라준다. 행복해 보이는 두 사람.

40. 영순네, 안방 / D

강호, 악력기를 쥐었다 폈다 하며 트롯 방송을 보고 있다. 고구마와 과자가 담긴 쟁반을 강호 침상 테이블에 올려주는 영순.

영순 엄마, 돼지들 밥 금방 주고 올게. 여기 간식 먹으면서 티비 보고 있어. 무슨 일 있으면…

강호 (목에 걸린 핸드폰 들고 흔들며) 전화하는 거 알지?

영순, 피식 웃으며 강호 머리를 쓰다듬고는 나간다. 강호, 악력기를 하며 티브이를 보는데… 철컹 대문 닫히는 소리가 난다. 손을 멈추고 문 쪽을 스윽 보는 강호, 침상 위에 놓인 로봇에게…

강호 나가지 말란 말은 안 했어, 그치?

41. 트롯백네, 거실 / D

동화 속 집처럼 여기저기 예쁜 꽃이 만발한 집. 카메라 안으로 들어가면, 드립커피가 내려지고 있고… 한쪽 엔틱한 축음기에 올려진 LP판에선 감미로운 클래식 음악이 흐르고 있다. 그때, 욕실 문이 팍! 열리며 뛰쳐나오는 트롯백. 아랫도리만 수건을 두르고 통화 중이다.

트롯백 아니, 그게 어떻게 표절이야? 나훈아 엄마가 좋아한 건 홍시고… 우리 엄마가 좋아한 건 대봉인데… 그게 어떻게 똑같냐고!

봐봐~ (노래 부르며) ♪ **생강이 난다. 대봉이 열리면 우리 밭에 생강이 난다~** 노래 제목도 생강이야, 이 사람아!!… 뭐?… 닭대가리?… 너 지금 나한테 닭대가리라고 했냐?… 여보세요!! 여보세요?!!

에흐씨… 하며 전화를 소파에 집어 던지는 트롯백. 그러다 거실 통유리창 너머로 뭔가를 보고는 표정이 굳는 트롯백.

트롯백 저… 저건 또 뭐야?

42. 트롯백네, 마당 / D

뛰어나오는 트롯백.

트롯백 어이, 이봐!!… 당신 뭐야?

강호가 긴 집게로 화단의 조경 나무들을 헤집고 있다가 트롯백을 돌아본다.

강호 저는 최강호입니다.

트롯백 근데?… 최강호가 왜 여깄어?

강호 예진이 통통볼을 찾고 있어요. 혹시 못 보셨어요? 초록색이고 미국 꺼라고 써 있어요.

트롯백 (어이없게 보다가) 후~~ (손사래 치며) 나가!! 주거침입으로 신고하기 전에!

순간, 확 표정이 굳어지는 강호.

강호 형법 제319조 주거침입죄. 사람의 주거, 관리하는 건조물, 선박이나 항공기 또는 점유하는 방실에 침입한 자는 3년 이하의 징역 또는 500만 원 이하의 벌금에 처한다!

트롯백 …

강호 (갸웃하더니) 근데… 주거침입이 뭐예요?

트롯백 허… 이 새끼 이거 뭐야?… 바보 아니야?… 야! 됐고 나가!! 나가!!

강호 네. 그럼… 안녕히 계세요.

강호, 꾸벅 인사를 하더니 돌아서 나가려다 다시 돌아보더니…

강호 근데요… 저 바보 아니에요. 어린 시절로 돌아간 거예요. 이건 하늘이 주신 기회예요.

트롯백 (멍하니 보다가) 그래… 나도 기회를 줄게… 3초 안에 사라져!!!!! 일, 이, 삼!!!!!!!!

후다닥 도망가는 강호.

43. 통통볼 찾기 몽타주

- 동네 이곳저곳 통통볼을 찾아다니는 강호.
- 초록색 토마토를 하나씩 보는 강호.

- 나무에 매달린 초록 매실을 입이 떡 벌어져 보는 강호.
- 초록색 슈렉 팩을 하고 지나가는 이장 부인을 멍하니 쳐다보는 강호.
- 갈대숲을 집게로 헤쳐가며 여기저기 통통볼을 찾는 강호. 갈대에 핸드폰을 걸어 둔 목걸이가 엉키며 뚝 떨어져 나가는 핸드폰… 강호는 모르고…
- 영순, 방문을 여는데… 강호가 없다. 놀라는 영순.
- 핸드폰으로 계속 전화를 걸며 여기저기 찾아다니는 영순.
- 갈대숲에 떨어져 울리고 있는 핸드폰.
- 핸드폰 없이 줄만 목에 걸고 통통볼을 찾아다니는 강호.
- 흙바닥에 휠체어 자국을 발견하고 따라가는 영순.
- 논바닥, 밭고랑, 널어놓은 고춧가루 위로 선명한 바퀴 자국.
- 평상 위에 앉아 장기 두는 사람들. 나물 다듬는 아낙네들.
  밑에 나란히 벗어놓은 신발 위로 고춧가루 바퀴 자국이 죽 나 있다.
- 바퀴 자국 따라가는데… 개울가에서 뚝 끊긴 바퀴의 흔적.
  당황스러운 얼굴로 개울가 건너편을 보는 영순.
- 허리까지 젖은 채 풀숲에서 통통볼을 찾고 있는 강호.
- 깜깜한 밤. 강호야~ 강호야~ 애타게 부르며 여기저기를 헤매는 영순.

44. 풀숲 / N

어둠이 깔린 풀숲. 사방이 잘 보이지 않아 두려운 강호. 집게로 바닥을 더듬으며 조금씩 움직이다 '으아아아아~' 얕은 둔덕 아래로 굴러떨어지는 강호. 엎어져 있던 강호, 끄응 간신히 고개를 드는데… 순간 무언가를 보고 표정이 언다. 나무등걸 사이에서 야광으로 빛나고 있는 무언가. 강호, 천천히 그 무언가를 향해 기어가기 시작한다. 그리고는 손을 뻗어 잡아 들어보는데, [made in china]가 선명한 예진이의 통통볼이다. 점점점 환해지는 강호…

강호 (양손을 번쩍 들고) 찾았다!!!!

45. 정씨네 앞 / N

여기저기 엉망이 된 모습으로 휠체어를 밀며 신나게 달려오는 강호. 집 대문을 쾅쾅쾅 두드린다.

강호 예진아!!!! 서진아!!!!

잠시 후, 서서히 열리는 대문. 그리고 나오는 한 사람. 미주다.

미주 누구세…

순간, 놀라 눈이 커지는 미주. 그 자리에 얼어붙어 버린다. 그 앞에 통통볼을 들고 여전히 해맑은 얼굴로 웃고 있는 강호.

나쁜엄마

EPISODE
5

나도 모르는 사람인데요…

근데… 아파요, 여기가….

1. 미주 자취방 (과거) / N

♪ 생일 축하합니다~ 생일 축하합니다~ 사랑하는 강호, 미주~ 생일 축하합니다~

강호와 미주의 노랫소리를 따라 들어가면 미주의 작은 자취방 거실. '29' 숫자 초가 꽂혀 있는 케익을 사이에 두고 각자 소원을 빌고 있는 강호와 미주. 동시에 눈을 뜨더니 서로를 바라보며 빙그레 웃는다.

강호 무슨 소원 빌었어?

미주 우리 강호 1등으로 연수원 수료하게 해달라고…. 그리고 우리 둘 오래오래 행복하게 살게 해달라고…. 너는?

강호 난… 안 떨게 해달라고….

미주 안 떨어?

강호 앗!! 초 녹는다…. 자… 하나, 둘, 셋!

두 사람 후~~~ 촛불을 끈다. 와!!!! 짝짝짝짝 박수를 치는 두 사람. 테이블 밑에서 선물 상자를 꺼내 내미는 미주.

미주 자, 생일 선물.

강호 뭐야… 선물로 케익 만들어줬잖아.

미주 빨리 열어봐….

강호가 상자를 열자 넥타이가 나온다.

미주 이거 내가 직접 만든 거다? 세상에 단 하나뿐인 리미티드

에디션이야… 힛. 나중에 검사 임관식날 꼭 이 넥타이 매야 돼. 알았지?

강호　(끄덕끄덕) 꼭! 그럴게…. 근데… 10 루트 2… 이건 뭐야?

강호, 넥타이 끝에 큐빅으로 박혀 있는 '10√2'를 가리킨다.

미주　잘 봐~ (하나씩 가리키며) 엘, 오, 브이, 이… 러브…. (머리 하트) 사랑해!!

강호　(귀여운 듯 웃더니) 어떡하지… 난 아무것도 준비 못 했는데…. 대신…

강호, 침대 밑에서 기타를 꺼낸다. 눈이 커지는 미주.

강호　독학으로 급하게 배워서 잘은 못 쳐…. 그래도 끝까지 들어줘…. (목 가다듬으며) 흠흠… 아아… (하더니 급 기도)… 안 떨게 해주세요.

풋 웃는 미주. 강호, 조용히 연주를 시작하며 노래를 부르기 시작한다.
성시경의 「두 사람」이다….

강호　**♪ 지친 하루가 가고 달빛 아래 두 사람 하나의 그림자~**
눈 감으면 잡힐 듯 아련한 행복이… 아직 저기 있는데…

서투른 연주와 노래 실력에 피식피식 쑥스러워하면서도 노래를 부르는 강호.
그런 강호를 사랑스러운 눈으로 지그시 바라보는 미주.
노래 계속되는 가운데…

2. 강호, 미주 연수원 시절 몽타주

- 미주, 일하는데 통유리창 밖에 강호. 하~ 입김을 불더니 '10 √2' 라고 쓴다.
- 같이 나란히 앉아 맥주 마시며 티브이로 영화 보는 두 사람. 서로에 기대어 훌쩍이고…
- 사이좋게 양치질하는 두 사람… 강호 면도해 주는 미주, 미주 머리 말려주는 강호.
- 강호, 미주 손톱에 매니큐어 칠해 주는데 너무 잘 칠해 놀라는 미주.
- 횟집 사장님 배 타고 바다로 나가는 두 사람… 낚시도 하고, 텐트 치고 맥주 마시며 바다 보고.
- 침대에 누워 책 보는데… 미주가 책과 강호 배 사이를 파고들어 얼굴을 내민다.
- 손에다 볼펜으로 반지 그려주는 강호. 시계 그려주는 미주… 뽀뽀하는 두 사람.
- 2화 22씬 오태수 강의 듣고 있는 강호.
- 강호 책상 정리하는 미주. 오태수, 송진섭 회장과 관련된 여러 사진과 자료들이 보인다. 씻고 들어오다 그 모습을 보더니 얼른 자료들을 뺏어 치우는 강호.
- 실망한 얼굴로 '응… 알았어' 전화를 끊는 미주. 달력에 주말마다 적힌 [강호 오는 날] 하지만 줄줄이 엑스자가 그어져 있고… 이번 주에도 엑스자가 그어진다.
- 신부 대기실에 웨딩드레스 입고 앉아 있는 직원1, 드레스 만지며 부러워하는 미주. 부케 던지는 직원1. 받는 미주. 환하게 웃고. 꽃병에 꽂아놓은 부케 보며 좋아하는 미주… 고개를 돌려 보면 달력에

표시된 [강호 임관식].

- 탕비실에서 직접 만든 케익에 [축 임관]이라는 문구를 쓰는 미주.
- 집에 불이 켜진 것을 확인하고 복도에 쭈그리고 앉아 촛불을 붙이는 미주. 딩동~ 벨을 누르는 미주. 문을 여는 강호. 환하게 웃으며 케익을 내미는 미주. 서로 바라보는 두 사람의 시선… 노래가 끝난다.

3. 미주 자취방 (과거) / N

조심스럽게 케익을 들고 들어오며 노래를 하는 미주.

미주 **♪ 임관 축하합니다~ 임관 축하합니다~**

웃으며 노래를 부르던 미주의 표정이 조금씩 굳기 시작한다. 한 켠에 싸놓은 강호의 캐리어와 각종 짐꾸러미가 보인다. 계속해서 강호의 짐들을 흘깃흘깃 의식하며 케익을 강호 앞 거실 테이블에 올려놓는 미주.

미주 **♪ 사…랑하는 우리 강…호… 임관 축하합니다.**

미주, 얼른 표정 다잡고 '와!!!' 짝짝짝 박수를 친다. 그런 미주를 물끄러미 바라보고 있는 강호.

미주 뭐 해? 소원 빌어야지.

강호 빌었어.

미주 무슨 소원 빌었어?

강호 (가만히 미주를 보며)……안 떨게 해달라고.

미주, 말없이 강호를 바라본다. 강호의 붉어진 눈. 계속해서 미주를 빤히 보고 있다. 누구 하나 피하지 않고 한동안 아프게 서로를 바라보는 두 사람.
미주, 뭔가를 직감한 듯 조용히 얕은 한숨을 내뱉더니… 이내 고개를 끄덕인다.

미주 말해….

강호 나… 하고 싶은 일이 생겼어.

미주, 가만히 강호를 본다.

미주 그 일… 내가 없어야 할 수 있는 거구나?

강호, 주머니에서 통장 하나를 꺼내 미주에게 내민다. 질끈 눈을 감으며 고개를 돌리는 미주.

강호 그동안 집에서 보내준 돈이야….

미주, 이내 표정을 바꾸고는 홱! 통장을 집어 펼쳐본다.

미주 애개… 겨우 이거야?… 난 검사 뒷바라지해 주면 한몫 단단히 챙길 수 있을 줄 알았는데… 생각보다 별로네…. 뭐 아무튼 후배나 누구 사시 볼 사람 있으면 또 소개시켜 줘… 이번엔 돈 좀 있는 애로…. 알잖아, 나 밥하고 빨래 잘하는 거…. 아! 그리고 사랑도….

미주, 애써 밝은 목소리로 말하고는 후~ 촛불을 꺼버린다. 강호, 그런 미주를 가만히 보다가 짐 가방을 챙겨 들고 일어서 나간다. 쾅!!

4. 카페 (과거) / N

벌떡 일어나는 미주를 억지로 의자에 앉히는 선영.

미주 아, 글쎄… 싫대두.

선영 싫긴 뭐가 싫어, 이년아… 이유도 모르고 차인 주제에….

그 말에 후우~ 한숨을 쉰다.

미주 이유가 뭐가 중요해… 이미 끝났는데….

선영 그래도… 이유라도 알면 좀 나을 거 아니야….

미주 세상에 더 나은 이별은 없어…. 그러니까… 이유는 그 사람만 알면 돼…. 꼭 가야 될 이유가 있었을 거야…

선영 으이그… 이 멍충이를 그냥 확!… 너 잘 들어…. 자고로 사랑은 사랑으로 잊어야 하는 법이랬어. 지금 나올 사람, 내 남친의 베픈데… 미국에서 헤어샵을 크게 한대. 지점만 다섯 개에 엄청 부잔가 봐.

미주 ….

선영 너 미국 가서 네일하고 싶다매. 남편은 헤어샵, 넌 네일샵… 얼마나 좋아.

미주 됐어, 그냥 답답해서 해본 소리지… 갑자기 무슨 미국이야.

그때, '제가 좀 늦었지요?' 하는 목소리가 들리는가 싶더니 서글서글 잘생긴 외모의 한 남자가 미주와 신영의 테이블로 와 앉는다. 미주를 보며 환하게 웃어 보이는 남자.

예진 V.O 아빠~~~~~~~~~!!!!

5. 공공 놀이터 (과거) / D

휴대폰에서 플레이되는 동영상 속에 예진이 모습이 보인다.

예진 아빠, 이거 보세요. 내가 서진이 머리 잘라줬어요.

보면, 삐뚤빼뚤 짧고 우스꽝스러운 서진의 앞머리.

예진 짱이죠? 나 아빠 닮아서 미용에 소질이 있는 거 같아요. (휴대폰 돌리자 정씨가 보인다) 자, 그리고 저기 보시면 우리 정금자 할머니. 마늘밭 풀을 베고 계시죠? 어? 아닌가?… 쉬하는 건가?

정씨 (이쪽 보더니) 이눔의 기집애… 뭘 찍고 있는 겨!!… 전화기 이리 안 내놔!!

정씨가 바지춤을 추스리며 낫을 들고 뛰어오자 '꺄악!!!' 도망가면서 화면 흔들린다. 쫓고 쫓기고 까르르르 웃음소리 난무한 가운데…
4화 38씬 놀이터에 앉아 있는 미주…. 피식 웃는 미주… 눈물이 고여온다.

미주 | V.O | 나 그냥 집에 내려가서 농사나 지을까?

삼식 | V.O | 농사나?… 너 시방 농사 비하허는 겨? 농사가 을매나 힘든 건디…. 너 모내기할 때 상하좌우 몇 센치 간격으로 심어야 되는 줄 알어? 고추에 살균제, 살충제, 영양제는 언제 언제 뿌려야 댜? 마늘에 제일 무서운 벌레가 뭔지 아냐고?!!

가방을 메고 일어나 걷기 시작하는 미주. 휴대폰을 누르며 중얼댄다.

미주 모내기는 상하좌우 간격 10센치…. 고추는 기비 뿌린 후 토양살충제랑 진딧물 약. 꽃필 때 총체벌레 약, 열매 열리면 담배나방 약, 장마 전에 탄저병 약…. 그리고 칫… 감히 나한테 마늘을 물어? 고자리 파리, 구근선충, 뿌리 응애…. 아주 징글징글허게 잘 알지, 내가… (전화 받자) 여보세요? 네… 아줌마. 저… 미준데요… 방 뺄게요.

미주, 웃으며 씩씩하게 걷는다.

6. 정씨네 앞 / N

'꺄악~!', '엄마!!!', '아아~ 내 새끼들' 마루에서 서로 부둥켜안고 좋아하는 미주와 예진, 서진. 그때, 탕탕탕탕 대문 두드리는 소리가 나며 '예진아, 서진아~!!!' 한다. 대문을 향해 걸어가는 미주, 문을 열며…

미주 누구세…

순간, 강호를 보고 흡!! 숨이 멎는 미주. 통통볼을 들고 환하게 웃고 있던 강호… 미주를 보더니 얼굴이 조금씩 굳어진다. 순간, 쾅! 대문을 닫아버리는 미주. 비틀거리며 안으로 들어와 마루에 털썩 주저앉는다.

예진 왜?… 누군디?

예진이가 대문 쪽으로 가자 '아니, 아무도 아니야' 하며 얼른 잡으려는 미주. 하지만 이미 쪼르르 달려가 문을 열어버리는 예진.

예진 (주위를 살피더니) 진짜 아무도 없네….

7. 마을 일각 / N

멍한 얼굴로 휠체어에 앉아 있는 강호. 화난 얼굴로 강호의 휠체어를 밀고 있는 영순.

영순 아무리 통통볼을 찾아주고 싶어도 그렇지… 엄마랑 같이 가던가…. 말도 없이 위험하게 혼자 돌아다니면 어떡해. 얼마나 놀랬는지 알아? 너 핸드폰은 어딨어?

강호, 그제서야 목을 내려다보더니…

강호 어? 내 핸드폰!!… 내 핸드폰이 없어졌어요, 엄마!!

8. 영순네, 마루 / N

핸드폰을 쪼물락거리며 영순의 눈치를 보는 강호. 샤워를 갓 마친 모습이다. 약통에서 약을 꺼내 물과 함께 삼키는 영순, 윗배가 아픈지 한동안 쓰다듬는다.

강호 엄마… 아파요?

영순 응.

강호 나 때문에요?

영순 그래….

강호, 시무룩해진다. 영순, 약통에서 연고와 밴드를 꺼내 와 강호 몸 여기저기 난 상처에 발라준다.

영순 엄마 아프면 속상하지?… 엄마도 너 이렇게 아프면 속상해. 앞으로는 절대 이런 일 없기다. 알았지?

강호 네.

영순, 강호의 긁힌 상처에 밴드를 붙여준다.

강호 근데, 엄마….

영순 응?

강호 나… 왜 아픈 거예요?

영순 여기저기 넘어지고 쓸리고 했는데 당연히 아프지.

강호 그게 아니고… (가슴을 만지며) 여기요….

영순 응?… 거기가 아파?… 왜?… 언제부터 아팠는데?

강호 그 예쁜 사람 보고 나서부터요.

영순 예쁜 사람?… 그게 누군데?

강호 (고개 젓는다) 나도 모르는 사람인데요… 근데… 아파요, 여기가….

자신의 가슴을 어루만지는 강호… 눈에서 주르륵 눈물이 흐른다.

9. 정씨네, 마루 / N

저녁 밥상이 차려져 있고… 막 밥 한술을 뜨던 미주, 놀라 정씨를 본다.

미주 …뭐라고?

정씨 에휴… 사람 일 한 치 앞을 모른다고 멀쩡히 내려와서 저렇게 될지 누가 알았겠어…. 검사에, 국회의원 사위 될 거라고 동네잔치까지 허면서 을마나 좋아했는데… 쯧….

미주, 충격받은 얼굴로 아무 말도 못 하는데…

예진 엄마… 사시가 나쁜 놈이야?

밥상 옆, 미주의 캐리어에서 [사시세끼♥] 에코백을 꺼내 들고 흔들어 보이는 예진.

예진 왜 세끼라고 욕을 써놨어?

미주 이리 줘….

미주, 얼른 에코백을 빼어 가방 안에 다시 넣고 문을 닫는다.

정씨 넌 왜 엄마 가방을 막 뒤지고 그랴….

예진 미국서 뭐 사왔나 혀서…. 사실… 강호가 엄마가 사준 통통볼 잃어버렸거든.

정씨 저놈의 지지배가 또…. 강호가 뭐여? 강호가… 엄마 친구헌티.

예진 에?… 그게 뭔 소리여? 강호가 엄마랑 친구라고?

서진 강호는 우리 친군디?

정씨 저저… 또… 쟈들이 저런단께…. 내가 아주 강호 엄마 보기 민망해서.

미주 (아이들 보며) 앞으로 그러지 마….

예진 그럼 뭐라고 불러? 강호 오빠? 강호 삼촌?

미주 부르지 마…. 다시는 만나지도, 놀지도 마. 알았어?

예진 그치만…

미주 (무섭게) 스읍!! 둘 다 알았어, 몰랐어?

예진/서진 (시무룩) 네….

정씨 됐어, 오랜만에 엄마 만나 신난 애들헌티 큰소리 내지 말어… (하다가 문득) 잠깐만… 그나저나 넌 갑자기 왜 온 겨? 뭔 일 있어?

미주 일은 무슨…. 그냥… 잠깐 들른 거야.

정씨, 그 말에 스윽 고개를 돌려본다. 마당에 미주의 짐이 한가득 놓여 있다. 밥솥, 커피포트, 이불… 얼핏 봐도 이삿짐이다. 미주, 무안해져 얼른 정씨의 눈을 피하더니…

미주 아! 참… 너희들 선물은 여깄어.

미주, 마당으로 내려가 짐꾸러미 사이를 뒤지기 시작한다. 그런 미주를 빤히 쳐다보는 정씨. '여깄다!' 미주가 뽀로로 인형과 패티 인형을 하나씩 안겨준다. 그리고… 한글 공부 책을 꺼내서 예진과 서진에게 하나씩 나눠준다.

미주 이제 내년이면 학교 들어가니까 한글 공부 시작해야 돼.

예진 (멍한 얼굴) 내년이면 학교 들어가는디 뽀로로라니…
(서진 보며) 근디… 뽀로로가 미국 거였나?

서진 난 미국서 이걸 사온 게 더 신기헌디?

서진이 들어 보이면 『초등대비 한글 첫걸음』.

CUT TO

잠든 예진이 서진이 머리맡에 뽀로로 인형들과 한글 공부 책들.

정씨 『화난남매』나 슬라임, 푸쉬팝 이른 걸 사다줬어야제….
허긴 젖 떼자마자 떨어뜨려 놨으니 뭘 알았겄냐만.

정씨의 손톱에 매니큐어를 발라주고 있는 미주.

미주 미안해… 엄마 꺼는 사오지도 못했네….

정씨 이거면 됐제…. (한쪽 손을 쫙 펴보며) 이야… 육십 평생 이런 호강이 없다. 예전에 니가 맨날 내 손 붙들고 '엄마는 손이 이게 뭐여' 하면서 승질내던 생각난다. 춤바람 난 니 애비 돈 대주느라 일 년 내내 흙구덩이 속에 손 파묻고 살았는디 이런 게 가당키나 혔어? 그래도 그때, 세월 이긴 니가 참 많이도 날 헤아려줬지. 내 얼굴만 딱 봐도 뭔 일이 있는지 귀신같이 알아챘으니께.

미주 (희미하게 웃는다)

정씨 부모 자식이 그런 거여. 가타부타 말 안 혀도 낯빛만 보믄 다 알제. 내 속으로 난 새끼가 어느 날 딱 나타났는디…. 서방놈 바람나 도망가고, 빚쟁이들헌티 집안 풍비박산 나서 눈앞이 깜깜했던 그때 내 얼굴이 돼서 돌아왔어. 근디 워치키 모르겄어.

미주, 손을 멈추고 정씨를 바라본다.

정씨 을매나 힘들었냐?

흐흐흑 눈물을 흘리며 정씨 손 위로 쓰러져 우는 미주. 그런 미주 등을 천천히 쓸어주는 정씨.

정씨 쫌 있음 애들 핵교도 가고… 나도 이제 늙어서 그런가 힘에 부친다. 뭔 일인지는 모르지만 저리 싹 짐을 싸 들고 왔을 땐… 맴도 싹 정리허고 오지 않았겄냐. 힘들게 왔으니께… 힘들어도 같이 살아보자…. 티비서 어느 가수가 그러드라… 살다 보면… 살아진다고….

정씨의 눈이 붉어진다.

10. 트롯백네, 거실 / D

♪ **살다 보면 살아진다~ 그저 살다 보면 살아진다~** 노래 흐르는 가운데, 눈을 감고 피아노 앞에 앉아 있는 트롯백. 피아노 위 오선지 노트에 제목 「까치」 그 밑으로 적다 만 가사.

♪ **날다 보면 사라진다~ 그저 날다 보면 사라진다~** 번쩍 눈을 뜨는 트롯백, 신경질적으로 가사를 직직직 그어버리더니 오선지를 죽 찢어 구겨 던진다. 바닥에는 이미 여러 개의 오선지 뭉텅이들이 널브러져 있다.

트롯백 (탁 노래 꺼버리더니) 하여간 좋은 말은 귀신같이들 다 갖다 썼네…

그때, 전화가 울린다.

트롯백 (얼른 받으며) 아… 최 대표… 어떻게 됐어?

최 대표 콘서트홀 투자유치 이거 진짜 해야 됩니까?

트롯백 갑자기 뭔 소리야?

최 대표 일단 그 예산에 그만한 부지 찾기도 어렵고….

트롯백 그래서 찾으러 왔잖아, 지금!!!

최 대표 다 떠나서 백 선생님 이름 걸고 하는 건데… 표절 시비 걸린 게 좀….

트롯백 하… 새끼들… 몇 마디나 베꼈다고….

최 대표	에에? 지금 표절 인정하시는 거예요?
트롯백	표절은 무슨… 노래가 다 거기서 거기지. 너 볼래? (노래하며) ♪ ABCDEFG… **반짝반짝 작은 별… 달팽이 집을 지읍시다~** 다 똑같애!!
최 대표	그게 뭔 소리예요….
트롯백	에휴… 나도 모르겄다. 여기 오면 뭔 수가 좀 있을까 했더니…. 이건 뭐 재수 없게 차 사고가 나질 않나… 웬 동네 바보가 주거침입을 하지 않나….
최 대표	죽어요? 누가요?
트롯백	죽어가 아니고 주거침입! 남의 집에 허락도 없이 함부로 막 들어가는 거!!

하다가… 표정 오묘해지는 트롯백.

트롯백	주거침입?…. 자…잠깐만… 끊어봐….

트롯백, 오선지에 정신없이 뭔가를 적기 시작한다.

11. **돼지 농장 / D**

아기 돼지 한 마리를 안고, 누워 있는 어미 돼지를 가만히 쓰다듬고 있는 영순.

플래시백 8씬, 영순네, 마루

강호 엄마…. 나… 왜 아픈 거예요?

영순 여기저기 넘어지고 쓸리고 했는데 당연히 아프지.

강호 그게 아니고… (가슴을 만지며) 여기요….

영순 응?… 거기가 아파?… 왜?… 언제부터 아팠는데?

강호 그 예쁜 사람 보고 나서부터요.

영순 예쁜 사람?… 그게 누군데?

강호 (고개 젓는다) 나도 모르는 사람인데요… 근데… 아파요, 여기가….

다시 현실.

영순 …누구지?

그때, 안드리아가 막걸리 통을 들고 뛰어온다.

안드리아 당신의 지시대로 막걸리를 대령했다!

영순, 아기 돼지를 안드리아에게 주고 막걸리를 받아 어미 돼지 입에 흘려준다.

영순 니가 니 새끼들 얼마나 아끼는지 나도 알아…. 그치만
나오자마자 엄마 잃고… 불쌍하잖아…. 젖 좀 나눠주자… 응?
자, 한 모금 더 마시고… 기분 좋게… 옳지, 잘 먹네….

영순이 손짓하자 어미 돼지 젖 앞에 아기 돼지를 내려놓는 안드리아.

영순 (어미 돼지 쓰다듬으며) 그래… 괜찮아… 괜찮아….

아기 돼지가 젖을 먹기 시작한다. 그런 아기 돼지를 사랑스럽게 보는 영순.

영순 아이고 잘도 먹네…. 그래 얼마나 배가 고팠을까?

안드리아 (휴대폰 보며) 오늘 톱밥이 도착할 예정이나 일기예보 비 온다. 80프로….

영순 아… 그래? 그럼 며칠 미뤄야겠네… 땅 좀 마르면 오시라고….

안드리아 (휴대폰 찾아보더니) 당신의 명령을 즉각 실행할 것이다.

영순, 휴대폰을 꺼내 전화를 건다.

영순 응… 강호야. 오늘 비 온대. 이따 병원도 가야 되니까 절대 밖에 나가면 안 돼. 알았지?

12. 정씨네 앞 / D

대문 앞에서 통통볼을 들고 대문을 두드리려는 포즈로 멈춰 있는 강호.

강호 네….

강호, 전화를 끊더니… 어쩔 줄 몰라 하다… '예진아!!! 서진아!!!'
다시 대문을 두드린다. 인기척이 없자, 후~ 한숨을 쉬며 뒤로 물러나는 강호…
마당 안쪽으로 통통볼을 던져 넣는다.

13. 마을 일각 / D

열심히 집 쪽으로 휠체어를 끌고 달려오는 강호. 그때, 무언가를 보고는 우뚝 멈춘다. 저 멀리 외출복 차림의 미주와 예진, 서진이 보인다. 강아지 '호랑이'를 안고 그 앞에 서 있는 동물 그림 시트팩을 한 이장 부인. 사랑스럽게 호랑이를 쓰다듬고 있는 미주를 보고 배시시 미소가 번지는 강호.

미주 아… 너무 귀엽다. 이름이 뭐예요?

이장 부인 호랑이….

미주 호랑이요?… 와~ 독특한 이름이네요…. 한번 안아봐도 돼요?

호랑이를 건네주는 이장 부인. 미주, 호랑이를 안고 앉아 예진, 서진에게 보여준다. 호랑이를 만져보며 예뻐하는 예진과 서진.

이장 부인 근데… 누구지? 처음 보는 얼굴인데….

미주 어머… 아줌마…. 저예요. 미주.

이장 부인 미주?… 어머… 정씨 아줌마네 막내딸?… 세상에… 그렇구나. 확 늙어서 못 알아봤네. 미국 산다더니 들어온 거야?

미주 아… 네….

어색하게 웃는 미주. 그러다 문득 강호 쪽을 본다. 강호, 쏜살같이 옆집 담장 뒤로 숨는다. 그러다 슬쩍 고개를 내밀어 다시 미주를 본다…

강호 미주….

14. 트롯백네, 거실 / D

피아노 반주를 하는 트롯백. 오선지에 「사랑의 주거침입죄」 라는 노래의 가사가 보인다.

트롯백 **♪ 언제 들어왔어?… 이 내 가슴에… 꽉 잠긴 내 마음속에…**
깜짝 놀랬잖아… 꼼짝 말아라… 당신은 주거침입죄.
죄를 지었으니… 벌을 받아라… 내 사랑을 받아라…
당신이 침입하면 난 좋아 죽어! 당신이 침입하면 난 미쳐 죽어!
들어올 땐 니 맘이냐? 나갈 때는 내 맘이다!
당신은 주거침입죄~ 사랑의 주거침입죄~

'캬~~~~ 죽인다…' 좋아 죽는 트롯백. 그러다 창밖에 비가 오는 것을 보더니 깜짝 놀라는 트롯백. '으악~ 빨래… 빨래…!!!' 뛰어나간다.

15. 트롯백네, 마당 / D

달려 나와 건조대에 놓인 빨래를 걷는 트롯백. 그러다 킁킁… 냄새를 맡는 트롯백.

트롯백 이… 이게 무슨 냄새야?

트롯백, 빨래 냄새를 맡아본다. 으윽!!

16. 돼지 농장 앞 / D

우산 들고 마스크를 쓴 채 농장 앞에 서 있는 트롯백. 농장 건물과 부지를 이렇게 저렇게 둘러보고 있는데… 그때, 농장 안에서 돼지 분뇨를 실은 외수레를 밀고 나오는 영순.

영순 아이고, 여기 외부인은 막 들어오시면 안 되는데….

순간, 영순을 보고 놀라 마스크를 내리는 트롯백.

트롯백 니가… 니가… 니가 왜 거기서 나와?

영순, 그제서야 트롯백을 알아보고 역시 놀란다.

영순 여긴… 어떻게….

트롯백 (잠시 멍하다가) 아하… 그 똥차가 뭔가 했더니… 이 냄새였구만.
(봉투에서 옷들 끄집어 내밀며) 이거 어떡할 거야… 이거….

영순 그게 뭔데요?

트롯백 이 그지 같은 농장에서 나는 냄새 땜에 옷 다 버리게 생겼잖아!

그 말에 한풀 수그러드는 영순.

영순 …냄새 땜에 불편하셨다면 죄송해요. 평소에는 괜찮은데…
바람 불고 비가 오면 좀 심해져서….

트롯백 좀 심해? 이게 좀 심한 거야?… 사람이 숨을 쉴 수가 없는데?

영순 저도 나름 신경 쓰고 있어요. 냄새 저감 장치도 들여놓고 오존수도 뿌리고 악취 없애는 액상사료까지 먹이고 있어요. 근데 아무리 깨끗하게 해도 가축들이잖아요. 냄새를 완전히 없앨 수는 없어요.

트롯백 냄새를 못 없애면 농장을 없애야지!! 지 혼자 먹고 살겠다고 남들은 다 굶겨 죽이겠다는 심보야, 뭐야?

영순 무슨 말씀을 그렇게 하세요?… 제가 누굴 굶겨 죽여요?

트롯백 나 작곡가야. 창작자라고… 근데 이 드러운 냄새 땜에 아무것도 할 수가 없어. '토실토실 아기 돼지 젖 달라고 꿀꿀꿀~'만 머릿속에 빙빙 돈다고!!! 이거 어떻게 책임질 거야? 평생 노래 못 만들면 너가 나 먹여 살릴 거야?

영순 내가 왜 그쪽을 먹여 살려요? 그리고… 지금 너! 라고 하셨어요?

트롯백 그래… 너! 너! 그럼 차까지 처박은 사이에 삼강오륜, 예의범절 따져가며 얘기할까?

영순 경고합니다. 반말하지 마세요.

트롯백 하면!… 하면 뭐 어쩔 건데?

영순 어쩌긴… 그럼 나도 말 까야지…. 너 작곡가니? 근데 노래를 못 만들겠어? 왜 그런지 내가 가르쳐줄게…. 그건 돼지 똥냄새가 아니라 니 인성이 고약해서 그런 거야…. 인간이 인간에 대한 최소한의 예의도 진정성도 없으니까!

트롯백 뭐!!!!! 너… 너 방금 뭐라고 했어!!!

영순 됐고, 난 정당하게 사업자 내고 법적으로 아무 문제없이 내 농장 경영하고 있어…. 그러니까 불만 있으면 신고를 하든지 고소를 하든지 맘대로 해!!

영순, 가려 하자 드롯백이 영순의 팔을 확 삽는다.

영순 놔!!… 돼지 똥 확 껴얹어버리기 전에…

팔을 탁! 치우는 영순. 가버린다. 헉! 황당한 얼굴로 서 있는 트롯백.

17. 읍사무소, 민원실 / D

씩씩거리며 읍사무소에 들어서는 트롯백.

트롯백 뭐? 인간에 대한 뭐가 없어?… 그래… 똑똑히 봐라. 내가 어떤 놈인지 아주 진정성 있게 보여주마. (직원들 향해 버럭!) 여기 축산계가 어디야!!!!!!!!!!!!

18. 읍내 거리 / D

푸쉬팝과 슬라임을 하나씩 들고 신난 서진과 예진. 미주가 피자 박스를 들고 아이들 사이에 서서 우산을 들고 있다.

미주 피자 좋아할 줄 알았는데… 반도 못 먹었네.

예진 느끼헌 것이 맛대가리도 읎고 파전만 못허던디… 넌 어떠?

서진 싱건지 말국이라도 있음 한 조각 더 먹어봤을 텐디….

예진 잠깐만… 우리 미국 가믄 맨날 이런 거 먹어야 되는 거 아니여?
으~~ 싫어. (미주 보며) 아빠보고 한국 와서 살라고 허면 안 돼요?
아!… 맞다… 아빠는 한국에 언제 와요?

미주, 흠칫한다. 동그랗게 눈을 뜨고 기대에 찬 얼굴로 미주를 보고 있는 아이들.

미주 아… 그게… 미용실이 바빠서 당분간은 못 오실 것 같아….

아이들의 표정이 굳어지는 듯하더니 이내 점점점 환해진다.

예진 휴~ 다행이다….

서진 그르게… 오신달까 봐 무서웠는디….

미주 응?

예진 (가리키며) 와~ 옷 가게 저깄다!

쪼르르 달려가는 서진과 예진. 웃으며 그런 아이들을 바라보다 문득 발걸음을 멈춘다. 네일샵 간판이 달려 있는 한 상가. [임대 문의]라고 쓰인 종이가 붙어 있다.

19. 옷 가게 / D

서진과 예진이 각자 옷을 고르고 있다.

옷 가게 주인 아… 즈 앞에 네일샵?… 문 닫은 지 한참 됐어요. 업종을 잘못 선택헌 거지… 읍내 장사야 죄~ 농사짓는 노인들 상대데… 이 시골서 누가 손톱에 매니큐 칠허고 있겄어요.

미주, 씁쓸한 얼굴로 다시 네일샵을 쳐다본다.

20. 마을회관 / D

큐빅이 박힌 예쁜 손으로 새알심을 빚고 있는 정씨. 호박죽 끓이는 박씨. 이장과 청년회장, 양씨 부부는 각각 호박을 깎고, 속을 파내고 자르고 있다.

이장 매해 번거롭긴 혀도 이렇게 싹 잘라 말려놓으면 겨우내 호박씨, 호박죽, 호박전, 호박떡 간식으로 최고지. 이 호박이 심장병, 뇌졸중, 노화방지… 특히 다이어트에 치명적으로 좋댜….

청년회장 삼식이 엄마… 많이 먹어…. 다이어트에 좋댜….

박씨 난 뇌졸중 땜에 먹어야 헐 것 같햐… 하… 열 뻗쳐서…. 아니 모여서 같이 일허자고 그렇게 일렀건만 어떻게 매번 그렇게 코빼기도 안 보여?

이장 에이… 너무 그르지 마…. 돼지 멕이는 게 어디 보통 일이여?

박씨 (버럭) 내가 언제 강호 엄마 말했어유?!!!

이장 큼….

박씨 힘들게 만들어놓으면 와서 처먹을 줄이나 알지…. 곱게 처먹으면 말도 안 햐…. 사람 속은 있는 대로 뒤집어놓고… (이장 보며)

아니, 이장님은 도대체 어디서 그딴 마나님을 만났대유?

정씨 그르게… 그러고 보니 두 분 언제 어떻게 만났죠?

청년회장 나도 그 얘긴 못 들었네…?

이장, 가만히 고개를 숙이고 심각하게 고민하다가…

이장 흠… 그동안 말을 못 혔는디… 이젠 때가 된 거 같네….
사실… 우리 마누라는 일본의 한 신흥 조직 야쿠자 두목의
딸이었으.

동네 사람들 예?!!!!

이장 상대 조직의 공격을 피해 가족이 뿔뿔이 흩어지면서 한국까지
숨어들어온 거제. 그렇게 정처없이 여기저기 헤매고 다니다
쓰러진 걸 내가 발견헌 거여.

인서트 과거

숲에 엎어져 쓰러져 있는 젊은 이장 부인. 젊은 이장이 다가가 얼굴을
들어보자 진흙으로 덮여 얼굴을 알아볼 수 없다.

이장 그녀의 정체가 새어나가는 날… 이 마을엔 피바람이 불 거여.
그니께… 다들 죽고 싶지 않으면…… 죽을 준비혀! 호박죽!!

이장이 푸하하하하 웃음을 터뜨린다. 황당해하는 사람들.

정씨 아휴… 깜짝이야…. 이장님 답지 않게… 뭔 실없는 소리를….

박씨 (뒷목 잡으며) 아이구… 아이고 두야…. 두 부부가 쌍으로 염장을

지르네….

그때, 쾅! 문이 열리더니 커다란 톱을 들고 서 있는 이장 부인. 허걱! 놀라 몸을 움찔하는 사람들.

이장 부인 어떤 놈 대가리부터 뽀갤까요?

일동 헉!!

이장 (놀라) 뭘… 뭘… 뽀개?

이장 부인 호박이요~~ 호박 뽀갤 땐 톱이 최고죠!

그러다 '꺄악!!!!!!!!!!!!!!!!!!' 소리를 지르더니 톱을 내던지고 정씨의 손을 잡는 이장 부인.

이장 부인 (손톱을 들여다보며) 세상에… 이게 뭐야!!!!! 미쳤어, 미쳤어… 너무 예쁘다…. (정씨 보더니) 미주… 맞죠?!!

사람들 미주?

21. 트럭 / D

카스테레오에서 ♪ **나는 행복합니다~** 가 흐르고 있는 가운데 이어폰으로 통화하고 있는 영순.

축산계장 사장님이야 누구보다 농장 관리 신경 써서 잘 하시는 거 알죠. 근데 저희가 또 공무원이잖아요. 민원이 들어오면 어쩔 수가 없어요.

영순 죄송해요… 바쁘신데 괜히 저희 농장 때문에….

축산계장 아닙니다. 직접 찾아뵙고 말씀드려야 되는데 요즘 구제역 특별 방역기간이라 농장 출입이 힘들어서….

영순 네, 알아요…. 제가 어떻게든 잘 해결해 볼 테니 걱정 마세요… 네, 수고하세요.

전화를 끊는 영순, 인상을 쓰며 배를 어루만진다. 강호, 영순 옆에서 노래에 맞춰 박수 치기 운동을 하고 있다. (합장박수- 주먹박수- 손끝박수- 손등박수- 만세박수 순으로) 노래가 끝나자 다시 방에서 악력기 꺼내더니 열심히 쥐었다 폈다 하다가…

강호 이것 봐요. (악력기 끝까지 쥐며) 나 이제 끝까지 할 수 있어요.

영순 우와… 우리 아들 진짜 최고다!… 것 봐… 열심히 운동하니까 할 수 있지? 다리도 열심히 치료받고 운동하면 금방 걸을 수 있을 거야.

영순이 얼굴을 쓰담쓰담해 주자 기분 좋아진 강호.

강호 저기… 엄마…. 나 갖고 싶은 게 있어요.

영순 갖고 싶은 거? 와~ 우리 강호가 갖고 싶은 게 다 있어? 말해 봐… 엄마가 다 사줄게.

강호 강아지요.

영순 강아지?… 강아지는 농장에 있잖아. 누렁이….

강호 아니… 누렁이 말고 이장 아줌마처럼 방에서 키우는 강아지요. 이렇게 안고 다닐 수 있는.

영순 에이~ 안 돼…. 더군다나 방에서 키운다니…. 그 털이며 똥, 오줌 누가 치울 거야? 밥은 누가 주고 목욕은 누가 시킬 거냐고….

강호 내가… 내가 다 할께요… 내가….

영순 너 오늘 아침밥 누가 차려줬어?

강호 엄마가요….

영순 목욕은 누가 씻겨주고 바지는 누가 입혀줬어?

강호 ….

영순 게다가 강호, 너 비염도 있고… 안 돼 안 돼….

강호 아아… 엄마… 제발요….

영순 글쎄… 강아지는 안 돼…. (끼익 차를 세우고는) 다 왔다, 내리자.

강호, 시무룩해진다.

22. 재활병원, 치료실 / D

치료사, 목에 걸린 핸드폰 스톱워치를 보고 있고… 그 앞에 쌍지팡이를 잡고 끙끙대며 버티고 서 있는 강호.

치료사 30초… 좋아요…. 아주 잘 버텼어요.

강호 후~ (털썩 휠체어에 주저앉는다)

치료사, 스톱워치를 끄자 액정 잠금 화면에 강아지 사진이 보인다.

치료사 자, 강호 씨 이번엔 발을 한번 움직여볼까요?

강호 (빤히 치료사를 바라보더니) 저… 어떻게 하면 살 수 있어요?

치료사 (안타까운 얼굴로) 하… 왜 또 그런 약한 소리를 하세요? 강호 씨 지금도 아주 잘 살고 있어요, 너무너무 잘하고 있다구요.

강호 강아지요….

치료사 (주먹 불끈 쥐고) 그럼요!!… 강하죠. 강하고 말구요.

강호 (치료사 핸드폰 잡고) 아니, 여기 이 강아지요. 이거 어떻게 하면 살 수 있냐구요?

치료사 잉?

23. 재활병원, 내과 대기실 / D

커다란 티브이 화면에 구제역 관련 뉴스가 흘러나오고 있다.

기자 전북 김제의 돼지 농장에서 구제역이 발생한 지 사흘 만에 고창에서도 구제역이 발생하자 방역당국은 전국으로 확산하는 것을 막기 위해 안간힘을 쓰고 있습니다.

환자복을 입고 의자에 앉아 티브이를 보고 있는 영순.

간호사 진영순 님. 내시경실로 이동하실게요.

영순 아, 네….

간호사를 따라가는 영순. 그 뒤로 계속해서 뉴스가 흐른다.

앵커 다음 소식입니다. 제일미래당 오태수 의원이 제16대 대통령 후보 선출을 위한 경선 참여를 선언했습니다. 차기 대선주자 지지율에서 압도적 1위를 달리고 있는 오태수 의원은…

영순, 멈칫하더니 티브이 화면을 돌아본다. 환호하는 지지자들과 악수하는 오태수.

영순 어?… 저 사람… 오태수?… 맞아… 그때 그 검사!! (빙그레 웃으며) 세상에… 대통령 나오나 보네….

24. 호텔 레스토랑 / N

맞선남과 함께 앉아 있는 하영… 식사를 막 마친 상태다.

맞선남 식사 어떠셨어요?

하영 맛있었어요.

맞선남 다행이네요… 이런 자리 어색해서 긴장 많이 했는데…. 하영 씨도 그렇죠?

하영 (희미하게 웃으며) 어른들의 이해관계로 만들어진 자리가

다 그렇죠… 뭐. 많이 불편하시면 빨리 일어날까요?

맞선남 많이 불편하니까 빨리 친해져야 되는 건 아니구요?
(빙그레 웃더니) 여기 차 좀 부탁해요.

차 리스트가 적힌 메뉴판을 받아 보는 하영과 맞선남.

맞선남 음… 전 카모마일로 할게요. 하루 종일 커피를 너무 많이
마셔서…. 하영 씨는요?

말없이 메뉴판을 쳐다보고 있는 하영… [대추차]라고 적힌 글자를 빤히
쳐다보고 있다.

강호 V.O 대추가 천연 신경안정제래요….

플래시백 2화 30씬, 보육원 일각

하영의 손에 검은 비닐봉지를 쥐여주는 강호.

강호 공황장애 심하지 않다고 했으니까 신경안정제 같은 거 먹지 말고
이거 푹 끓여서 자기 전에 마셔요. 새벽에 경동시장까지 가서
사 온 거니까 한 알도 버리면 안 돼요.

다시 현실. 굳어 있는 하영의 얼굴을 가만히 살피는 맞선남.

맞선남 하영 씨… 괜찮으세요?

하영 (메뉴판 탁! 덮더니) 우리 춤추러 갈래요?

25. 클럽 / N

'꺄아아아악!!' 사람들 틈에서 정신없이 춤을 추는 하영. 그렇게 한참을 신나게 춤을 추다 비틀거리며 자리로 돌아온다. 가방을 뒤져 신경안정제를 꺼내는 하영. 물과 함께 먹으려다 멈칫하더니… 빤히 약을 쳐다본다.

인서트 1 오태수 서재 (과거)

멍한 얼굴로 사진들을 보고 있는 하영. (영순네 내려가는 복장) 클럽에서 춤추는 하영을 지켜보고 있는 강호의 모습. 하영의 정신병원, 약국, 집, 공연장, 헬스장 등… 하영 주위를 맴도는 강호의 모습 등이 담긴 사진들이다. 하영, 당황한 얼굴로 사진들을 보다가 이내 표정 아무렇지 않게 고치며…

하영 이게 뭐요?… 절 좋아해서 따라다녔나 보죠. 그게 뭐 잘못됐어요?

오태수, 노트북 동영상을 켠다. 강호가 아기를 안은 황수현을 데리고 나와 차에 태우는 모습.

오태수 그놈에게 여자가 있었더구나…. 게다가… 아이까지도….

하영 !!!

오태수 그런데…

다음 영상, 강호가 바닷가에서 차를 밀어버리는 모습이 나온다.
헉!!! 충격적인 장면에 놀라는 하영.

오태수 너랑 결혼하기 위해서 지 여자와 애까지 죽였다.

하영 마… 말도 안 돼….

하영, 벌떡 일어나 불안한 듯 이리저리 걸음을 옮기다 홱 오태수를 쳐다본다.

하영 이걸 저보고 믿으라구요?… 아빠 정말 왜 이러세요?… 그래요, 이게 사실이라고 쳐요. 그럼 왜 당장 경찰에 신고하지 않으셨어요?

오태수, 그 말에 하영을 가만히 바라보더니 천천히 일어나 창문 밖을 바라본다. 그리고는 무겁게 입을 연다.

오태수 30년 전의 일이었다….

인서트 2 **영순네** (과거)

강호와 인사를 하러 내려간 날. 아무도 없는 차 안, 가방 약봉지에서 신경안정제를 꺼내는 하영.

오태수 V.O 놈은 제 아비의 죽음에 내가 관련이 있다는 걸 알고, 너를 이용해 내게 복수를 하려는 거다. 내가 만약 그놈을 신고하고 수사가 진행된다면 결국 이 모든 사실이 세상에 알려지겠지. 그럼 이 애비는 끝이야.

립스틱으로 신경안정제를 빻는 하영. 물통에 하얗게 빻은 신경안정제 가루를 넣는 하영.

인서트 3 도로 (과거)

조수석에서 자고 있는 강호. 운전석에서 그런 강호를 보며 스카프를 푸는 하영.

오태수 V.O 하영아… 우리가 먼저 끝내자.

E 끼이이익!!! 쾅!!!!!

다시 현실. 물끄러미 신경안정제를 쳐다보고 있는 하영. 테이블 위에 약을 내려놓더니 립스틱을 들어 빻기 시작한다. 쿵쿵쿵. 그리고는 양주잔에 스르르륵 약 가루를 떨어뜨리더니 꿀꺽꿀꺽 단숨에 마셔버린다. 입을 닦으며 흐흐흐… 흐흐… 웃는 하영…. 갑자기 들고 있던 잔을 테이블에 거칠게 내리친다. 쨍그랑, 하영 손에서 깨져버리는 잔…. 하영 입이 비틀어지며 흑흑흑 울기 시작한다.

26. 오태수네, 거실 / N

경선 참여를 축하, 응원하는 화분과 화환들이 즐비한 가운데… 몇몇 고위급 당원들로 보이는 사람들과 함께 앉아 술자리를 갖고 있는 오태수.

당원1 김표성 의원은 사학재단 비리 문제로 곧 사퇴 수순을 밟을 거고…. 이정길 의원의 경우도 아들 병역 비리가 터지면 여론이 상당히 악화될 겁니다.

오태수 이래서 군대 걱정 없는 딸자식이 최고라니까요… 하하하하.

모두가 크게 웃음을 터뜨리는데… 그때, 현관문이 열리며 손에 붕대를 감은 채 축 늘어진 하영을 들쳐 업고 들어오는 보좌관2. 놀라 부엌에서 뛰어나오는 태수 부인.

태수 부인 하영아!… 어머… 이… 이게 무슨 일이야?

보좌관2 유리잔에 손을 좀 다치셨습니다

태수 부인 아니… 어쩌다…

하영 흐흐흐… 내가 그랬어, 내가…. 내가 죽이려고 약 먹였어… 흐흐흐.

태수 부인 얘가 뭐라는 거야…. 얼른 위층으로 옮기세요.

하영 내가 그랬어… 내가 그랬다고!!

위층으로 올라가는 보좌관2의 등을 퍽퍽 때리며 소리 지르는 하영.
오태수의 얼굴이 싸늘하게 굳어진다.

27. 우벽그룹, 회의실 / D

이사회에 참석 중인 송 회장. 3/4분기 우벽그룹 주가동향이 담긴 그래프가 PPT 화면으로 보인다.

송 회장 이기 뭐… 포크볼도 아이고 갑자기 저래 뚝 떨어지노?

이사1 최근 2주 동안 대주주들이 이탈하면서 주가가 14% 이상 빠졌습니다.

송 회장 이유가 뭐야?

이사2 증권가에 오태수 의원 딸과 도상그룹 아들이 선을 봤다는 찌라시가 퍼지면서 큰손들이 발 빠르게 움직이는 것 같습니다.

송 회장 하… 올 게 왔구만….

28. 우벽그룹, 복도~화장실 / D

빠르게 걷는 송 회장 옆으로 소 실장과 차 대리가 따라오고 있다.

송 회장 강호도 저리 됐겠다… 목줄 풀린 개새끼가 따로 없겠지. 오장육부가 튀나올 만큼 숨구녕이 턱 맥히봐야 지 목줄 쥐고 있는 놈이 누군지 알낀데… 그제?

소 실장 양구만 유서… 찾아오겠습니다.

넥타이를 풀어재끼며 회장실로 들어서는 송 회장.

송 회장 소 실장아… 그거는 패가 아이다…. 죄짓고 뒈진 놈 유서에 지껄인 말을 누가 믿겠노?… 진짜로 강호 피가 묻은 생수 통을 찾아낸다 캐도 그걸 하영이가 믹있는지 우예 밝힐끼고…. 오태수 즈그도 다 안다. 검사 출신인데 와 모르겠노.

야구 배트를 집어 들고는 배팅기 앞으로 다가가 타격 포즈를 취하는 송 회장.

송 회장 언제, 어떤 상황에서도 꼼짝달싹 몬 하게 만들 확실한 히든에이스가 필요하겠제? (소 실장 쳐다보며) 가 온나.

탁! 배트를 크게 휘둘러 배팅기를 치는 송 회장.

29. 돼지 농장 / N

분만사, 분만 카드를 살피며 몇몇 어미 돼지 뒤쪽에 신문지를 깔고 할로겐을 켜놓는 영순. 온도계 체크한 후 축사 안 불을 끄려다 멈칫하더니 가만히 농장 안을 둘러보는 영순.

트롯백 V.O 냄새를 못 없애면 농장을 없애야지!! 지 혼자 먹고 살겠다고 남들은 다 굶겨 죽이겠다는 심보야, 뭐야?

후~ 무겁게 한숨을 쉬더니 불을 끄는 영순.

30. 영순네, 부엌 / D

음식을 만들고 있는 영순. 잡채, 나물, 마른반찬, 불고기, 갓김치 등등을 통에 퍼 담는다. 부엌 입구에 휠체어를 타고 영순을 보고 있는 강호.

영순 왜 거기 그러고 있어?

강호 엄마 보고 싶어서요. 엄마는 왜 이렇게 예뻐요? 티비에 나오는 사람보다 예뻐요. 아이유보다 더 예뻐요.

영순 안 된다고 했지?

강호 아아… 엄마… 제발…. 미주 씨가 강아지 좋아한단 말이에요!!

영순 미주?… (가만히 보다가 얼굴 환해지며) 세상에… 강호, 너… 미주 생각나?

강호 네. 계속 생각나요. 그러니까 미주 씨 보여주게 강아지 사주세요.

영순 미주는 결혼해서 미국에 살고 있어. 그러니까 강아지가 있어도 못 보여줘.

강호 미주 씨는 예진이 집에 살아요.

영순, 반찬들을 한군데에 놓고 보자기로 꽉 묶는다.

영순 엄마, 잠깐 저 윗집에 다녀올 거니까 어디 나가지 말고 집에 있어.

영순이 나간다. 강호, 흑! 좌절한 얼굴로 고개를 숙이고 있다가 갑자기 번쩍 고개를 든다.

31. 돼지 농장 앞 / D

강호가 휠체어를 타고 누렁이에게 다가온다.

강호 누렁아… 쩟쩟쩟쩟…. 이리 와봐…. 옳지… 착하다….

강호, 누렁이의 줄을 풀더니 안아보려고 애를 쓴다.

강호 가만있어봐… 가만히….

하지만 발버둥치는 누렁이, 결국 왈! 짖더니 강호 품에서 달아나 버린다. 때마침 모돈사에서 아기 돼지를 안고 나오던 안드리아가 그 모습을 보고는 놀란다.

안드리아 안 된다… 안 된다… 누렁이!!!

안드리아, 아기 돼지를 강호에게 주고는 얼른 누렁이를 쫓아 뛰기 시작한다. '개 섰거라!! 개 섰거라!!' 소리 지르며 농장 마당을 이리저리 뛰어다니는 안드리아와 누렁이. 멍하니 품에 안긴 아기 돼지를 보는 강호. 너무나도 귀엽다. 강호, 빙그레 웃더니 슬금슬금 휠체어를 움직이다가 쌩~~ 달려 도망가기 시작한다.

32. 트롯백네 앞 / D

벨을 누르는 영순. 하지만 인기척이 없다. 반찬 통을 문 앞에 놓고 주머니에서 쪽지 하나를 꺼내 보자기 사이에 꽂는 영순. 돌아서다가 문득 다시 돌아본다. [백훈아]라는 명패가 보인다. 다시 고개를 돌리는 영순. 그때 두둥! 눈앞에 나타난 모델링팩을 한 이장 부인.

영순 (놀라) 엄마야!!… 아휴 놀래라.

이장 부인 하루 이틀 보는 것도 아닌데 뭘 그리 놀라세요?

영순 그… 그러게요. 어디 가시나 봐요~

이장 부인　　네일아트 하려요….

영순　　아~ 네… 그럼 다음에 뵐게요.

이장 부인, 호랑이를 안고 지나간다. 가슴을 쓸어내리며 걸음을 옮기는 영순, 문득 걸음을 멈추더니 이장 부인을 돌아본다.

영순　　저기… 혹시…

이장 부인　　?

영순　　(강아지 가리키며) 얘는 종류가 뭐예요?

이장 부인　　…개요.

영순　　아… 그건 아는데…. 품종이 뭔가 해서?

이장 부인　　(갸웃하더니) 비… 비… 비광? 뭐 그런 비슷한 거였는데….

영순　　아~ 비숑?

이장 부인　　아~ 비숑… 비숑… 비숑…비숑 (열심히 외우면서 사라진다)

영순, 황당하게 쳐다보다 피식 웃는다.

33.　　읍사무소, 민원실 / D

영혼이 빠져나간 얼굴로 앉아 있는 축산계장. 그 앞에 트롯백이 서 있다.

축산계장　　글쎄, 무슨 말씀인지는 알겠는데요. 엄밀히 따지면 마을에 농장이 먼저 들어왔고 그 후에 선생님께서 이사를 오신

	거잖아요. 이런 상황에서는 저희도 도와드릴 수 있는 게 없어요. 농장 측엔 충분히 말씀드리고 계도했으니까…
트롯백	계도?… 계도?… 이런 씨… 계도는 개도 하겠다! 아니… 국민이 힘들다잖아. 대한민국 국민으로서 누려야 할 행복추구권을 뺏기고 있다고!! 근데 아무것도 못 해줘? 막말로 니들 월급 누가 주냐? 국민이 준다고 국민!!… 나!!
축산계장	말씀이 심하시네요. 그렇게 따지면 농장주도 국민입니다…. 그분은 세금을 안 냅니까? 농장에서 뭐 불법행위라도 했어요? 왜 아무 죄도 없는 사람을 못살게 굽니까?!!!
트롯백	허… 이게 어따 대고 소리를 질러?… 너 이름 뭐야? 내가 농림부 장관한테 말해서 너 이 새끼 꼭 짜르고 만다.
축산계장	그러십시오. (혼잣말처럼) 평생을 같이 산 마을 사람들도 아무 말 없구만… 어디서 갑자기 굴러들어 와서는.
트롯백	뭐?!!…너 지금 뭐라 그랬어? 굴러? 너… 너 두고 봐!!! 두고 봐, 새꺄!!!!

트롯백, 발길로 책상을 팡 차더니 씩씩거리며 나간다. 하~~ 고개를 절레절레 흔드는 축산계장.

34. 정씨네, 마루 / D

모델링팩을 붙이고 '비송, 비송' 중얼대는 이장 부인의 손에 네일아트를 해주고 있는 미주. 그 옆으로 손가락을 들여다보며 좋아하고 있는 박씨를 비롯한 마을 여자들. 양씨도 보인다.

양씨 시상에… 너무 이쁘다~

박씨 아니, 남자가 뭐 이런 걸 혀?

양씨 내가 헌 거 아니여. 꽃선녀님이 허신 거지.

양씨 처 아휴… 아까워서 이 손으로 어떻게 일을 하지?

박씨 일은커녕 난 물 묻히기 싫어서 밥도 못 해먹을 거 같은디?

정씨 남편 시켜… 남편…. 남편 뒀다 뭐 햐….

박씨 그를까?… 처녀 적 손이 됐으니께 이뻐서 봐줄려나?

까르르 웃는 여자들.

이장 부인 어머… 처녀 적에도 손이 그렇게 솥뚜껑 같았던 거예요?

박씨 뭐? 솥… 솥뚜껑?

이장 부인 아!… 아니다. 솥뚜껑은 좔좔 윤기라도 나지?

박씨 …이런… 쓰버럴!!!

박씨를 잡아 말리는 정씨와 마을 여자들. 소리 없는 아우성 속에…

이장 부인 (아무렇지 않게 미주에게) 요쪽에 큐빅 하나만 더 박아주라….

35. 정씨네 앞 / D

서진과 예진이 힘없이 쭈그리고 앉아 있다. 바닥에 통통볼을 통통 튀기고 있는 예진.

예진 이건 은제 와서 갖다 놨댜?

서진 갖다 놓은 건 아닌 거 같어… 수챗구멍에 빠져 있던 걸 보믄….

예진 후~~~ 이제 강호… 못 만나는 건가?

서진 에이… 한동네 살면서 그게 쉽겄어? 오다가다 보겄제.

예진 그럼 모르는 척 허야 되나?

서진 눈인사 정도야 어떨라고….

예진 에유… 불쌍한 강호…. 우리가 안 놀아준께 심심허겄다.

서진 근데 난 왜 우리가 더 심심해 보이제?

그때, 예진과 서진 앞을 지나가는 휠체어 바퀴. 예진과 서진이 스르르 고개를 든다. 아기 돼지를 안은 강호가 서진이와 예진이를 의식하며 지나가고 있다.

예진 어!! 강호… 아니 강호 오빠… 강호 삼촌?

강호 (짐짓 놀란 척) 어! 서진아, 예진아!… 여기는 어쩐 일이야?

서진 음… (뒤를 가리키며) 여가 우리 집이라 웬만하면 여깄어….

강호 아… 그렇지….

예진 근디, 그건 뭐여? 오매… 돼지여?

강호	아… (번쩍 들며) 얘는 내가 키우는… 음… 음…(생각하다가) 사자야!!
서진	강아지는 호랑이고 돼지는 사자고… 참 동네 희한혀….
예진	안아봐도 돼?
강호	응?… 아… 응.

강호, 예진에게 아기 돼지를 건넨다. 서진과 예진이 귀엽다며 아기 돼지를 쓰다듬는데 계속해서 대문을 쳐다보는 강호.

강호	근데… 혹시 집에 딴 사람 없어?
예진	딴 사람?… 엄청 많은디….
강호	엄청 많어?

그 순간, 꽥꽥 몸부림치더니 홱 예진 손에서 벗어나는 아기 돼지. 쏜살같이 도망가기 시작한다. 헉!!!!!!!!!!!!!!

강호	아… 안 돼!!! 사자야!!!!

강호, 미친 듯이 휠체어를 밀어 아기 돼지를 쫓는다. 그 뒤를 쫓아 뛰기 시작하는 예진과 서진.

36. 돼지 농장 앞 / D

놀란 얼굴의 영순.

영순 뭐? 강호가 돼지를 들고 나갔다고?

안드리아 죽을 죄를 지었습니다. 싸장님….

영순 하….

영순, 뛰어나간다.

37. 아기 돼지 쫓기 몽타주

- 도망치는 아기 돼지, 그 뒤를 쫓는 강호와 예진, 서진.
- 마을 이곳저곳을 정신없이 도망 다니는 아기 돼지. 박씨네를 돌아, 이장네를 돌고, 콩밭을 지나, 배추밭을 지나, 비닐하우스 고추밭을 지나, 농작물은 엉망이 되고…
- 냇물로 달려가는 돼지를 향해 '위험해' 하며 신발을 벗어 던지는 강호. 신발은 물에 빠져 사라지고, 방향을 틀어 다른 데로 도망가는 돼지.
- 여기저기 강호를 찾아다니는 영순.
- 큰 길가로 나간 아기 돼지… 아슬아슬 달려오는 차를 피해 달아나고… 강호, 예진, 서진도 차를 피해 달려가고…

38. 도로 / D

오픈카 타고 통화하며 오고 있는 트롯백.

트롯백 너 지난번에 농림부 장관이랑 무슨 사이라고 했지? 응… 농림부 장관의 딸… 친구? 딸의 친구?… 응… 그 친구가 니 사돈의 16촌 조카? 야… 이 새끼야… 그게 뭔 사이야…. 나랑 김정은도 그것보단 가깝겠다!!

좌회전을 하려고 핸들을 꺾는 트롯백. 그때, 눈앞에서 달려오는 아기 돼지.

트롯백 어?… 저게 뭐야… 어… 어어어어…

급하게 다시 핸들을 꺾는 트롯백. 차가 이리저리 크게 휘청이더니 이내 길가 연석에 차를 지이이익~ 긁고는 멈춰 선다. 그 바람에 길가에 고여 있던 진흙 흙탕물을 뒤집어쓰는 트롯백. (그때, 옆을 뛰어가는 강호와 예진, 서진.)

트롯백 야!!!! 야!!! 니들 거기 서!! 거기 서!!!

하지만 헛바퀴만 돌 뿐 움직이지 않는 오픈카.

트롯백 이런 옘병!!!!!!! 아오!!!!

핸들을 팍팍 내리치는 트롯백.

39. 마을 일각 / D

아기 돼지를 쫓아 다시 들어오는 강호와 서진, 예진. 서진과 예진이 지쳐서 헉헉댄다.

강호 (가다가 멈춰서 돌아보더니) 얘들아!! 빨리 와.

예진 헉헉… 난 더 이상 못 가….

서진 그려… 우린 틀렸어… 너나 어여 가….

강호, 아기 돼지가 간 쪽과 아이들 번갈아 보더니… 달려와 예진과 서진에게 손을 빌린다.

강호 이리 와….

예진 셋이 타다 니네 엄마헌티 걸리면 우린 죽을 텐디….

강호 이미 사자 때문에 죽었어…. (손을 턱 내밀며) 자…… 강호!

예진 예진!

서진 서진!

다 함께 합체!!!!

달려와 강호의 휠체어에 각각 매달리는 서진, 예진. 그렇게 합체가 되어 달리는 세 사람.

40. 정씨네 앞 / D

마을 사람들과 인사하는 미주와 정씨.

박씨 (손톱 흔들며) 이쁜 손톱 고마워.

이장 부인 다음엔 우리 애기 발톱도 꼭 네일아트 해줘!

박씨 지랄은….

정씨가 박씨를 툭 친다.

미주 (웃으며) 다들 조심히 들어가세요.

우르르 몰려 사라지는 사람들.

미주 나… 여기서 네일샵 차려볼까? 아까 봤지? 다들 엄청 좋아하잖아. 아무리 시골 사람이래도 여자거든. 예쁘고 싶은 거지.

정씨 돈은 있고?

미주 ….

정씨 근데 뭘로 가게를 차려? 가서 밥상이나 차려~

정씨, 들어가고… 시무룩한 미주도 돌아서 들어가려다 멈칫! 다시 고개를 빼쳐다보면 저쪽 길에서 이리로 달려오는 아기 돼지 한 마리.

예진 엄마… 잡아…. 사자 잡아!!!

미주, 바라보면 저 멀리 강호와 합체되어 달려오는 예진과 서진.
미주, 당황하는데…

서진 엄마, 빨리!!!! 잡아요!!!

미주, 얼결에 달려오는 아기 돼지를 막아서다 확 잡아 올린다.

다가와 미주 앞에 멈춰 서는 강호.

강호 와… 잡았다, 잡았어…. 헉헉… 고맙습니다.

미주, 굳은 얼굴로 얼른 아기 돼지를 강호에게 건네준다. 그때, 어디선가 들려오는 ♪ **나는 행복합니다** 음악 소리…. 마치 〈끝까지 간다〉의 조진웅 등장 씬 같은 오싹한 공포. 순간, 사색이 되어버리는 강호와 예진, 시진.

예진 (강호에게) 히익! 아줌마다!! 빨리 도망가!!! 빨리!!

그러자 갑자기 뒤돌아 도망가기 시작하는 강호. 그리고 곧 모퉁이를 돌아 나타나는 영순.

영순 야!!! 최강호!! 너 거기 안 서!!!!! (전화 받더니) 여보세요?… 아, 네… 원장님.

동물병원 원장 아까 부탁하신 강아지 말인데요…. 비숑 말고 푸들은 어떠세요?

영순 아… 제가 금방 다시 전화 드릴게요. (전화 끊고) 너 거기 서!!!!

영순, 강호가 달려간 쪽으로 뛰기 시작하다가 문득 걸음을 멈추더니 스르르 돌아본다.

영순 미… 주?

41. 정씨네, 마루 / D

어색한 얼굴의 미주와 영순이 함께 앉아 있다.

영순 세상에… 강호가 말한 게 진짜 미주 너였구나….

정씨 오매… 강호가 미주 얘길 혔어?

영순 자꾸 미주한테 강아지를 보여줘야 된다고 그래서 뭔 말인가 했거든요. 그래 이번에 아주 들어온 거야? 애들 아빠는?

미주 …그게…

정씨 (얼른) 우리 사위는 미국에서 미용실 사업 크게 하잖아… 애들 때문에 일단은 야만 왔어….

영순 아~~ 그랬구나. 그래, 얼마나 좋아…. 능력 있는 남편에… 이렇게 이쁜 애들에….

그때, 영순의 휴대폰이 다시 울린다.

영순 강호 왔어? 그래, 돈사에 못 들어가게 잘 잡고 있어. (끊더니) 미안… 내가 지금 쫌 가봐야 돼서…. 나중에 집에 한번 놀러 와….

미주 (어색하게 웃으며) 네…

영순, 일어서서 나간다. 웃으며 배웅하는 미주… 표정이 굳어진다.

42. 도로 / D

흙투성이가 된 트롯백, 역시나 흙투성이가 된 오픈카를 타고 맹렬히 달려온다.

트롯백 넌… 넌… 죽었어!!!! 가만 안 둬!!!!

영순네 농장 입구를 향해 전력 질주하며 달려오는 트롯백의 오픈카.
그러다 안전 턱에서 속도를 못 줄이고 크게 덜컹!! 하더니 멈춰 선다.

트롯백 이런 씨…. 뭔 놈의 길을 이따위로 만들어놓고…

순간, 촤악~!!!!! 하는 소리와 함께 양쪽에서 분사되는 소독약.

트롯백 이게 뭐야? 웬 물이야?… 으… 으읍….

트롯백, 물살을 피해 여기저기 고개를 돌리다 옆에 붙은 팻말을 본다.
[출입차량 소독 철저, 인체에 유해하니 주의하시오]

트롯백 소독?

순간, 놀라 손에 냄새를 맡아보는 트롯백.

트롯백 윽!!… 안 돼!! 안 돼 안 돼 안 돼!

트롯백, 얼른 엑셀을 밟는데, 스르르 시동이 꺼져버리는 차.

트롯백 으아아아아아아~~~!!

43. 영순네, 마당 / D

한쪽 신발이 없어진 채 고개를 푹 숙이고 있는 강호. 그 앞에서 화난 얼굴로 돼지를 씻기는 영순.

영순 돼지가 얼마나 예민한 동물인 줄 알아?!! 한 마리만 병에 걸려도 금방 다 옮는다구! 이렇게 온 동네를 다 휘젓고 다녔으니 어디서 무슨 병균을 묻혀 왔을지 어떻게 알아? 지금 가뜩이나 여기저기서 구제역 터져서 난린데… 얘를 어떡할 거냐고….

강호 잘못했어요….

영순 (물수건으로 닦으며) 태어나자마자 엄마 잃고, 덩치도 작아서 다른 새끼들한테도 치이고… 겨우 동냥젖으로 키운 이 가엾은 애를….

강호, 그 말에 가만히 아기 돼지를 쳐다보더니…

강호 엄마… 얘 내가 키우면 안 돼요? 여기서 내가 우유도 주고, 씻겨주고, 재워주고 그럼 되잖아요.

영순 뭐어?

강호 난 엄마 있는데… 얘는 엄마 없으니까… 내가 엄마 해줄게요… 네?

영순 말도 안 돼… 더럽고 냄새나는 돼지를 어떻게 집 안에서 키워?

강호 돼지…… 하면 모두가 더럽고 냄새나는 동물이라고 생각하지만 사실 그렇지 않아. 돼지는 똥, 오줌도 한자리에서만 누고, 잠도 깨끗한 데서만 자. 그런데 사람들이 그런 돼지를 좁은 우리에 억지로 가둬놓은 거지. 참 가엾지 않니?……라고 엄마가 말했어요.

영순, 어이없어 강호를 보는데… 그때, 쾅쾅쾅쾅 대문 두드리는 소리가 들린다.

44. 영순네 앞 / D

영순이 대문을 열고 나오자 순간 영순 앞에 팍!! 날아와 떨어지는 반찬 통들.

트롯백 너 지금 병 주고 밥 주냐?!!!

영순 (얼른 달려가 쏟아진 반찬들 추스르며) 아휴… 아깝게….

트롯백 아까워?… 아까워?… (차를 가리키며) 이걸 보고도 그 소리가 나와?!!! 범퍼 박살 낸 지 얼마나 됐다고, 돼지 새끼 풀어놔서 흙탕물을 뒤집어쓰게 하질 않나…. 기기판에 그놈의 소독약 다 들어가서 시동이 걸렸다 꺼졌다…. 당장 폐차하게 생겼다고!!!

영순 아니… 그게 왜 제 잘못…

트롯백 니 잘못이야!!!! 이게 다 그놈의 징글징글한 돼지 농장 때문이라고!!!

영순 (잠시 생각하더니) 무슨 일인지는 잘 모르겠지만 아무튼 저희 땜에 피해를 보신 게 있다면 보상하겠습니다.

트롯백 보상?… 지금 보상이라고 그랬어?… 좋아… 그럼 1년에 10억씩 내놔.

영순 네에?

트롯백 내가 말했지… 나 작곡가야. 1년에 써내는 곡만 최소 육십 곡… 한 곡에 천만 원씩만 따져도 6억이야…. 거기에 앨범 인세에 저작권에…

영순 그동안 발표한 곡이 열 곡도 안 되던데요. 그것도 거의 다 표절 시비 걸려서 발매 중단되고…. 얼마 전 나온 곡도 나훈아 「홍시」랑 똑같아서 고소당했다고…

트롯백 누… 누가 그래!!!

영순 인터넷에서 봤어요…. (휴대폰 켜며) 작곡가 백훈아 검색하니까 연관검색어가 표절, 도박, 파산… 뭐 이런 거던데….

트롯백 (멍하니 보다가 확 영순의 멱살을 잡는다) 너… 너… 뭐야…. 왜 내 뒤를 캐고 다녀? 너 정체가 뭐냐고!!!

영순 왜 이래요?… 이거 놔요!!!

그때, 대문을 나온 강호. 트롯백에게 멱살을 잡힌 영순을 보고는 놀란다.
'야!!!!!!!!!!!!!!!!!!!!!!!!!!!!!' 하더니 미친 듯이 휠체어를 달리기 시작하는 강호.
트롯백이 놀라 손을 확 놓는다. 그 바람에 나동그라지는 영순.
강호, '어어어!!' 하며 뒷걸음질 치는 트롯백을 그대로 덮친다.

45. 파출소 / N

얼굴에 바퀴 자국이 난 트롯백과 영순, 강호가 나란히 앉아 있다.

경찰1 그러니께 여기 최강호 씨가 먼저 공격을 했다 이 말이쥬?

강호, 그 말에 얼떨떨한 얼굴로 주위를 살피더니…

강호 자… 잘못했어요… 잘못했어요.

강호가 손을 싹싹 빌기 시작하자 순간, 그런 강호를 확 움켜잡는 영순.

영순 빌지 마! 니가 뭘 잘못했다고 빌어!!… 너 절대 잘못한 거 없어….
(경찰 보며) 눈앞에서 엄마 멱살을 잡고 패대기치는데 참을 자식이
어딨어요?

트롯백 패대기를 치긴 누가 쳐!!… 저놈이 갑자기 달려드니까 놀래서
손을 놓친 거지!!… 아무튼 난 절대 합의 못 해주니까 이 새끼
구속시켜요.

한쪽에 앉아 있는 파출소장이 고개를 절레절레 흔든다.

파출소장 하아~ 쫌만 있으면 조우리가 범죄 없는 마을로 선정되는
이 시점에… 이장님 알면 난리 나겄네….

경찰2 자자… 이러지 마시고…. 여기 농장 사장님 인성도 훌륭하시고
동네 분들과도 얼마나 사이가 좋으신지 몰라요. 이왕 이렇게
한동네 이웃사촌이 됐으니께…

트롯백 이웃사촌 좋아하네… 내가 지금 고소할 게 한두 개가 아니야.
너 말해 봐…. 너 어제 우리 집 주거 침입했지? 그리고 아까
도로에 돼지 새끼 몰고 나왔어, 안 나왔어?

강호 사자예요.

일동 ….

트롯백 얘가 바보라서 그런데 돼지였어, 돼지….

영순 (버럭) 야!!!!!!!!!!!!!!!!!!!!!!!!!!!!!!

갑작스런 고함에 놀라 일제히 영순을 보는 사람들.

영순 바보라니!! 우리 아들 당신보다 훨씬 사리분별 정확하고 똑똑해!!!!

트롯백 (같이 버럭) 그래!!! 너 말 잘했다!!! (강호 가리키며) 너! 사리분별 정확하고 똑똑한 니가 말해 봐… 너 아까 나 사고 나는 거 봤어, 못 봤어?

강호 봤어요.

트롯백 들었죠?

강호 아저씨가 핸드폰 들고 한 손으로 운전하다가 가운데 노란 선 넘어서 왼쪽으로 꺾으려는데 사자를 보고 놀래서 비틀비틀하다가 길 옆에 처박혔어요.

순간 눈이 번쩍 커지는 파출소장.

파출소장 잠깐만… 뭐여…. 그럼 운전 중 휴대폰 통화에 중앙선 침범한 거네?

트롯백 네?… (당황해서) 아… 아니… 그게….

순간 벌떡 자리에서 일어나 트롯백을 향해 손가락질하며 소리치는 강호.

강호 휴대폰… 도로교통법 제49조 1항 10호 위반!
중앙선 침범… 도로교통법 제13조 3항 위반!

헉!!!! 겁에 질려 몸이 쪼그라든 트롯백. 입을 쩍~ 벌리고 강호를 보는 파출서장과 경찰들… 그리고 영순.

46. 태평양호, 내부 도박장 / N

담배 연기가 자욱한 도박장에서 서빙을 하고 있는 삼식. 재떨이를 갈고, 빈 캔과 양주 병, 쓰레기 등등을 치우고 있다.

손님 (만 원짜리 한 장 던지며) 야! 여기 담배 하나 가져와!!!

삼식 (바닥에 돈 주우며) 아, 예!!!

삼식, 카운터로 달려가 서랍에서 담배 하나 꺼내 윗면을 뜯더니 퉤퉤퉤 침을 뱉는다. 그리고는 달려가 손님에게 내민다.

삼식 맛있게 피십쇼.

공손하게 인사하는 삼식. 손님이 담배를 꺼내 피워 물자 킥킥킥 웃으며 돌아선다. 그때, 무언가를 보고 눈이 커지는 삼식…. 점점점 표정 일그러지더니… 갑자기 테이블에 뛰어 올라가 이 테이블, 저 테이블 밟고 맹렬히 달려가 한 남자를 퍽! 덮친다. 의자와 함께 쓰러진 남자의 멱살을 잡고 일으키는 삼식.

삼식 너 이 개새끼!!… 내가 그동안 널 얼마나 찾았는 줄 알아?!!!!!…

남자 바… 방삼식?

삼식 그래, 나다, 새꺄!!!!… 너 그거 장물인 거 알았지? 알면서 일부러 날 모넨 거지? (누늘겨 패며) 너 때분에 자그마치 3년을 깜빵에서 썩었어, 새끼야!!!

삼식이 남자를 향해 다시 주먹을 날리려는데…

남자 검사 친구 있다매!!!!

삼식 (움찔하고 멈춘다)

남자 난 그 친구가 금방 꺼내줄 줄 알았지…

겁에 질려 몸을 바들바들 떠는 남자. 삼식의 손이 힘없이 내려가는가 싶더니…

삼식 그딴 새끼 친구로 둔 적 없어!!!!!!!

삼식, 주먹이 날아간다. 퍽!

47. 박씨네, 안방 / N

티브이에서 폭행 사건과 관련한 뉴스가 흘러나오고 있다.

앵커 오늘 오후 부산의 한 유흥업소에서 조직 간의 폭력 사건이 벌어져 두 명이 사망하고 열일곱 명이 부상당하는 사건이 벌어졌습니다.

뉴스를 보며 밥을 먹고 있는 청년회장.

청년회장 아이고… 저런 새끼들을 둔 부모는 을마나 속이 썩어 문드러질까. 우리 삼식이가 손 기술은 있어도 싸움의 기술은 없어서 다행이여. 안 그려?

보면, 반짝반짝 큐빅이 박힌 손을 요염하게 흔들고 있는 박씨.

박씨 나 뭐 달라진 거 읎어요?

청년회장 (멍하니 보다가) 아… 이게 거기서 떨어진 거구먼… (입에서 큐빅 두 개를 차례로 꺼내 상에 놓는다)

박씨 어머… 그게 은제….

청년회장 괜찮어… 괜찮어…. 우리 마누라가 어언 40년 만에 섹시해졌는데….

청년회장, 게슴츠레 박씨를 바라보더니 갑자기 밥상을 홱 치우더니 박씨를 안고 쓰러진다. '아이고… 왜 이려유…', '가만있어봐…' 하는 말이 들리면서… 티브이 화면만 보인다.

앵커 다음 뉴습니다. 제일미래당 예비 대선 후보인 오태수 의원이…

48. 오태수네, 서재 / N

앵커 이번 태풍으로 특별재난지역으로 선포된 안선 지역 수재민 임시 대피소를 방문해 봉사활동을 펼쳤습니다.

어두운 방, 심각한 얼굴로 앉아 티브이를 보는 오태수. 화면 속 오태수와 하영 그리고 부인을 비롯한 몇몇 당원들이 수재민들에게 보급품과 식사를 나눠주는 모습이 보인다.

49. 수재민 임시 대피소 (과거) / N

생글생글 웃으며 보급품을 하나하나 나눠주는 오태수와 하영.

수재민1 대통령 되시면 제발 저희 마을 좀 도와주십쇼. 일 년이 멀다 하고 물난리니….

오태수 걱정 마십시오. 앞으론 이런 일 겪으시지 않도록 제일 먼저 조치하겠습니다.

수재민1 아이고… 감사합니다… 감사합니다….

수재민2 (하영 보며) 따님이신가 보네…. 세상에 어쩜 이리 곱대~

하영 (웃으며) 집에 돌아가실 때까지 희망 잃지 마시고 건강 잘 챙기세요.

'아이고, 어쩜 말도 저리 이쁘게 하네…' 수재민들이 웃으며 지나간다.

오태수 (하영만 들리게) 앞으로 공식적인 자리 외에는 외출 금지다! 당분간 공연도 잡지 말고 아무도 만나지 마!

하영 …이번에 제가 할 일은 그건가요? 네… 하라면 해야죠…. (핸드폰 건네며) 불안하시면 아예 가져가세요. 제가 또 무슨 미친 짓을 할지 모르잖아요?

오태수 (노려보더니) 똑똑히 들어…. 만에 하나 내 길에 걸림돌이 된다면 가만두지 않을 거다. 그게 너라고 해도….

하영, 그 말에 오태수를 가만히 쳐다보더니…

하영 걱정 마세요. 지금 대한민국에 아빠를 위협할 수 있는 건 아무것도 없으니까. 혹… 그 사람 기억이 다시 돌아온다면 모를까.

오태수, 굳은 얼굴로 홱 하영을 본다. 하영, 피식 웃더니 다시 수재민들에게 보급품을 나눠준다.

50. 오태수네, 서재 / N

휠체어를 타고 있는 밝은 모습의 강호의 사진 몇 장이 보인다. 쾅!! 책상을 내리치며 벌떡 일어나는 오태수. 초조하게 한동안 서재 안을 왔다갔다 하더니… 홱 휴대폰을 쳐다본다. 굳은 얼굴로 폰을 들어 어딘가로 전화하는 오태수. 싸늘하게 말한다.

오태수	최강호…… 정리하자….

51. 도로 / N

트럭을 운전하는 영순, 옆에서 휴대폰에 찍힌 아기 돼지 사진을 보며 웃고 있는 강호. 영순, 강호를 자꾸만 흘낏흘낏 쳐다보더니…

영순 저기… 강호야….

강호 네?

영순 그러니까 그… 아까 니가 경찰서에서 했던 말 말이야… 도로교통법…. 그거… 어떻게 생각이 났어?

강호 (스르르 영순을 쳐다보더니) ……도로교통… 예?… 그게 뭐예요?

영순, 하아~~ 한숨을 쉬더니 배를 쓰다듬는다.

52. 영순네 앞 / N

영순의 트럭이 집 앞에 멈춰 선다. 차에서 내리는 영순, 휠체어를 꺼내 조수석으로 다가오자 강호가 내린다.

영순 집에 먼저 들어가 있어…. 엄마, 잠깐 이장님 댁에 좀 다녀올게.

강호 같이 가요.

영순 아… 아니야…. 엄마 금방 갔다 올 거야….

강호 그래도…

영순 (얼른) 아 맞다!… 사자는? 사자 저녁도 못 먹었을 텐데?

강호 아!… 사자!… 사자사자…

강호, 허겁지겁 안으로 휠체어를 밀고 들어간다. 영순 웃으며 강호를 보다가… 강호가 사라지자 흡! 배를 움켜잡고 빠르게 걷기 시작한다.

53. 이장네, 거실 / N

물과 함께 약을 꿀꺽 삼키는 영순. LED 마스크를 한 이장 부인과 이장이 옆에 앉아 있다.

이장 어떤 옘비랄 놈이 쌩지랄을 혀서 사람을 이 지경을 만들어?

영순 아유… 아니에요… 그냥 위경련이 좀 난 거예요…. 금방 괜찮아질 거예요….

이장 부인 자꾸 아파서 큰일이네…. (약통 보이며) 강호 엄마 땜에 약통에 씨가 말랐어요.

이장 이놈의 여편네가 쓸데없는 말을 하구….

이장 부인 아니… 뭐… 그냥 그렇다구요…. 신경 쓰지 마세요… 약 채워 넣느라 기둥뿌리가 뽑힐 지경이지만….

영순 (웃으며) 죄송해요…. 제가 내일 읍내 가서 약 사다 채워 넣을게요.

이장 이렇게 자꾸 아프면 검사 좀 해봐야 되는 거 아니여?

영순 그러지 않아도 어제 내시경 받았이요. 다음 주에 결과 나올 거예요.

이장 이것저것 너무 신경 써서 그랴…. 그 작곡간가 뭔가 하는 놈은 내가 만나볼 테니께 너무 속 끓이지 말구….

영순 감사합니다… 이장님….

54. 마을 일각 / N

으슥한 마을 일각에 검은 오토바이 한 대가 멈춰 선다. 헬멧 안 시선으로 마을을 주욱 훑더니 영순의 집에 시선이 멈춘다…

55. 영순네, 안방 / N

걸레를 들고 아기 돼지가 여기저기 싸놓은 똥을 닦고 있는 강호.

강호 휴~~ 다행이다… 엄마가 이장님 집에 가셔서….

그러다 눈이 커지는 강호, 아기 돼지가 또 똥을 싸고 있다.

강호 야!! 안 돼!!… 그만 좀 싸!!!

강호, 팔꿈치로 기어가 똥을 닦기 시작한다.

강호 이러면 우리 둘 다 쫓겨나….

인서트

끼익~ 대문이 열리며 집 안으로 들어오는 음산한 검은 그림자. 강호가 있는 안방을 향해 다가가기 시작한다. 한참 걸레질을 하다 밖에서 나는 인기척에 멈칫하는 강호.

강호 윽!!! 엄마다…. 어떡해… 어떡해…!!!!

정신없이 방을 닦는 강호. 순간, 방문 손잡이가 끼익~ 돌아가더니 서서히 문이 열린다. 얼른 걸레를 뒤춤에 숨기고 문 쪽을 향해 환하게 웃는 강호…. 그러다 표정이 굳어지더니 점점 눈이 커진다.

강호 누… 누구세요?

순간, 스윽… 칼을 꺼내는 검은 그림자. 일말의 주저함도 없이 강호를 덮친다.

강호 악!!!

EPISODE 6

그치만 아시잖아요.

강호, 누구보다 강한 애라는 거….

두고 보세요… 절대 저렇게 무너지지 않아요.

반드시 일어날 거예요.

1.　　영순네, 대문~안방 / N

스윽… 대문이 열리며 조심스레 들어오는 발…. 화면 커지면… 소 실장이다. 그 뒤를 쫓아 들어오는 차 대리, 얼른 부엌문을 열어보더니 마루로 뛰어 올라가 욕실과 작은 방을 차례로 열어본다. 마지막으로 안방을 열어보는 차 대리.

차 대리　　(놀라) 으아악!!!

소 실장, 그런 차 대리를 보고 얼른 뛰어 와 안방을 보더니 역시 으윽!!… 인상이 구겨진다. 여기저기 똥을 싸놓고 돌아다니고 있는 아기 돼지.

소 실장　　(표정 가다듬더니) 찾아!

차 대리　　네!!

소 실장과 차 대리 흩어져 집 안 이곳저곳을 뒤지기 시작한다. 서랍장 속의 물건들, 이불장 속 패물함까지 모조리 쏟아져 나온다. 그렇게 얼마나 뒤졌을까… 갑자기 대문 열리는 소리가 나며…

강호　　V.O 사자야!!!… 사자야, 엄마 왔어!!

순간, 서로 눈 마주치는 소 실장과 차 대리… 재빨리 장롱 속으로 몸을 숨긴다. 방문을 열고 들어오는 강호, 눈이 커진다.

강호　　으악!!!!! 안 돼!!!!!

강호, 정신없이 방을 치우기 시작한다. 그러다 패물함을 발견하고는 스르륵 아기 돼지를 보는 강호.

강호 이건 어떻게 꺼냈어?

강호, 갸웃하더니 패물함을 들고 장롱으로 다가간다. 소 실장과 차 대리가 있는 쪽 문을 열기 시작하는 강호. 점점점 긴장감이 고조되는데…

강호 아참… 이쪽이 아니지….

강호, 문을 닫고 반대쪽 장롱을 열더니 이불 사이에 패물함을 넣는다.
후우~ 안도의 한숨을 쉬는 소 실장과 차 대리.

2. **영순네, 욕실 / N**

세면대에서 열심히 걸레를 빨고 있는 강호.

3. **영순네, 안방 / N**

좁은 공간에 마주 보고 바짝 붙어 서 있는 소 실장과 차 대리. 서로의 숨결이 너무나도 어색하고 난감하다.

차 대리 지금 나갈까요?… 이러다 어머니까지 오시면…

소 실장 너 저녁 뭐 먹었니?

차 대리 훙어요….

소 실장 후….

소 실장, 살짝 장롱 문을 여는데… 그때, 다시 들어오는 강호, 얼른 다시 문을 닫고 문틈으로 강호를 보는 소 실장. 강호, 바닥을 닦기 시작한다.

강호 휴~~ 다행이다… 엄마가 이장님 집에 가셔서…. (아기 돼지가 또 똥을 싸자) 야!! 안 돼!!… 그만 싸!!! (똥을 닦으며) 이러면 우리 둘 다 쫓겨나….

그때다. 밖에서 나는 인기척.

강호 윽!!! 엄마다…. 어떡해… 어떡해…!!!!

정신없이 방을 닦는 강호. 순간, 방문 손잡이가 끼익~ 돌아가더니 서서히 문이 열린다. 얼른 걸레를 뒤춤에 숨기고 문 쪽을 향해 환하게 웃는 강호…. 그러다 표정이 굳어지더니 점점 눈이 커진다.

강호 누… 누구세요?

스윽… 잭나이프를 꺼내는 검은 사내… 강호를 향해 달려든다.

강호 악!!!

순간, 장롱 문이 열리며 뛰어나오는 소 실장과 차 대리. 차 대리, 엄청난 싸움 실력으로 검은 사내를 쓰러뜨린다. 으악!!! 머리를 감싸고 엎드려 바들바들 떠는 강호. 도망가는 검은 사내, 뒤쫓는 소 실장과 차 대리.

4. 마을 일각 / N

달려오는 검은 사내, 오토바이를 타고 출발한다. 소 실장, 간발의 차로 검은 사내의 오토바이를 놓치고 마는데… 그때, 차를 끌고 나타나는 차 대리. 차에 오르는 소 실장… 출발한다.

5. 도로 / N

도로 위 긴박한 추격전. 아슬아슬 멀어졌다 가까워졌다를 반복하는 소 실장의 차와 검은 오토바이. 순간, 홱 옆길로 꺾어 들어가는 오토바이.

6. 자동차 / N

차 대리가 핸들을 꺾으려 하자…

소 실장 (휴대폰 지도 보며) 아니… 그대로 직진…. 다음 교차로에서 좌회전한다.

7. 도로 / N

좁은 길을 빠져나와 대로변으로 들어서는 오토바이. 뒤따라오는 차가 없음을 확인하고 어딘가로 전화를 건다.

사내 집 안에 웬 놈들이 잠복을 하고 있었습…

순간, 어디선가 나타나 소 실장의 차. 놀라 방향을 틀다 그대로 뒤집혀 버리는 오토바이.

8. 오태수네, 서재 / N

전화기를 들고 있던 오태수… 부들부들 떨더니 어딘가로 전화기를 힘껏 집어 던진다. [오태수 의원님의 경선 출마를 축하합니다. 송우벽] 쓰인 난 화분이 그대로 박살 난다.

9. 영순네, 안방 / N

놀란 얼굴로 서 있는 영순.

영순 이… 이게 다 뭐야?

보면, 여전히 바닥에 머리를 묻고 바들바들 떨고 있는 강호. 스윽, 고개를 들더니 '엄마~~~' 하고 기어 와 영순의 다리를 끌어안는다.

강호 어떤 무서운 사람들이 나타나서 방을 막 이렇게 만들어놨어요.

영순 (어이없는 듯) 대문도 잠겨 있었는데 누가 어디서 나타나?

강호 모… 몰라요… 아! 맞다… 저기 장롱에서 나타났어요.

영순, 황당한 얼굴로 강호를 보더니…

영순 아~ 장롱에서 무서운 사람들이 나와서 막 방 어지럽히고 똥도 싸놓고 그랬구나~

강호 진짜예요. 막 칼도 휘두르고… 이렇게 이렇게 싸우고 그랬어요.

영순 아이고~ 이 좁은 데서 칼싸움까지 했어?

강호 진짜라니까요, 엄마….

영순 (표정 무서워지며) 빨리 치워…!! 안 그럼 사자랑 같이 쫓겨날 줄 알아!!

후~~ 강호, 어쩔 수 없이 걸레를 들고 닦는다. 피식 웃는 영순.

10. 송 회장네, 식당 / D

긴장한 얼굴로 서 있는 소 실장과 차 대리. 그 앞에 앉아 밥 먹는 송 회장.

송 회장 그래서… 어딨노?

소 실장 병원에서 사라졌습니다.

송 회장 내가 지금 금마 물었나?

소 실장 아… 네… 찾고 있습니다. 그런데… 워낙 작은 마을인 데다 이웃 간에 왕래가 잦아서 사람들 눈을 피해 작업을 하기가 좀…

동시에 소 실장 머리에서 퍽! 박살 나버리는 국그릇. 송 회장, 쓰러진

소 실장의 멱살을 잡고 일으키더니 주먹으로 퍽퍽퍽 사정없이 팬다.
식탁 위로 나동그라지는 소 실장. 송 회장, 식탁 위에 놓인 젓가락을 하나 쥐더니 소 실장 눈을 향해 내리꽂으려 하는데…

소 실장 (다급히) 어… 어떻게 해서든 찾아오겠습니다.

송 회장 옳지… 대답은 그래 하는 기다.

송 회장, 다시 식탁에 앉아 아무렇지 않게 피 묻은 손을 물수건으로 닦으며…

송 회장 오태수 금마는 반드시 뒷통수 때릴 끼라 했제. 선거날이 다가올수록 더 미쳐 날뛸 기다. 지 앞에 불안시러운 건 싹 다 읎앨 기라고…. 강호 다음은 누구겠노?

소 실장 ….

송 회장 (홱, 차 대리 보며) 진본을 찾을 때까진 강호 털끝 하나 다쳐선 안 된데이.

차 대리 네!

송 회장 아줌마, 여기 국 좀 더 주이소. 이기 들깨를 넜나? 꼬숩네~

송 회장, 후루룩 후루룩 국물을 퍼먹는다.

11. 태평양호, 갑판 / D

검은 파도가 일렁이는 바다. 엉망이 된 웨이터 복장 그대로 갑판에 앉아 소주를 마시는 삼식. 더 이상 술이 없자 소주병을 저 멀리 바다를 향해 던져버린다.

배 선장 **♪ 퐁당퐁당 병을 던지자~ 해경 몰래 병을 던지자~**
이 아름다운 바다에 쓰레기를 불법투기 하면 쓰나?

선장 모자에 파이프 담배까지 문 선장이 덩치들을 이끌고 다가온다. 삼식, 놀라서 얼른 머리를 조아린다.

배 선장 내가 우리 삼식이 그동안 일한 월급에 인센티브에 퇴직금까지 계산을 해봤거든? 거기에 기물파손, 손님들 판 나가리돼서 보상해 준 돈, 그리고 오늘 영업 망쳐서 생긴 손해까지 더하고 빼고 해봤더니… 니가 나한테 딱 1억만 주면 되겠더라.

삼식 1… 1억이요?

배 선장 왜 그런 표정을 하지?… 설마 예상 못 하고 그런 미친 짓을 하진 않았을 거고…. 아~ 맞다… 우리 삼식이가 돈이 없겠구나?… 내가 그 생각을 못 했네…. 그럼 어쩐다… 음… 일단 좀 맞으면서 생각해 볼까?

배 선장의 턱짓에 기다렸단 듯 삼식에게 달려들어 패기 시작하는 덩치들. 삼식, 갑자기 '으아아아아!!!' 하며 벌떡 일어나더니 쌩 달려가 바닷물 속으로 풍덩! 뛰어든다.

12. 다른 해변가 / N

고요하고 어두운 바다. 잠시 후… 물속에서 푸핫! 튀어나오는 삼식. 정신없이 헤엄쳐 해변가에 다다르더니 간신히 몸을 빼낸다. 저 멀리 태평양호가 보인다. 삼식, 헉헉헉 숨을 몰아쉬다가 그대로 발라당 드러눕는다. 검은 하늘을 보는 삼식의 눈에서 눈물인지 바닷물인지 모를 것이 쪼르르 흘러내린다.

13. 영순네, 안방 / N

어둠 속 이부자리에서 품에 안겨 잠든 아기 돼지를 보는 강호. 자신에게 아기 돼지를 건네주던 미주의 모습이 떠오른다. 빙그레 웃으며 아기 돼지를 꼬옥 끌어안고 눈을 감는 강호. 그 아래, 이부자리에 누워 강호의 등을 가만히 올려다보는 영순.

플래시백 5화 45씬, 파출소

트롯백을 향해 손가락질하며 소리치는 강호.

강호 휴대폰… 도로교통법 제49조 1항 10호 위반!
중앙선 침범… 도로교통법 제13조 3항 위반!

다시 현실. 몸을 일으키더니 강호의 이불을 잘 덮어주고는 물끄러미 강호를 바라보는 영순.

영순 괜찮아… 그렇게 천천히 와도 돼…. 그치만 꼭 돌아와야 돼,

아들….

영순, 강호의 머리를 한 번 쓰다듬더니, 화장대 위에 놓인 스탠드 불을 끈다.

14. **마을 일각 / D**

아침이 밝아오는 조우리.

15. **트롯백네, 침실 / D**

돼지 농장 폐업, 고소, 형사고발 등등과 관련된 각종 자료들이 널브러져 있고…. 이불을 머리끝까지 쓰고 누워 있는 트롯백. 통화 소리가 들린다.

트롯백 그래서 된다고, 안 된다고?

전화 아니, 아무도 피해를 본 사람이 없는데 무슨 기사를 써요….

트롯백 그럼 나는… 내 차는?!!

전화 그러게 왜 맨날 뚜껑을 열고 다녀요… 그러다 가발 날아가면 어쩌려고….

갑자기 확 이불킥을 하며 일어나는 트롯백.

트롯백 야, 이 새끼야… 거기서 그 얘기가 왜 나와!! 됐어, 끊어!!

트롯백 전화를 끊더니 으이씨!! 다시 한번 이불을 뭉쳤다, 날렸다 난동을 부린다.

트롯백 하~ 이 여자를 어떻게 하지?

그러다 표정 오묘해지는 트롯백.

축산계장 V.O 평생을 같이 산 마을 사람들도 아무 말 없구만…

경찰2 V.O 여기 농장 사장님 인성도 훌륭하시고 동네 분들과도 얼마나 사이가 좋으신지 몰라요.

전화 V.O 아니, 아무도 피해를 본 사람이 없는데 무슨 기사를 써요….

트롯백 그래!! 그거야!!

16. 이장네 앞 / D

'계십니까? 계십니까?' 이장집 문을 두드리고 있는 트롯백. 문이 열리며 두둥! 나오는 패왕별희 마스크팩을 한 이장 부인.

트롯백 (기겁해 물러서며) 으아아아아악!!!!! 뭐야!!!!!!

그때, 이장이 쫓아 나온다.

이장 거… 그러고 나가지 말라니까…. 죄송합니다… 어디서 오셨어요?

트롯백 아, 예… 저는 이번에 저 윗집에 새로 이사 온 사람인데요.

(명함을 꺼내 내밀며) 백훈아라고 합니다.

이장 (명함을 보더니) 백훈아?… 혹시 조우리 꾀꼬리 백훈아?

트롯백 … 저를… 아시나요?

이장 얌마… 나야, 나… 용락이. 너 나랑 국민학교 같이 다녔잖어.

트롯백 에에?… 용락이 형?

CUT TO

거실에서 이장 부인이 과일을 깎고, 마주 앉아 있는 트롯백과 이장.

이장 아부지들끼리 친형제가 따로 없었제…. 매일 밭일도 같이 하러 다니고, 땔감도 같이 하러 다니고….

트롯백 약주도 같이 마시고 노름도 같이 하셨죠….

이장 흐흐흐… 맞어맞어…. 그 덕에 너랑 나랑 술 받으러 뻔질나게 양조장에 드나들었제.

트롯백 주전자 무거워서 좀 가볍게 하겠다고 오다가 둘이 한 모금씩 한 모금씩 먹었던 거 기억나요?

이장 아하하하… 결국엔 다 마시고 논두렁에 둘이 쓰러져 자다가 부지깽이로 죽도록 얻어 맞았잖여….

트롯백 하하하하, 맞습니다… 맞아요….

이장 서울로 이사 간 게 아홉 살 때였제? (명함 보며) 어릴 적부터 노래를 기가 막히게 허더니 결국 작곡가가 됐구먼.

이장 부인 노래 잘했으면 가수가 됐어야 되는 거 아니에요?… 얼굴 땜에 안 됐나?

이장 과일 다 깎았음 들어가서 쉬어.

이장 부인 네~

이장 부인 들어간다.

이장 앞으로 이 동네 살려면 저 사람 말은 그냥 귓등으로 듣고 말어.

트롯백 아, 네…. 안 그래도 그러고 있어요.

이장 큼… 아무튼 이렇게 다시 보니 반갑네…. 아주 내려온 거여?

트롯백 원래는 그럴 예정이었는데… (울먹울먹하더니) 혀엉~~~~~~~~~~~

17. 영순네, 안방 / D

돼지를 살처분하는 장면이 뉴스 화면으로 보여진다. 침상 위에 놓인 밥을 먹고 있는 강호. 바닥에 앉아 커다란 종이박스에 테이프를 직직 감고 있는 영순.

앵커 전북 김제와 고창에 이어 충남 홍성의 한 농가에서도 구제역이 발생했습니다. 농식품부는 구제역이 발생한 농장의 돼지 삼천 마리를 모두 살처분하기로 결정하고 발생 농장으로부터 3키로 이내 여덟 개의 농장에 대해서도 예방적 살처분을…

순간, 더 이상 못 보겠다는 듯 티브이를 꺼버리는 영순.

강호 아저씨들이 왜 돼지들을 괴롭혀요?

영순 괴롭히는 게 아니고 돼지가 병에 걸려서 그런 거야. 구제역이라고 돼지한테는 정말정말 위험한 병이거든. 한 마리가 걸리면 농장 전체가 다 옮고… 또 다른 농장에도 옮길 수 있으니까 어쩔 수 없이 죽여야 돼….

강호 죽… 죽여요? 그럼 우리 돼지들도 죽어요?

영순 아니… 우리 돼지들은 다 예방접종도 했고 또 근처에 다른 농장도 없으니까 너무 걱정 안 해도 돼. 대신 사자는 더 이상 밖에 데리고 나가면 안 돼…. 혹시라도 병 옮으면 큰일 나니까….

강호 네….

영순 오늘 장 서는 날이라 엄마 읍내에 갔다 와야 되는데…

강호 (얼른) 안녕히 다녀오세요.

영순 와~ 우리 아들이 웬일이야… 맨날 쫓아가겠다고 조르더니….

강호 그게… 장이 서면 길도 좁고 복잡해서 휠체어 불편하니까 집에 있을게요.

영순 치… 예진이 서진이랑 놀고 싶어서 그러겠지….

강호, 배시시 웃는다.

영순 어제처럼 또 사고 치고 다니면 안 돼….

강호 네… 절대로 안 그럴게요. 약속해요.

강호 새끼손가락을 내민다. 영순, 피식 웃더니 같이 손가락을 건다.

18. 정씨네, 마루 / D

외출 준비를 마치고 서 있는 미주. 정씨가 종이 한 장을 내민다.

정씨 비닐 덮기 전에 마늘밭에 뿌릴 잡초 약 달라 그랴.

미주 (지갑에 종이 접어 넣으며) 뭐 더 필요한 건 없구?

정씨 (주머니에서 통장 하나 꺼내 건네며) 니 가게 자리….

눈이 커지는 미주.

정씨 니 시집갈 때 주려고 모아놓은 돈이여. 정신 똑바로 차리고 잘 알아봐….

미주 엄마….

정씨 이걸로 이 에미 노릇은 끝이여. 알았제?

미주 (벌컥 정씨 안으며) 아~ 고마워, 엄마…. 내가 진짜 열심히 해서 백 배, 천 배로 갚을게….

19. 마을 일각 / D

신나서 휠체어를 굴리며 달려나오는 강호. 그러다 멈칫. 저 앞에 걸어오는 미주가 보인다. 강호, 자기도 모르게 또 얼른 몸을 숨기고 미주를 훔쳐본다.

미주 (전화기에 대고) 하이, 주니… 조우리에서 우리면으로 가는 버스 시간표 검색해 줘.

그러다 저 멀리 다가오는 버스를 보고 눈이 커지는 미주.

미주 (다급하게 뛰며) 버스!!! 버스버스!!!… 잠깐만요….

순간, 주머니에서 떨어지는 빨간 지갑. 어! 얼른 달려가 지갑을 줍는 강호.

강호 이거… 이거… 떨어뜨렸어요!

강호, 미주를 쫓아 달리기 시작한다. 하지만 버스에 오른 미주는 휴대폰으로 결제해버리고… 자리에 앉는다. 간발의 차이로 미주가 탄 버스를 놓치고 마는 강호. 강호, 어쩔 줄 몰라 하더니… 이내 버스를 쫓아 휠체어를 달리기 시작한다. 있는 힘을 다해 열심히 달려가는 강호, 하지만 점점점 벌어지는 간격…

20. 읍내 우체국 /D

영순이 전화기를 들고 서 있다.

영순 아, 수사관님 안녕하세요. 다른 게 아니고 저… 뭣 좀 여쭤보려구요. 그 왜 검찰청 앞에서 시위하시는 그 할머니 있잖아요, 정종구 씨….

CUT TO

영순, 소포 상자를 우체국 직원에게 내민다.

직원 보내시는 물건이 뭐여요?

영순 고춧가루랑 감자 조금이랑 참기름, 들기름이에요. 깨지지 않게 잘 좀 부탁드릴게요.

21. 버스 정류장 / D

버스에서 내리는 미주, 주위를 살피며 걷다가 부동산을 발견하고는 뛰어 들어간다.

22. 도로 / D

열심히 휠체어를 굴리며 도로를 달리는 강호. 쌩쌩 달리는 차들이 경적을 울리며 그런 강호를 아슬아슬 비껴간다.

23. 읍내 장터, 신발 가게 / D

오일장이 열려 북적한 읍내. 이것저것 반찬거리 장을 보는 영순의 모습이 보인다. 그러다 신발 가게 앞에 멈춰 서더니 단화를 하나 골라 드는 영순.

영순 이거… 남자 275 사이즈 좀 주세요.

주인이 신발 사이즈를 확인하는 동안 영순의 시선이 운동화에 간다.

주인 그거 이번에 들어온 신상인데 발이 아주 편하고 좋아요. 여기 에어가 있어서 운동이나 조깅할 때 다리에 무리도 안 가고… 275 사이즈로 하나 보여드릴까?

영순 (씁쓸하게 웃으며) 아니요… 괜찮아요.

빈화를 빈이 돈을 내고 돌아서는 영순, 다시 돌아보더니…

영순 그치만 나중에… 나중에 언젠가는 꼭 사러 올 거예요. 두고 보세요.

주인 네?… 아, 네….

돌아서 가는 영순을 보며 고개를 갸웃하는 주인.

주인 운동화 하나 사는데 두고 볼 것까지야…

24. 정씨네 앞 / D

놀란 얼굴로 서 있는 정씨. 앞에 이장과 트롯백이 함께 서 있다.

정씨 훈아?… 조우리 꾀꼬리 백훈아? 시상에 이게 얼마 만이여~

트롯백 와~ 우리 금자 아직 여기 살고 있었구나….

이장 그 왜… 이춘길이라고 알지?

트롯백 춘길… 춘길… 아 그 춤 잘 추고 여자라면 사족을 못 쓰던 그 형?

이장 응…. 그 춘길이가 여 남편이었잖여.

트롯백 아~ 그래? 근데 남편이면 남편이지… 남편이었던 건 뭐야?

정씨 죽었으… 그 사족을 못 쓰는 여지들허구 춤추고 지랄허고 댕기다….

트롯백 아이고… 그랬구만…

정씨 서울서 이사 왔다는 사람이 누군가 혔더니… 반갑네…. 아주 살러 온 겨?

트롯백 (갑자기 표정 울먹) 금자야~~~~~~~~~~~~

트롯백, 정씨를 홱 끌어안는다.

25. 읍내 일각 / D

끄응끄응, 힘겹게 읍내에 도착한 강호. 온몸이 땀에 젖은 채 숨을 할딱인다. 여기저기 두리번거리며 휠체어를 끌고 미주를 찾기 시작하는 강호, 부동산 앞을 지난다. 잠시 후, 부동산에서 나오는 미주와 부동산 사장.

미주 시골이래도 임대료가 만만치가 않네요.

부동산 사장 읍내라고 여기 하나뿐이잖여. 거기다 후년에 반도체 회사 들어온다고 땅값이 겁내 올랐어.

미주 그렇구나… 아무튼 알겠습니다. 연락 드릴게요.

미주, 후~ 한숨을 쉬더니 강호와 반대편으로 걷기 시작한다.

26. 약국 / D

바리바리 장 본 것들을 들고 약사 앞에 서서 종합비타민을 보고 있는 영순.

영순 영양제 중에 이게 제일 좋은 거 맞죠? (손가락을 꼽아보더니) 여덟 개만 주세요. 아! 그리고 소화제랑 위경련 났을 때 좋은 약도 좀 주세요.

약사 한 삼 일치 드릴까요?

영순 아니아니 많이 주세요. 한 세 달치 정도….

그런 영순의 뒤로 약국 앞을 지나가는 강호의 모습이 보인다.

27. 읍내 일각 / D

여기저기 헤매다 건널목 앞에 서는 강호. 그때, 길 건너편 미용실에서 나오는 미주를 보고 얼굴이 환해지는 강호.

미주 샵인샵 생각 있으시면 꼭 좀 연락 주세요.

강호 어… 미주 씨다!!… 미주 씨!!

강호가 소리를 지른다. 미주가 그 소리에 돌아보자 트럭 한 대가 강호를 가리고 멈춰 선다.

트럭 계란이 왔어요… 어미 닭이 낳자마자 둥지에 닿기도 전에 잽싸게

인터셉트한 싱싱한 계란이 한 판에 만 원~

미주, 갸웃하더니… 발걸음을 옮긴다. 그러다 문득 걸음을 멈춰 서는 미주. 좌판에 늘어놓은 각종 어항 속에서 유유히 헤엄치는 물고기들이 보인다.

강호 V.O …난 이 물고기들을 보고 있는 게 좋아.

플래시백 4화 9씬, 신림싱싱횟집 앞

수족관에 얼굴을 바짝 대고 안을 들여다보고 있는 강호.

미주 치… 쫌 있으면 죽을 애들 보고 있는 게 뭐가 좋냐?

강호 그러니까… 쫌 있으면 죽을지도 모르는데… 얘들은 아무리 아파도, 무서워도 울거나 비명을 지르지 않잖아…. 법관도 그래야 된다고 생각해. 닮고 싶어.

다시 현실, 쭈그리고 앉아 어항 속 물고기들을 가만히 보는 미주.
강호, 횡단보도 건너편에서 그런 미주의 모습을 가만히 보고 있다. 미주, 다시 일어나 걷기 시작한다.

강호 아아… 안 돼… 잠깐만….

그때, 신호등 불이 바뀌고 얼른 미주가 간 쪽으로 달리기 시작하는 강호.
하지만 건물 코너를 지나 사라져버린 미주. 강호, 암담한 얼굴로 두리번거리다가 [웅렬농약사]라는 간판이 붙은 농약방 안을 본다. 하지만 미주의 모습은 보이지 않고… 다시 휠체어를 굴려 다른 곳으로 가는 강호.

28. 웅렬농약사 / D

사람들 틈에 쭈그리고 앉아 가방을 뒤지고 있다가 일어서는 미주.
통화 중이다.

미주 지갑을 잃어버렸어…. 그러게… 어따 떨어뜨렸나 봐…. 일단 바꿔드릴 테니까 말해 봐요… (농약방 사장에게) 받아보세요.

농약방 사장 여보세요? 아… 조우리 정씨 아줌마셨구나~ 마늘밭에 잡초 약? 네네… 알았어요… 예~ (전화 끊고는) 창고 가서 약 좀 꺼내 올 테니께 잠깐 앉아 계셔….

미주, 농약 가게 의자에 나란히 앉은 할머니들 옆에 앉는다.

할머니1 (손을 감싸 쥐고) 아후… 아파라….

할머니2 계속 그르네… 병원에 가보지 그랴….

할머니1 일 년 열두 달 이런 걸 뭔 병원이여. 농사를 때려치면 모를까.

미주 (빼꼼히 보더니) 손이 아프세요?

할머니1 아… 이게… 약독이 오른 건지, 풀독이 오른 건지….

미주, 할머니 손을 들여다보더니, 가방을 뒤지기 시작한다.

29. 읍내 일각 / D

여기저기 미주를 찾아 돌아다니는 강호의 모습. 건들건들 걸어오다 강호를 힐끗 보는 동네 건달. 강호 허벅지 사이에 낀 지갑을 본다.

30. 웅렬농약사 / D

미주, 손톱가위와 니퍼를 들고 할머니의 손톱을 다듬어주고 있다.

미주 내성손톱이라 그러신 거네요. 손톱을 너무 바짝 자르거나 둥글게 자르지 말고 이렇게 일자로 갈아주세요.

할머니2 노인네들이 그런 걸 헐 줄 아나… 그냥 손톱깎이로 대충 자르는 거지.

미주 혼자 하시기 힘드시면 네일샵 같은 데 가서 해달라고 하세요.

할머니1 거는 매니큐 칠허는 디 아니여?

미주 매니큐어도 칠해주고 이렇게 손톱에 문제 있는 것도 잡아주고 그래요.

할머니2 혹시 그럼 이렇게 손톱 갈라지는 것도 댜?

미주 손톱 갈라지는 것도 원인이 다양하거든요. 영양부족일 수도 있고, 외부 자극 때문에 그럴 수도 있고…. 농사 지으시다 보면 아무래도 손을 많이 쓰시잖아요. 갈라지고, 찢어지고, 각화에 무좀에… 저희 엄마도 그러시거든요. 꾸준히 케어받으면 다

치료할 수 있어요.

농약 가게 사장 트럭이 가게 앞에 와 선다.

미주 약 가지고 오셨나 보다…. (할머니1 보며) 할머니, 손 어떠세요?

할머니1 아이고, 아까보다 훨 낫네… 네일샵이라고 혔제? 여 읍내에 있든가?

농약방 사장 (농약 박스 들고 들어오며) 하나 있든 게 몇 달 전에 문 닫았쥬.

할머니2 하여간 시골이라 뭐 하나 변변헌 것도 없고…. 아가씨는 네일샵 같은 거 안 햐? 이렇게 잘하는디….

미주 실은 그러지 않아도 알아보는 중인데… 임대료가 만만치가 않네요. 샵인샵도 알아봤는데 조건이 잘 안 맞고….

할머니1 샤빈샤비가 뭐여?

미주 가게 안에 조그맣게 가게를 하나 더 차리는 거예요.

할머니2 아~ 그럼 여따 차려…. 일 년 열두 달 사람도 많이 드나들고, 죄 손에 문제 있는 사람들에… 버스 시간 기다리느라고 이러고 앉아서 시간 때우는디 을매나 좋아… 안 그려?

농약방 사장 누가 이런 데다 네일샵을 차려요… 뭐 차린다면야 우리 마누라는 좋아허겠네유, 맨날 네일샵 없어졌다고 울상이었는디….

미주 정말 그래도 돼요? 월에 얼마 정도면 주실 수 있어요?

할머니1 뭔 돈이여… 저 한 구퉁이는 평생 가야 비어 있드만….

할머니2 그려… 우리가 모종이건 비료건 죄 여기 농약방에서 사자고 꼬셔 올 테니께 그냥 줘!

미주 (얼른) 저 트럭 면허도 있어요. 바쁠 땐 제가 창고에서 물건도 가져오고 농약 배달도 해 드릴게요.

농약방 사장 진짜?!!!!~ 이야~~ 그럼 니야 대환영이제~~~~!!

31. 읍내 일각 / D

여전히 미주를 찾아 헤매는 강호. 그러다 문득 가방 가게 앞에 멈춰 선다. 하얀 에코백. 미주가 사시세끼를 수놓았던 에코백과 비슷한 가방이다. 강호, 뭔가에 이끌리듯 다가가 에코백을 들고 팔에 껴보는데 그때, 강호의 무릎 사이에 있는 지갑을 홱 낚아채 도망가는 동네 건달.

강호 아… 안 돼!!… (뒤쫓으며) 이리 줘요!!… 미주 씨 꺼예요!!…

강호, 얼떨결에 에코백을 팔에 낀 채 재빠르게 남자를 쫓는다. 하지만 쏜살같이 잘도 도망가는 남자. 순간, 강호의 눈에 보이는 과일 가게 앞에 진열된 사과. 강호, 사과 하나를 홱 집어 들고 쫓아가더니 와인드업을 하고는 남자를 향해 던진다. 정확하게 남자의 뒷통수에 퍽! 맞는 사과. 남자, 충격에 '아악' 폭 고꾸라지며 바지락을 한가득 까놓은 다라이를 밟아 쏟고 만다. 강호, 달려가 넘어진 남자의 손에서 떨어져 나간 지갑을 집더니…

강호 아웃!!!… (서서히 웃음기가 사라지며) 홈런 아니면 아웃… 홈런 아니면 아웃….

남자, 일어나더니 헐레벌떡 도망간다. 순간, 달려와 강호의 멱살을 틀어쥐는 한 아저씨.

32. 읍내 또 다른 일각 / D

미주, 신나서 걸어가다 문득 시끄러운 소리에 고개를 돌린다. 한 아저씨가 강호의 멱살을 잡고 흔들며 화를 내고 있다. 미주, 놀라 사람들을 비집고 들어간다.

미주 왜 이러세요? 무슨 일이에요?

강호, 미주를 보더니 눈이 커진다.

강호 와!!… 미주 씨다!!

아저씨 뭐야 당신 이 사람 알어?

미주 네, 알아… 아니 몰라… 아니아니 아무튼 아픈 사람이잖아요… (강호 멱살 쥔 손을 떼내며) 이거 놓고 말씀하세요.

아저씨 글쎄 이놈이 (에코백을 흔들며) 이걸 훔쳐 갔단 말이야.

아줌마 우리 집 사과도 훔쳐 갔어.

노상 할머니 (바지락을 다라이에 쓸어 담으며) 엠비럴 다 버리게 생겼으니 이거 워쩔 껴?

미주, 강호를 본다.

강호 그게… (미주 지갑 내밀며) 어떤 사람이 미주 씨 지갑을 가져가서….

미주 (지갑을 보고 놀라) 어? 이게… 왜…

강호 하이~ 주니… 조우리에서 우리면으로 가는 버스 시간표 검색해 줘. 이렇게 말할 때 떨어뜨렸어요.

그때, '강호야…!!' 하는 소리. 보면, 트럭을 타고 가다 놀라 멈춰 서 있는 영순.

33. 도로 / D

영순, 강호, 미주가 트럭에 나란히 함께 타 있다. 미주를 뚫어지게 보며 웃고 있는 강호.

영순 세상에… 거기서 여기가 어디라고… 길도 잘 모르면서….

강호 (계속해서 미주 보며) 지갑 없으면 아무것도 못 사요….

영순 그래도 차 다니는 길에 위험하단 말이야…. 앞으로는 뭐 주우면 엄마나 이장님 댁에 갖다 드려… 알았지?

강호 네….

영순 그리고 아무리 급해도 남의 물건에 함부로 손대는 거 아니야. 갑자기 가방은 왜 들고 가? 아저씨가 얼마나 놀랬겠어?

강호 (골똘히 생각하더니) 사시…세끼….

흠칫 놀라 강호를 보는 미주.

영순 뭐?… 무슨 새끼? 너 지금 욕한 거야?

강호 …아니 그게 아니고….

영순 이눔의 자식… 혼나야겠네… 어디 어른한테 이 새끼 저 새끼 욕을 하고….

영순, 강호를 등짝을 때리며 혼내고… 미주는 얼어붙은 채 앞만 보고 있다.

34. 정씨네 앞 / D

차에서 내려 인사하는 미주.

미주 태워주셔서 감사합니다.

영순 미주야, 잠깐만…

차에서 내리는 영순. 트럭 뒤편으로 가더니 미주에게 오라고 손짓한다.
미주가 다가가자 트럭 짐칸에 실린 봉투에서 비타민 하나를 꺼내 건넨다.

영순 이거… 영양젠데 엄마 갖다 드려. 어제 강호가 밭 헤집고 다녀서 너무 죄송하다고 전해드리고.

미주 아휴… 오히려 제가 죄송하죠. 예진이가 들고 있다가 놓쳐서 그런 거래요.

영순, 그런 미주를 물끄러미 바라보다가…

영순 많이 놀랬지?

미주 그러게요… 하마터면 돼지를 잃어버릴 뻔했지 뭐예요.

영순 아니… 우리 강호 말이야….

미주 네?… 아….

영순 아까는 강호가 옆에 있어서 말을 못 했는데… 니 표정이 많이 안 좋더라구….

미주 그게 아니구요…

영순, 미주의 손을 잡는다.

영순 미주야… 예전에 내가 강호 수능 못 보게 했다고 너한테 모질게 굴고 강호 서울 연락처도 안 가르쳐준 거… 정말 미안해…. 내가 그때 니 마음을 많이 아프게 해서… 지금 이렇게 가슴 아픈 벌을 받는 거 같아… 용서해 줘.

미주 아줌마, 왜 그러세요. 그런 말씀 하지 마세요. 저도 오랜만에 강호 봐서 너무 반가운데… 근데… (눈물이 고인다. 하지만 곧 감정 추스르고) 그치만 아시잖아요. 강호, 누구보다 강한 애라는 거…. 두고 보세요… 절대 저렇게 무너지지 않아요. 반드시 일어날 거예요.

영순 (눈물 가득한 눈으로 미주 안으며) 고맙다… 미주야… 고마워….

트럭 안 뒷 유리로 두 사람을 보고 있던 강호, 미주와 눈이 마주치자 해맑게 손을 흔든다. 씁쓸해지는 미주.

35. 박씨네, 마루 / D

트롯백과 손을 맞잡고 있는 청년회장.

청년회장 (울먹) 형아…… 진짜 훈아 형아 맞어?

트롯백 우리 오줌싸개 원형이가 이렇게 많이 컸어?

청년회장 노래해 줘… 형아….

트롯백 **♪ 까악까악 까치는 누구하고 노~~나 까악까악 들에서 까치끼리만 놀지.** (청년회장 머리 쓰다듬으며) **오줌싸개 원형인 누구하고 노나~**

청년회장 (노래 받아) **오줌싸개 원형인 훈아 형하고 놀지~**

으흑흑흑 서로 얼싸안고 우는 두 사람.

박씨 뭔 지랄이여… 저게.

박씨, 어이없어 고개를 돌리자 눈물을 훔치며 보고 있는 정씨와 이장.

36. 마을회관 / D

트롯백을 중심으로 동그랗게 모여 있는 마을 사람들.

트롯백 냄새 그까짓 거요?… 그건 아무것도 아니에요. 구제역 돈다고 도로며 농장 입구며 매일 소독약 뿌리는 거 보셨죠? 그게 다 어디로 날아가겠어요. 여러분이 일 년 내내 피땀으로 일군 논, 밭으로 간다 이 말입니다. 농장 오폐수는 또 어떻구요. 솔직히 아무리 철저하게 관리한다고 해도 그거 언제 어떻게 땅속에 스며 있다 저수지나 수로로 흘러 들어갈지 아무도 모르는 겁니다.

정씨 그동안은 아무 문제없이 농사만 잘 지었는디….

트롯백 문제가 왜 없어. 아까 보니까 들깨밭 한쪽이 다 쓰러져 있드만.

정씨 그건… 어제 애들이 돼지 잡는다고 들쑤셔놔서 그런거고….

트롯백 이봐 이봐… 결국 또 돼지잖아…. 아니 을마나 관리를 제대로 안 하면 돼지가 온 동네를 헤집고 다니냐구요.

청년회장 (박씨 보며) 아~ 그래서 우리 고추 하우스도 한 구퉁이가 망가졌나 보네….

트롯백 봐요… 우리 원형이 고추도 망가졌다잖아요.

청년회장 저기… 말이 좀… 제 고추가 아니고 제 고추밭에 고추….

이장 자자… 아무튼! 그래서 자네가 허고 싶은 말이 뭐여?

트롯백 이번 기회에 없앱시다. 돼지 농장!!!

헉!!! 놀라는 사람들.

이장 에이~~ 말도 안 돼.

박씨 그려요… 아무리 그려도 멀쩡한 농장을 없애다니요.

청년회장 아무리 좋아하는 형아라도… 그건 반대예유.

트롯백 자자… 제 얘기를 들어보세요, 조우리를 누구보다 아끼고 사랑하시는 이장님, 청년회장님, 부녀회장님!!

큼~ 입을 다무는 세 사람.

트롯백 제가 이번에 고향에 내려와서 얼마나 가슴이 아팠는지 몰라요. 바로 옆에 인광리에는 반도체 공장 들어오죠, 저쪽 포승리에는 신도시 아파트 단지, 저 뒤 신안리에는 제2의 네버랜드 놀이동산이 만들어진답니다. 평당 만 원 하던 땅이 지금은 100만 원을 준 대도 없어서 못 팔 지경이래요. 근데 조우리… 우리 사랑하는 이 조우리는 어떻습니까? 저 드럽고 냄새나는 돼지 농장이 랜드마크예요. 자, 이게 이장님이 능력이 부족해섭니까? 청년회장이 힘이 딸려서예요? 우리 부녀회장이 무식해서냐구요!…

이장 부인 네.

엥? 쳐다보는 세 사람….

이장 부인 어머, 제가 거짓말을 잘 못해서… 신경 쓰지 마세요.

박씨 이런 쓰버럴!!!! 그럼 내가 무식허단 소리여?

청년회장, 얼른 박씨를 말린다.

트롯백 맞습니다… 아니죠, 그게 아닙니다. 사람들이 너무 착해서 그런 겁니다. 그놈의 쓸데없이 끈끈한 정 때문에!! 자, 여러분께서 조금만 도와주시면 제가 저 농장 자리에 전국 최대 규모의 트롯

콘서트홀을 유치해 오겠습니다.

양씨 트롯 콘서트홀?

트롯백 요즘 대한민국 난리잖아요. 어러분이 좋아하는 영웅이, 딕이, 동원이… 싹 다 데리고 와서 매주 콘서트를 열 거예요!

'정말?', '와!!!' 다들 밝아지는 얼굴.

박씨 에휴… 됐어요…. 괜히 여기저기서 사람들 몰려와서 시끄럽기나 허지….

트롯백 그니까… 우리 티 없이 맑고 순수한 부녀회장님이 저런다니까…. 자, 만약 이 마을에 농장이 없어지고 콘서트홀이 생긴다!… 그럼 누가 건물 경비 보안을 맡아야겠어요? (청년회장을 본다)

청년회장 저요?

트롯백 아니지… 삼식이지, 삼식이!!

에에? 눈이 커지는 청년회장과 박씨.

트롯백 적을 알고 나를 알면 백전백승! 삼식이만큼 보안에 대해 잘 아는 사람이 어딨어?

청년회장 어이구… FBI급이쥬…. 5학년 때 파출소에서 수갑도 훔쳐 온 놈인디….

박씨 수갑은 2학년 때구요, 5학년 때는 총을 훔쳐서 파출소장이 짤렸쥬….

청년회장 맞다 맞다!

트롯백 봐요, 이런 어마어마한 인재를 썩혀서 되겠습니까?

정씨 어이구… 인재는 무슨….

트롯백 자, 그럼 콘서트홀에 공연하러 온 가수들 헤어, 메이크업을 받을 데가 필요하겠죠? 근데 마침 우리 마을에 전문가가 있어…
(정씨를 본다)

정씨 누구… 미… 미주?

트롯백 대학 때 메이크업 전공했다면서.

정씨 그랬지….

트롯백 거기에 네일이며 헤어며 싹 다 책임지고 맡아줘야 돼.
인당 30만 원씩 20명이 일주일에 한 번씩만 공연해도 얼마야?

정씨 헤!!!~~~

트롯백 자자… 마을에 사람들 몰려오면 음식점도 있어야죠? (마을 사람1 본다) 공연 시간 기다리려면 커피도 한잔 마셔야죠? (마을 사람2 본다) (마을 사람3 보며) 주차관리, (마을 사람4 보며) 청소, (양씨 보며) 민박!

양씨 하긴… 우리 집이 방은 제일 많지.

트롯백 자… 이래도… 이래도 말이 안 됩니까? 면장님!

이장 아니… 갑자기 웬 면장….

트롯백 사람들 몰려와서 마을 발전하고 인구 늘면 면장님 되시는 거야 시간문제죠… 아니아니 군수님라고 해야 되나? 손용락 군수님!!!

멍한 표정으로 앉아 있던 사람들. 갑자기 하나둘씩 얼굴에 미소가 번지더니…

동시에 아하하하하하 웃기 시작한다.

37. 이장네 앞 / D

강호의 휠체어를 밀며 가고 있는 영순.

강호 (휴대폰 대고) 하이, 주니! 우리 집 가는 길 알려줘.
우와 된다… 된다…. 엄마 이것 봐요… 돼요.

영순 그러니까 앞으로 집에 오는 길 잊어버리면 그렇게 찾아 오면 돼… 아니지! 길 잊어버릴 짓을 하면 안 돼… 알았어?

강호 네….

이장네 도착한 영순. 초인종을 누른다. 몇 번 눌러도 대답이 없다.

영순 이상하다… 다들 어디 갔지?

강호 (휴대폰 보며) 하이, 주니… 다들 어디 갔어?

주니 F 적절한 답이 떠오르지 않네요.

그때, 영순의 전화기가 울린다.

영순 응… (놀라며) 뭐?… 알았어. 금방 갈게. (전화 끊고) 강호야, 돼지가 새끼를 낳는대…

영순, 영양제와 약 봉투를 이장 집 앞에 놓더니…

영순 이거… 김씨 아저씨 염소 농장이랑 감나무집 최씨 아줌마 그리고 과수원집에 갖다주고 집으로 가면 돼… 알았지?

강호 네.

영순 새끼가 다 나오려면 엄마 내일 아침까지도 못 들어갈 거야. 그러니까 집에 가서 사자 밥 주고, 밥통에 밥하고 냉장고에 반찬 꺼내서 먹고 운동 한 시간 하고 자. 우리 아들 할 수 있지?

강호 네. 근데… 그래도 빨리 와야 돼요. 어제 그 무서운 아저씨들 또 올지도 모르잖아.

영순 (픽 웃더니 강호 쓰다듬으며) 그 아저씨들은 이제 부르지 말자? 알았지?

영순이 돌아서 급하게 뛰어간다.

강호 내가 부른 거 아닌데…. (휴대폰 대고) 하이, 주니… 염소 농장 찾아줘.

주니 F 칠십 개의 염소 농장을 찾았어요.

강호 응?

고개 갸웃하다 휠체어를 굴린다.

38. 마을회관 앞 / D

급하게 뛰어가던 영순. 갑자기 멈칫하더니… 다시 뒷걸음질 쳐 돌아온다.

마을회관 앞에 잔뜩 벗어놓은 신발들.

영순 어머… 다들 여기 모여 있었네…

영순, 마을회관으로 다가간다.

39. 마을회관 / D

어느새 둘러앉아 김치전에 막걸리를 마시고 있는 사람들.

트롯백 자자… 그럼 모두 뜻을 같이한 걸로 알고 탄원서 작성하겠습니다. 내일 다 같이 농장 앞에 모여서 결사 투쟁합시다!!

박씨 뭐… 이제 와서 얘기지만 농장 땜에 이래저래 불편했던 건 사실이지….

정씨 특히 여름 장마철엔 냄새에… 벌레에… 그렇긴 허지.

양씨 난 농장보다는 강호 땜에… 자꾸 휠체어로 밭을 헤집고 댕기니께….

양씨 처 솔직히… 난 좀 불안허기도 혀… 정신도 온전치 않은디 언제 무슨 짓을 헐지 모를 일이잖여….

이장 에이, 그건 아닌디… 난 뭣보다 강호 엄마가 걱정돼서…. 몸도 좋지 않은디 저 힘든 농장 일을 계속허는 게 맞나 싶고….

다들, 이번엔 일제히 청년회장을 쳐다본다. 청년회장, 사람들의 눈치를 보다가 슬그머니 주먹을 쥐고 위아래로 흔들며…

청년회장 청량하고 상큼한 조우리를 위해서~ 투쟁투쟁~ 투쟁투쟁투쟁~

40. 마을회관 앞 / D

마을회관 문고리를 잡고 충격받은 영순의 얼굴… 힘없이 돌아선다.

41. 돼지 농장 안 / D

작업복을 입고 들어오는 영순.

안드리아 (휴대폰 보며) 조금 전, 한 마리의 돼지의 새끼가 탄생하였다.

영순 아, 그래?…

영순, 다가와 보면 새끼 돼지가 어미 젖을 먹고 있다. 영순, 새끼 돼지를 들더니 등에다 숫자 '1'을 써넣는다.

영순 잘생겼네… 몇 키로야?

안드리아 그는 2키로그람의 체중을 가지었다.

영순 튼튼하게 잘 키웠구나~~

영순, 스툴에 누워 고통스럽게 꽥꽥대는 어미 돼지 몸을 슥슥 만져준다.

영순 많이 아프지? 그래도 엄마가 기운을 내야 새끼들도 기운이 나는 거니까 조금만 더 견디고 힘내자…. (가만히 어미 돼지를 보다가)… 나도 그럴게….

영순, 표정이 씁쓸하다.

42. 마을 일각 / D

강호가 집집마다 비타민을 하나씩 놓아두고 가는 모습 컷컷컷!

강호 염소 농장…(놓고) 박씨 아줌마네…(놓고) 감나무집… (놓고) 최씨 아줌마네…(놓는다)… 끝났다… 힛!

강호, 휠체어를 굴리며 신나게 집으로 향한다. 그러다 멈칫하는 강호, 냇물이 보인다.

플래시백 27씬, 읍내 일각

미주가 어항 속 물고기를 보는 모습.

빙그레 웃는 강호, 냇가 쪽을 향해 간다.

43. 버스 정류장 / D

조우리라고 쓰인 커다란 돌 앞에 버스가 선다. 버스에서 내리는 한 남자. 웨이터 복장 그대로 추레한 몰골의 삼식이다. 마을을 쭈욱 훑어보는 삼식, 주머니에서 담뱃갑을 꺼내고는 라이터로 불을 붙이려는데… 물에 젖었던 담배라 잘 안 붙는다. 홱 집어 던지더니… 다시 걸음을 옮기려는 찰나 저 멀리 냇가에 앉아 있는 누군가가 보인다. '저게 누군가…' 가만히 보다가 확 눈이 커지는 삼식….

남자 V.O 검사 친구 있다매!!!!… / 난 그 친구가 금방 꺼내줄 줄 알았지…

44. 돼지껍데기집 (과거) / N

삼식이 5화 46씬의 남자(이하 감방 동기)와 함께 앉아 소주를 마시고 있다.

삼식 아, 씨!! 내가 왜?… 일 년 동안 월급 한 번 안 줘놓고… 왜!!

감방 동기 월급?… 니가 그동안 무슨 일을 했는데? 원금, 이자를 한번 제대로 회수해 봤어? 아님 협박을 한번 야무지게 해봤어? 자, 깜빵 동기로서 베풀 수 있는 마지막 아량이다. 가서 주는 것만 받아 오면 돼!!! 일도 아니라구!!

그때, 옆자리에서 아하하하하!!! 시끌벅적한 웃는 소리가 들린다. 바라보면 양복 차림의 사내들 열댓 명이 단체로 앉아 있다.

검사1 (일어나서) 자, 그럼 이쯤에서… 이번에 부장검사로 승진하신 우리 이재규 부장님의 앞날을 축하하며 다 같이 건배 한번 하겠습니다.

순간, 삼식이 눈에 들어오는 한 남자. 검사들 틈에 앉아 있는 강호다.

삼식 어? 최강호!!!!

삼식의 목소리에 일제히 쳐다보는 검사들. 강호, '누구지' 싶은 눈으로 삼식이를 보다가… 이내 알아채고 당황하는 표정.

삼식 (다가오며) 맞지?… 이야!!! 이 자식… 이거이거 진짜 검사 됐네!!

삼식이 강호의 목을 부여잡고 장난치자 다들 벙찐 얼굴로 삼식과 강호를 번갈아 본다.

삼식 나야 나… 삼식이… 니 불알친구! 이야 이 새끼 때깔 좋아진 것 봐. (킁킁대며 강호 냄새 맡더니) 시상에~ 이 향수 냄새!!! 예전에 너네 돼지 농장 혀서 똥냄새 난다고 을매나 애들이 놀렸어? 너랑은 짝 안 한다고 울고불고… 엄마들 학교 찾아오고…. 하~ 나쁜 새끼들!

강호 (얼른 일어나 삼식을 잡으며) 어… 그래… 나가서 얘기하자. (웃으며 검사들 보며) 죄송합니다… 잠시만….

강호, 삼식의 등을 감싸며 데리고 나간다. 계속 나불대는 삼식.

삼식 하~ 이 자식… 돼지는 근처도 안 가던 놈이 돼지껍데기를 다 먹고…. 너 혹시 성형했냐? 워째 콧대가 더 높아진 거 같햐… 크크크.

45. 돼지껍데기집 밖 (과거) / N

강호, 지갑에서 수표 세 장을 꺼내더니 삼식에게 던진다. 그리고는 홱 돌아서 다시 식당 쪽으로 발길을 돌리는데…

삼식 … 뭐냐… 이거?…

삼식, 돈 집어 들고 따라와 강호를 홱 잡아 돌린다.

삼식 (버럭) 뭐냐고!!!!

강호 (멈추고 돌아보며) …이거 땜에 이러는 거 아니었어?

강호, 다시 돌아서더니 저벅저벅 걸어간다.

삼식 (버럭) 야, 이 개새…(했다가 배시시 웃더니) 고맙다, 친구야….

삼식, 히죽히죽 웃던 얼굴이 점점 굳더니 돈을 쥔 손에 꽈악~ 힘이 들어간다.

46. 사채업자 사무실 (과거) / N

패물함에 담긴 여러 귀금속들을 감정사처럼 자세히 보는 감방 동기.

삼식, 옆에서 반지들을 하나씩 껴보고 있다. 그중 빨간 루비 반지를 손에 끼고 좋아한다.

감방 동기 수고했어… (목걸이 몇 개 집어 주며) 자… 이긴 월급!

삼식 (루비 반지 흔들며) 이건 보너스!!

47. 검사실, 강호 방 (과거) / D

검사실 한쪽에서 퍼팅 연습을 하고 있는 강호. 퍼팅을 할 때마다 정확히 구멍으로 빨려 들어가는 골프공. 그런 강호 옆에 삼식이가 애절한 얼굴로 서 있다.

삼식 난 그냥 심부름허고 수고비로 받은 걸 판 거여…. 그게 국회의원 집에서 훔친 장물이란 걸 내가 워치키 알았겄어…. 그러니까 니가 우리 담당 검사헌티 말 좀 잘 혀줘. 넌 할 수 있잖여. 안 그려?

강호, 말없이 퍼터를 놓고 양복을 입고서 서류 몇 개를 챙겨 들고는 문 쪽으로 걸어 나간다.

삼식 강호야… 나야, 나… 삼식이… 니 친구!

강호 (문득 걸음을 멈추고 돌아본다) 친구? 훗~ 친구라고?

삼식, 가만히 강호를 보더니 고개를 푹 숙인다. 그리고는 무릎을 꿇는다.

삼식 그려… 내가 잘못혔어…. 너한티 못할 말 못할 짓 혔던 거 진심으로 사과헐게. 그러니께 이번 한 번만 도와주라… 그럼 나 진짜 맘 잡고 열심히 살게…. 이번에 또 들어가면 난 진짜 끝이여. 불쌍한 울 엄니를 봐서라도 제발 한 번만 도와줘. 아니아니 (싹싹 빌면서) 도와주세요, 검사님.

강호, 애걸복걸하며 빌고 있는 삼식이에게 다가와 어깨를 잡고 일으킨다. 흑흑 눈물을 훔치는 삼식. 강호, 그런 삼식의 귀에 대고 나지막이 말한다.

강호 울지 마……… 아부지도 없는 재수 없는 새끼 앞에서.

삼식, 강호의 말에 흠칫 놀란다.

강호 (나가며) 안에 저 시끄러운 거 치워요.

부들부들 떨리는 삼식, 점점점 눈에 독기가 서린다.

48. 냇가 / D

강호가 낚시를 하듯 지푸라기 끝을 물에 담그고 있다. 그때, 쪼르르르 물 떨어지는 소리. 강호, 고개 돌려보면 삼식이가 바로 옆에 서서 오줌을 누다 강호를 본다.

삼식 어이고~~ 이게 누구신가?

삼식이가 부르르 떨더니 바지춤을 올린다.

삼식 최강호 검사님이 아니신가? 아이고 이런… 다리를 다치셨나 보네?

강호 누구……?

삼식 허… (어이없어 멍하다가) 뭐? 누구? 누구~우? 와… 나 진짜….

강호 ….

삼식 그래… 모르겠지. 모르고 싶겠지?… 근데 어뜩하지? 난 널 너무 잘 아는데… 아무리 이를 악물고 바득바득 잊을라고 애를 써도 절대 안 잊혀지던데… (갑자기 눈빛 매서워지며) 그래… 3년씩이나 이 방삼식이를 깜빵에서 썩게 만든 기분이 어떠셨나, 친구?

강호 친구?… 우리… 친구야?

삼식, 멍하니 강호를 보다가… 픽 웃으며.

삼식 아, 미안미안… 그래 미안하다. 감히 좀도둑 주제에 검사님하고 친구를 먹으려고 들다니… 하하하… 하하하… 으하하하하….

삼식이 너무 크게 웃자… 강호, 손가락을 입에 대고…

강호 쉿!… 시끄러워….

강호, 지푸라기를 들어본다. 아무것도 잡힌 것이 없자… 실망해서 다시 지푸라기를 넣는다. 삼식, 그런 강호를 보며 돌아버리기 직전이다.

삼식 뭐? 시끄러워?

삼식, 덜컥 강호의 멱살을 잡아 올린다.

삼식 시끄러워? 시끄러워, 이 자식아?… 그래… 넌 그때도 그랬어…. 난 장물인지 몰랐어… 그냥 심부름만 한 거야. 제발 한 번만 도와줘… 그렇게 무릎 꿇고 사정하는 나한테 난 너 같은 친구 둔 적 없어!! 저 시끄러운 거 치워!!!

강호 ….

삼식 너 참 그대로다. 어쩜 이렇게 하나도 안 변했냐?… 그래 놓고 감히 내 앞에 뻔뻔허게 낯짝을 디밀어? 이 개새끼야!!

강호의 눈과 삼식의 눈이 오랫동안 마주친다.

강호 개새끼?

삼식 그래, 이 개새끼야….

강호 (큰 소리로) 개새끼?!!

삼식 그래!!! 개새끼!!!

순간, 강호의 손이 탁 삼식의 손을 친다. 삼식, 그 바람에 강호의 멱살을 놓친다. 강호, 퍅 지푸라기를 집어 던지더니…

강호 너… 너… 나쁜 말 했다?… 우리 엄마헌티 다 이를 거야… 아! 맞다… 엄마는 새끼 받으러 갔지… (생각하다가) 아! 그래!!… 예진이… 예진이 아빠한테 이를 거야!!! 너 걔네 아빠 얼마나 무서운지 모르지? 걔네 아빠… 호로새끼야!!!! 칫!!!

강호, 홱 돌아서 슉슉슉 휠체어를 굴리며 가버린다. 여전히 멱살을 잡았던 손 모양 그대로 들고 있는 삼식… '뭐지… 이건?'

49. 정씨네 앞 / D

쾅쾅쾅. '예진아~ 서진아~' 부르는 강호. 잠시 후, 문이 열리며 예진이와 서진이가 나온다.

예진 어? 강호야… 아니 강호 오빠… 강호 삼촌….

강호 나 너희 아빠가 필요해.

서진 우리만큼 아빠가 필요헐라고…. 근디… 왜?

강호 어떤 사람이 나한테 개새끼라고 했어.

예진 뭐? 감히 어떤 놈이!!!! 우리 친구한테!!

그때, 미주가 나온다.

미주 뭐 해… 빨리 손 씻고 저녁 먹으라니까…

강호를 보고 놀라는 미주.

예진 어떤 나쁜 놈이 강호한테 욕했대. 가만둘 수 없어… (서진에게) 자, 출동하자!

미주 (얼른 예진 잡고) 스읍! 당장 들어가!… (강호 보며) 저녁시간 다 됐으니까 너도 집으로 가… 어머니 걱정하셔.

강호　　엄마 없어요. 돼지가 새끼를 낳아서 오늘 밤에는 못 들어온대요.

예진　　어? 그럼 밥은?

강호　　밥통에 밥하고 냉장고에 반찬 꺼내서 먹으면 돼.

예진　　그러지 말고 우리랑 같이 먹자. 숟가락 하나만 더 놓음 댜….

미주, '아니… 잠깐!' 하는데 이미 강호 뒤로 가서 휠체어를 힘껏 미는 서진과 예진.

50. 박씨네 앞 / N

청년회장과 박씨가 같이 걸어온다.

청년회장　　같이 자식 키우는 입장에서 이래도 되는 건가 모르겄네….

박씨　　같이 자식 키우는 입장에서 삼식이 생각을 해요, 삼식이…. 전국 최대 규모 콘서트홀에 경비 보안 총책을 맡겨준다잖아요.

청년회장　　허긴… 내 새끼는 전과 있다고 취업도 안 되고 빌빌거리는디 남의 자식 걱정헐 때는 아니지… 잉?… 근데 왜 대문이 열려 있지?

박씨　　그르게….

51. 박씨네 / N

집 안으로 들어오다 흠칫하는 청년회장과 박씨. 부엌에서 누군가가 부시럭거리는 소리가 들린다.

박씨 뭐… 뭐시? 혹시 노… 노루?

청년회장 도둑놈 집에 도둑이 들었다고?

청년회장, 옆에 세워 둔 삽자루를 집고, 박씨는 병을 집어 든다. 부엌문 앞에 양쪽으로 갈라져 서는 두 사람. 그때, 부엌문이 열리며 밥상을 든 삼식이가 나온다. 순간, 냅다 삽과 병을 내리치는 청년회장과 박씨. 악!!! 하고 와장창 밥상과 함께 쓰러지는 삼식.

박씨 (놀라) 사… 삼식이?

청년회장 진짜 도둑놈이네?

CUT TO

뒤통수에 반창고 붙이고 밥을 먹던 삼식이가 놀라서 번쩍 고개를 든다.

삼식 뭐?!!!!!!!!!!

박씨 그랴….

삼식 그게 말이 돼?

박씨 말 안 돼도 그렇게 됐다니께….

삼식 어휴… 난 그런 줄도 모르고… 아까 만나서 한참 얘기했네?

청년회장 후우~ 세상사 새옹지마라고 그 똑똑허던 놈이 그렇게 될지 누가 알았겄어?

삼식 새옹지마가 아니라 인과응보!! 그래서 사람이 나쁜 짓 하고 살면 안 되는 거야… 봐…. 결국엔 다 이렇게 벌을 받잖아… 으휴…. 괜히 아줌마만 불쌍하게 됐네? 자식 하나 있는 게 저리 됐으니….

박씨, 어처구니없는 눈으로 삼식을 보더니…

박씨 (등짝을 퍽퍽 후려치며) 그게… 시방 깜빵에서 나온 새끼가 헐 말이여? 이 에미는?… 이 에미는 자식이 둘이라서 그러고 댕겼냐, 이놈아? 출소 보증금 어딨어?!! 어딨냐고!!!

삼식 아아!! 아퍼!! 아부지 좀 도와줘요!!

청년회장 그르지 않아도 도울 참이었어…. (박씨와 같이 삼식이를 때린다)

삼식 아아, 진짜!!! 아프다고….

박씨 어딜 도망가!

삼식이 벌떡 일어나자 홱 삼식의 면티 끝자락을 잡고 늘어지는 박씨.
그 바람에 나동그라지는 삼식. 순간, 박씨의 눈이 커진다.

박씨 잠깐만!! 이게 뭐여?

박씨, 삼식의 옷을 홱 걷는다. 멍투성이가 된 몸.

52. 정씨네, 마루 / N

어색하게 앉아 빵과 토마토스튜를 먹는 강호와 미주… 그리고 예진이, 서진이.

예진 한국인은 밥심인디… 다 저녁에 빵이라니…. (스튜 휘저으며) 색깔도 영… 설사똥 같햐….

서진 (조용히) 토마토스튜라는 거랴… 엄마가 우리 만들어주려고 힘들게 배워 왔다는디 그냥 먹어.

예진 어디서 못된 것만 배워 왔지 뭐여.

미주가 홱 째려보자 얼른 다시 먹는 예진과 서진.

서진 그래도 이렇게 같이 밥 먹고 있으니까 꼭 한 가족 같다. 그치? (강호 가리키며) 아빠… (미주 가리키며) 엄마….

미주 쓸데없는 소리 말고 얼른 먹어….

예진 다 먹었어.

미주 (예진 보며) 당근은 하나도 안 먹었잖아.

예진 난 당근 싫어.

미주 안 돼, 먹어…. 그래야 건강해져.

서진 난 강호가 건강해졌음 좋겠어. (당근을 강호 접시에 덜어준다)

미주 스읍! 니들 정말 혼날래?!!

꺄악! 하고 일어나 도망가는 예진과 서진. 미주, 강호 그릇에 담긴 당근을 골라낸다.

강호 왜 가져가요?

미주 너 당근 안 먹잖아.

강호 어? 그걸 어떻게 알았어요?… 혹시 미주 씨도 나랑 친구였어요?

미주 (가만히 보다가 아무렇지 않게) 응… 맞아… 너랑 나랑 같이 학교 다녔어.

강호 (얼굴 밝아지며) 아~~ 그래서 자꾸 생각이 났구나.

미주 …다 먹었음 이제 그만 가….

강호 아니 아직 다 안 먹었어요.

강호, 얼른 다시 먹다가 슬금 미주의 눈치를 보더니…

강호 미안해요.

미주 (살짝 눈동자가 흔들린다) …뭐가?

강호 물고기를 못 잡았어요.

미주 물고기?

강호 미주 씨 물고기 좋아하잖아요. 그래서 내가 잡아 줄려고 했거든요…. 근데 어떤 사람이 나한테 막 욕을 해서… 아! 맞다… 예진이 서진이 아빠는 어딨어요? 만나고 싶은데… (속삭이듯) 호로새끼라면서요?

미주, 하~ 어이없단 듯 한숨을 쉬더니…

미주 나 물고기 싫어하니까 잡아 줄 필요 없어. 그리고 앞으로 이렇게 찾아오지 마. 서진이 예진이도 만나지 말고 아무튼 자꾸 내 앞에 나타나지 마!… 다 먹었지?

미주, 강호 손에 숟가락을 빼어 그릇과 함께 정리해 일어난다. 그때…

강호 나 미주 씨한테도 나쁜 사람이었어요?

미주 (멈칫)

강호 아니었으면 좋겠는데 그랬나 봐요.

미주를 바라보는 강호의 눈이 점점점 붉어진다. 미주, 그런 강호를 보며 입술이 파르르 떨리는데… 그때, 문이 열리며 정씨와 예진, 서진이 들어온다.

정씨 아이고, 내가 너무 늦었…

강호가 있는 것을 보고는 얼른 눈을 피하는 정씨.

강호 안녕하세요.

정씨 어?… 으응… 근디 강호 니가 웬일이여?

예진 아줌마가 새끼 돼지 받으러 가서 우리랑 같이 밥 먹었어….
아! 맞다… 그럼 사자 밥은 누가 줘?

강호 (순간 놀라더니) 아! 맞다!!! 사자!!… 사자사자!!!

강호, 허겁지겁 휠체어로 옮겨 타려 하자 얼른 휠체어를 잡아주는 예진과 서진.

강호 고마워, 얘들아… (정씨 보며) 안녕히 계세요~ 그리고 미주 씨도…

강호, 인사하려다 멈칫, 꾸벅 고개만 한 번 숙이고는 휠체어를 밀고 나간다. 휴~ 씁쓸한 얼굴로 강호를 보는 정씨… 그리고 미주.

53. 이장네, 거실 / N

비타민과 산더미 같은 위장약 봉지를 멍하니 보는 이장.

이장 부인 강호 엄마도 참… 남편 잃고 아들 저렇게 되고 이제 철석같이 믿었던 마을 사람들한테 뒤통수까지 맞게 생겼네….

이장 뭔 말을 그렇게 혀… 이제 나이도 있고… 편허게 좀 살라는 거지. 말이 쉽지… 농장 일이란 게 여자 혼자 허기 여간 힘든 게 아니여.

이장 부인 아~ 강호 엄마 남은 여생 편히 살라고 다같이 모여서 결사 투쟁해 주는 거예요? 와~ 우리 조우리 사람들… 진짜 신박하다.

큼… 씁쓸해지는 이장.

54. 돼지 농장 앞 / N

새벽, 어둠 속에 소 실장과 차 대리가 살금살금 농장으로 들어온다. 소 실장이 턱짓을 하자 차 대리가 빠르게 농장 쪽으로 이동한다. 컨테이너 사무실로 들어가는 소 실장.

55. 돼지 농장, 분만실 / N

새끼 돼지를 마른 수건으로 닦더니 '13'이라고 번호를 쓰는 영순.
엄마 돼지 앞에 놓아주자 젖을 빨기 시작한다.

영순 (땀 닦으며) 휴우~~~ 열세 마리… 다 나왔다….

안드리아 (휴대폰 보며) 당신은 긴 밤 지새우느라 고생이 많았다.

영순 (엄마 돼지 머리를 쓰다듬더니) 내가 무슨… 낳느라 엄마가 고생했지… 참 잘했어요~

영순, 엄마 돼지 머리에 매직으로 꽃을 그려주고는 배시시 웃는다.

영순 안드리아도 고생 많았어… 나머지는 내가 정리할 테니까 들어가.

안드리아 그것은 옳지 않다. 당신이 먼저 들어가는 것이 마땅하다.

영순 (안드리아 밀며) 일지도 써야 되고 내가 해야 돼…. 걱정 말고, 얼른 가… 얼른!

안드리아 (못 이겨) 당신의 뜻이 정 그렇다면 거절할 도리가 없구나.

안드리아가 나간다.

56. 돼지 농장, 사무실 / N

안드리아가 나오자 빠르게 몸을 숨기는 차 대리… 전화를 건다.

차 대리 실장님… 지금 인부가 그쪽으로 이동 중입니다.

컨테이너를 뒤지고 있던 소 실장, 그 말에 얼른 책상 밑으로 몸을 숨긴다. 문을 열고 들어오는 안드리아. 옷걸이에 잠바를 챙기더니 다시 나간다. 오토바이 시동 걸리는 소리가 들리다… 점점점 멀어진다. 천천히 책상 밑에서 나오는 소 실장. 그때, 문이 벌컥 열리자 놀라 다시 몸을 숙이는 소 실장.

차 대리 접니다… 어디 계세요?

소 실장 (일어서서 옷을 턴다) 남은 사람은?

차 대리 어머니야 퇴근하셨을 거고 인부까지 퇴근했으니 아무도 없습니다.

소 실장 좋아… 위쪽 창고로 가보자.

57. 돼지 농장 / N

영순, 돼지들의 상태를 살피며 일지를 기록하다 문득 손을 멈춘다.

박씨 V.O 뭐… 이제 와서 얘기지만 농장 땜에 이래저래 불편했던 건 사실이지….

정씨 V.O 특히 여름 장마철엔 냄새에… 벌레에… 그렇긴 허지.

양씨 V.O 난 농장보다는 강호 땜에… 자꾸 휠체어로 밭을 헤집고 댕기니께….

양씨 처 V.O 솔직히… 난 좀 불안허기도 혀… 정신도 온전치 않은디 언제 무슨 짓을 헐지 모를 일이잖여….

이장 V.O 에이, 그건 아닌디… 난 뭣보다 강호 엄마가 걱정돼서…. 몸도 좋지 않은디 저 힘든 농장 일을 계속허는 게 맞나 싶고….

청년회장 V.O 청량하고 상큼한 조우리를 위해서~ 투쟁투쟁~ 투쟁투쟁투쟁~

영순 투쟁?… 으휴… 얄미워…. 가서 그냥 뒤통수를 한 대 팍 때려주고 싶네.

후~ 한숨을 쉬더니 일지를 걸어놓고, 삽을 드는 영순. 똥을 퍼 외수레에 싣기 시작한다.

58. 돼지 농장, 축분장 / N

문을 여는 차 대리… 으윽 반사적으로 코를 막는 두 사람.

차 대리 축분장이네요.

소 실장 다른 창고는?

차 대리 저 위쪽에 작은 창고가 하나 더 있긴 한데….

소 실장 가자.

돌아서는 두 사람. 순간, 앞에 휴대폰을 불빛이 비춰지며 서 있는 영순의 파란 얼굴을 보고 기겁을 한다. 으아아악!! 차 대리가 뒷걸음질 치다 똥을 밟고 미끄러지며 바닥에 엉덩방아를 찧는다.

영순 누… 누구세요? 여기서 뭐 하시는 거예요?

소 실장과 차 대리… 얼른 얼굴을 숙이고 최대한 안 보이려고 애쓰며…

소 실장 아… 그게…

차 대리 (얼른 일어나며) 또… 똥이 좀 필요해서요.

영순 똥이요?

소 실장 에… 그러니까… 저희가…

차 대리 (얼른) 귀농을 하려는데… 비료 대신 돼지 똥을 주면 좋다고 해서….

소 실장 (당황해 확 차 대리를 째려본다) ….

영순 (가만히 보다가) 아… 근데 이게 막 그냥 갖다 뿌리면 되는 게 아니구요. 톱밥 넣고 생균제 넣고 묵혀서 유기질 비료화시키는 거예요. 만들어둔 건 이미 다 빼서… 다시 만들면 그때 나눠드릴게요.

소 실장 아… 네 잘 알겠습니다. 감사합니다.

소 실장, 얼른 차 대리를 끌고 나가려는데…

영순 그래도 이렇게 젊은 분들이 귀농을 하신다니 좋네요. 여긴 다들 나이든 분들 밖에 없어서… 밭이 어디예요?

차 대리 (주위를 살피다가) 저기 저 밭….

영순 (보다가) 저긴 우리 밭인데?

차 대리 …옆에 옆에 뒤에 밭을 샀어요.

영순 어머나… 밭을 얻은 게 아니고 사셨어요? 박씨 형님이 너무 비싸게 내놔서 그런지 안 팔린다고 그렇게 고민하더니… 결국 팔았구나.

차 대리 (암담해서) 네….

영순 아무튼 비료 만들어지면 그때 연락드릴게요. 댁은 어디세요?

소 실장 아… 집은…

차 대리 이제 막 지으려구요.

소 실장 하아… (고개 절레절레)

영순 그렇구나… 알겠습니다. 이웃 되면 자주 뵈어요. 그리고… 죄송하지만 여긴 외부인들이 막 들어오시면 안 되거든요. 요즘 전염병도 돌고 해서….

소 실장 아! 그렇군요… 정말 죄송합니다. 그럼…

소 실장, 얼른 다시 차 대리를 끌고 돌아서 간다.

소 실장 미쳤어? 당장 밭 사서 농사짓고 게다가 집까지 짓게 생겼잖아!!

차 대리 갑자기 물어보니까 당황해서….

영순, 웃으며 축분장 문을 닫으려는데… 순간, 표정이 굳어지더니 갑자기 '아…. 아악!' 배를 움켜잡는 영순. 슬쩍 돌아보다 놀라는 차 대리, '어어!!' 하더니 후다닥 영순을 향해 달리기 시작한다.

차 대리 왜… 왜 그러세요?!!

영순 아… 아아… 나 좀… 나 좀… 아아악!…

영순, 창백한 얼굴로 허공에 손을 내젓더니… 그대로 배를 잡고 쓰러진다.

59. 영순네, 안방 / N

'엄마!!!!!' 하며 자다가 눈을 번쩍 뜨는 강호. 강호, 영순의 이부자리를 보면 비어 있다. 방문을 열고 나가는 강호… 부엌에도 가보고 화장실 문도 열어본다. 휑하니~ 조용한 집. 강호, 시무룩해져 들어오더니 아기 돼지를 안고 자리에 눕는다.

60. 정씨네, 안방 / N

옆에서 자고 있는 예진이를 토닥토닥해 주는 미주.

강호 V.O 나 미주 씨한테도 나쁜 사람이었어요? 아니었으면 좋겠는데 그랬나 봐요.

다시 현실, 후우~ 한숨을 쉬며 돌아눕더니 이번에는 서진이를 토닥인다. 미주와 등을 돌리고 누워 있는 정씨. 역시나 잠을 못 이루고 있다.

인서트 1 강호와 미주가 태어난 날 (과거)

'응애응애' 우는 두 아기를 사이에 놓고 같이 누워 있는 영순과 정씨.

정씨 막상 낳아놓고 보니께 어찌 키워야 헐지 막막허제?
걱정 말고 나만 믿고 따라와… 내가 해봐서 알잖여.

영순과 정씨 마주 보며 빙그레 웃는다.

인서트 2 장례식장 (과거)

미주 부의 영정 사진 보이고, 사람들 상에 편육 접시를 내려놓는 정씨.

정씨 자자, 고기 좀 더 드세유… 아주 편육이 찰지게 잘 눌렸어….
(사람들 표정 보더니) 뭔 그런 표정들을 허구 있어요? 그렇게 속썩이고 지랄허고 댕기더니 잘 뒈졌지 뭐… 난 아주 속이 다 시원허네. 이장님 육개장 좀 더 드릴까?

정씨, 이장 국그릇을 들고 주방 쪽으로 와 국을 퍼 담는데… 그런 정씨의 뒤에서 정씨를 꼭 끌어안아 주는 영순.

영순 그렇게 꾸역꾸역 참을 거 없어요… 내가 해봐서 알잖아.

정씨, 영순의 말에 어깨가 떨리더니 흐흐흑… 운다.

다시 현실. 정씨, 깊은 한숨을 내쉬며 눈을 감는다.

61. 돼지 농장 앞 / D

[돼지 농장 OUT!], [사람이 먼저다!], [내 후각을 돌리도] 등의 피켓을 들고 머리에 '결사' 띠를 매고 확성기까지 든 트롯백이 혼자 서 있다. 트롯백, 앰프에 연결된 마이크를 켜고 볼륨을 조절하면서…

트롯백 아아~~ 마이크 테스트! 하나, 둘, 셋… (하더니 갑자기 노래) **♪ 가라 잘 가라 아주 멀리 가버려~ 그래 잘 가라 내 눈앞에 띄지 마!!!**… 좋아좋아… 마이크는 됐고… 근데 이 사람들 왜 이렇게 안 와~

트롯백, 전화기를 꺼내더니 전화를 건다.

트롯백 응, 원형아… 왜 여태 안 와?

62. 박씨네, 마루 / D

온몸이 멍투성인 삼식이에게 약을 발라주고 있는 박씨. 그 옆에서 통화 중인 청년회장.

청년회장 같이 자식 키우는 입장에서 아무래도 이건 아닌 것 같아요. 어디서 읃어맞고만 와도 이렇게 가슴이 찢어지는디… 강호 엄마 맘은 어떻겄어요… 전 빠질래요.

63. 정씨네, 마루 / D

전화 붙들고 있는 정씨.

정씨 …옘비럴~ 마늘밭에 약도 쳐야 되고 배춧잎도 솎아야 되고 디질래도 바빠 못 죽겄는디 데모는 무슨… 끊어요!!

정씨, 전화를 탁! 끊는다.

64. 병원, 응급실 / D

편안한 얼굴로 잠들어 있는 영순.

목소리 V.O 영순아~ 영순아~ 우리 간다~

65. 중학생 영순네 (과거) / D

각종 미술대회 상장이 붙어 있고… 석고상과 그림이 놓여진 이젤, 여러 미술용품들이 가득한 방. 김밥이 든 도시락의 뚜껑을 닫고는 손수건으로 예쁘게 싸고 있는 영순.

영순 잠깐만!… 잠깐만요~

66. 중학생 영순네 앞 (과거) / D

차에 올라타는 아빠와 엄마. 그리고 뒷자리에 앉은 영민(8). 화구통을 맨 중학생 영순, 헐레벌떡 조수석으로 다가오더니 김밥 통을 내민다.

엄마 어머… 이게 뭐야?

영순 처음으로 가는 아빠 회사 야유회잖아. 딸이 김밥 좀 쌌지.

아빠 아이고, 회사에서 도시락 다 나오는데 뭘 이런 걸….

영순 그래도 강화도까지 가려면 출출하니까 가면서 드세요.

영민 누나도 같이 가면 좋을 텐데….

영순 그러게… 다음 주 예고 실기 시험만 아니면 따라가는 건데….

엄마 걱정 마… 우리 딸은 무조건 합격할 거야.

아빠 당연하지… 그림으론 전국 최곤데~

영순 (웃으며) 네. 열심히 할게요!… 조심히 다녀오세요.

아빠 그럼 출발해 볼까?

아빠, 라이방 선글라스를 끼더니 카스테레오를 켠다. ♪ **나는 행복합니다** 노래가 흘러나온다. 노래를 따라 부르며 장난스레 어깨춤을 춰 보이는 아빠. 까르르 웃는 엄마와 영순, 영민. 차가 출발하자 차 꽁무니에 대고 손을 흔드는 영순. 큰길로 나가는 차를 확인하고 웃으며 돌아서는데… 순간… 쾅!!!!!!
그 자리에 얼어붙는 영순. 스르르르 돌아보면… ♪ **나는 행복합니다** 노래만 어렴풋이 들려오고 있다.

영순 아… 아… 아… 안 돼!!!!!!!!!!!!!!!

67. 병원, 응급실 / D

안 돼!!!! 하며 벌떡 일어나는 영순. 얼떨떨한 눈으로 주위를 둘러본다.

간호사 (다가와) 정신이 드세요?

영순 제가 어떻게 여길…

간호사 농장에 쓰러지신 걸 어떤 남자 두 분이 발견해서 모시고 오셨어요. 지금 원장님 만나셔야 되는데… 걸으실 수 있겠어요?

영순 아, 네….

영순, 간호사 부축을 받으며 신발을 신고 걸어간다.

68. 영순네, 안방 / D

밥을 먹고 있는 사자를 보는 강호.

강호 부엌에도 없고, 화장실에도 없고, 농장은 가면 안 되고… 그럼 전화해도 되는 거지?

아기 돼지 꿀꿀꿀.

강호 너… 방금 그래그래… 했다?

전화를 걸기 시작하는 강호.

69. **병원, 응급실 / D**

응급실 안에 울려 퍼지는 ♪ **나는 행복합니다~** 간호사가 소리 나는 쪽으로 다가오면 영순이 누웠던 침상 아래서 울리고 있는 휴대폰.

70. **이장네, 안방 / D**

휴대폰을 받는 이장.

이장 여보세요?

트롯백 면장님~ 접니다, 백훈아… 아니 이 동네 사람들 다 왜 이래요? 오늘 모이기로 해놓고 갑자기 다들 안 오겠다는 거예요. 아직 출발 안 하셨음 당장 다 모이라고 방송 좀 한번 때려줘!

이장 뭐여?… 모이자고 헌 말이 진심이었어?

트롯백 예에?

이장 난 술 한잔 먹고 장난친 건 줄 알았제….

트롯백 아니… 장난이라뇨!!!

이장 아, 이놈아… 도박에 표절 시비 걸려서 전 재산 탕진허고 도망쳐 온 놈이 전국 최대 규모 콘서트홀을 짓겠다는디… 그게 장난이 아니면 뭐여? 돼지가 음매 허고 웃겄다.

트롯백 아니… 그거야…

이장 (말 끊으며) 우리 조우리가 인자 '20년 범죄 없는 마을'로 선정됐으…. 괜히 데모하다 싸움 붙어서 내 표창장 날아가면 니놈헌티 표창을 날릴 거니께 명심햐…. 그럼 난 이만 바빠서… 내가 이 마을 이장이거든….

이장, 전화를 끊고 빙그레 웃는다. 그때다… 문이 쾅 열리며 나타나는 강호.

강호 이장님!!!!!!

71. 병원, 진료실 / D

난감한 얼굴로 앉아 있는 의사. 그 앞에 영순.

의사 정말 보호자가 안 계십니까? 남편이나 자식… 형제자매라도….

영순 네… 없어요. 없다고 몇 번을 말해요… 그러니까 그냥 말씀하세요… 왜 그러시는데요…. 혹시… 제가 뭐 나쁜 병이라도 걸린 거예요?… 네?

의사, 흠… 무거운 얼굴로 한숨을 쉬더니…

의사 지난번 조직검사 결과… (잠시 머뭇거리다) 위암 4기입니다. 더 정확히 검사를 해봐야 알겠지만… (CT 사진 보여주며) 일단 여기 사진상으로는 복막전이가 이미 시작된 것으로 보입니다.

멍한 얼굴로 의사를 보고 있는 영순. 이내 어렴풋이 웃으며…

영순 선생님… 그게 무슨…. 저… 그냥 소화가 잘 안 돼서 온 거거든요?

의사 (가만히 보더니) …이 정도면 고통이 상당했을 텐데… 왜 이제야 오셨어요….

영순 아니아니… 저 하나도 안 아프다니까요. 그냥 가끔 체하는 건데…. 것도 손 따고 약 먹으면 금방 내려가고… 또… 아휴, 아무튼 그런 거 아니에요. 암은 무슨….

의사 저… 어머니….

영순 검사 제대로 한 거 맞아요?… 거기 진영순 제 이름 맞냐구요. 아니 그게 문제가 아니고… 실은 우리 아들이 지금 많이 아프거든요… 그러니까… 제가… 아프면… 제가… 제가… 이러면… 아아…

갑자기 의자에서 내려와 바닥에 무릎을 꿇고 싹싹 비는 영순.

영순 살려주세요… 살려주세요, 선생님…. 수술하면 나을 수 있잖아요, 그쵸?… 저번에 뉴스 보니까 막 말기암 고치는 신약도 나왔다고… 선생님, 제발…. 저 말도 잘 듣고 치료도 잘 받을게요. 진짜로… (손을 모으고 빌며) 저… 지금 죽으면 안 돼요… 안 돼요, 선생님… 우리 아들 어떡해요… 우리 강호… 내 불쌍한 새끼 어떡해요… 어흑흑…

영순, 머리를 바닥에 묻고 흐느끼다가 번쩍 고개 들더니…

영순 검사 한 번만 더 해요… 네? 딱 한 번만 더 해요….

72. 병원, 복도 / D

퉁퉁 부은 눈으로 넋이 빠져 진료실을 나오는 영순. 비틀거리다 그대로 다리가 풀리며 한쪽 벽을 짚는다. 그때, '엄마~~~~~~~~~' 하는 소리가 들린다.
영순, 고개를 들자 저 앞에 강호가 미친 듯이 휠체어를 끌고 달려오고 있다.
그리고 저 멀리 뒤쪽으로 이장과 청년회장의 모습이 보인다.

강호 엄마!!! 엄마!!!

울부짖으며 정신없이 영순을 향해 달려오는 강호. 그러다 간호사 데스크 한쪽에 퍽! 부딪히며 휠체어가 쓰러진다.

영순 강호야!!!!

영순, 얼른 달려가 강호를 잡는다. 그리고는 안아 일으키려고 몇 번을 끄응끄응대다 갑자기 멈칫. 강호를 안았던 팔을 스르르 푸는 영순.
그 바람에 바닥에 다시 쿵 주저앉는 강호.

강호 (멍한 얼굴로) 엄마….

순간, 영순… 차가운 눈으로 스윽 강호를 보더니…

영순 일어나….

그리고는 싸늘히 돌아서 걸어가는 영순의 얼굴에서…

EPISODE
7

엄마 돼지는 새끼를 낳으면 이렇게 젖도 주고, 핥아주고
내내 같이 지내면서 밥은 어디서 먹는지, 똥은 어디다 싸는지,
가려울 땐 어떻게 긁는지, 화날 땐 어떻게 소리 내는지 하나하나 가르쳐줘.
그리고 그렇게 스물다섯 밤이 지나면… 새끼들을 보내는 거야.
왜냐면…… 엄마는… 좋은 데로 가야 되거든.

1. 돼지 농장 / D

어두운 화면 서서히 밝아지면 슬픔 가득한 영순의 얼굴이 화면에 차 있다.
그 위로 들려오는 한 남자의 목소리….

원장 V.O 기운 내야지… 니가 쓰러지면 어떡해…. 자… 일어나… 넌… 엄마잖아.

머리에 꽃 그림이 그려진 어미 돼지가 힘없이 축 처져 거칠게 숨을 헐떡이고 있다. 멍하니 서서 그런 어미 돼지를 바라보는 영순.

원장 새끼들 저렇게 애타게 엄마를 찾는 거 안 보여? 얼른 일어나서 젖도 주고, 품어주고 해야지… 응?

어미 돼지에게 주사를 놓는 4화 23씬의 동물병원 원장 모습이 보인다.

CUT TO

가방에 주사기와 약을 챙겨 넣는 원장.

원장 아무래도 10산 차 노산이라 회복이 늦네요. 일단 해열진통제랑 대사촉진제를 놓긴 했는데… 더 이상 출산은 힘들겠는데요.

안드리아 그럼 그녀는 이제 따돈업자에게 가는 것입니까? 불쌍합니다.

원장 사람이나 짐승이나 늙으면 어쩔 수 있나… 대신 이제부터 (아기 돼지들 보며) 요놈들이 엄마 뒤를 잘 이어나가겠지.

영순, 씁쓸한 얼굴로 새끼 돼지들을 바라본다.

2. 이장네, 주방~거실 / D

고급진 접시에 수제 푸딩, 쿠키, 타르트 등을 예쁘게 플레이팅하고 있는, 팩을 한 이장 부인. 접시를 들고 밖으로 나오면 거실에 앉아 커피를 마시는 청년회장과 이장 보인다.

이장 부인 그래서 강호 엄마는 이제 괜찮아요?

이장 부인이 접시를 들고 나오자 얼른 일어서서 접시를 받으려는 청년회장.

청년회장 아이고… 뭐 이런 걸…

그런데, 접시를 그대로 바닥에 앉아 있는 강아지, 호랑이 앞에 내려놓는 이장 부인. 뻘쭘해진 청년회장. 역시나 뻘쭘해진 두 손을 탁! 마주치더니…

청년회장 …리적거리는 파리 새끼!

이장 꼴딱 밤새가면서 새끼 돼지들 받느라 무리혔지 뭐여….
마침 거기 사람들이 있었으니께 망정이지, 클날 뻔혔어.

청년회장 근디 그 사람들은 누군디 그 새벽에 농장에 있었대요?

이장 (턱짓으로) 그 집 밭 산 사람들이라잖여….

청년회장 그 집이라뉴? 누구?… 우리 집이요?

이장 응… 그 옥수수밭.

청년회장 예에? 우리 옥수수밭이 팔렸대요? 은제유?

3. 박씨네, 마루 / D

계약서에 꽝 찍히는 도장. 입이 째지게 웃고 있는 박씨 앞에서 계약서에 도장 찍는 소 실장 보이고… 그 옆에 차 대리와 양씨도 보인다.

양씨 나가 땅 소개 35년 허면서 이렇게 시원시원한 사람들은 또 첨이여. 계약금, 잔금도 필요 없고 바로 현금박치기 헌다는 거 아니여.

박씨 (놀라) 현… 현금이요?

소 실장, 007가방을 꺼내 척 열어 보인다. 그때, 방문이 탁! 열리며 나오는 삼식이. 순간, 반사적으로 007가방을 깔고 앉더니 치마로 가리는 박씨. 으아아아~ 기지개를 켜며 나오던 삼식이 코를 킁킁댄다.

삼식 뭐지?… 어디서 좋은 냄새가 나는디?

그러다 소 실장과 차 대리를 본다.

삼식 누구…?

박씨 (당황해서) 어?… 아… 그게… 여기 새로 이사 오실 분들인디… 우리 방앗간에서 떠… 떡을 좀 맞추신다고…. 그래, 몇 말이나 해드릴까?

박씨, 제발 도와달라는 애절하고 간절한 눈빛으로 소 실장과 차 대리를 바라본다.

소 실장 어… 그게…

차 대리 (얼른 손가락 세 개 펴며) …한 세 마리 정도?

삼식 세 마리~이?

차 대리 (뭔가 잘못됐음을 직감하고 얼른) 아… 맞다. 동네에 사람이 몇인데… 하하하… (바닥을 탕! 치며) 화끈하게 삼십 마리 주십쇼!

으~ 망했다… 하듯 인상을 구기는 박씨와 소 실장. 가늘어진 눈으로 소 실장과 차 대리를 보더니 마루에 놓인 도장과 인주를 들어 살펴보는 삼식.

삼식 흠… 뭔가 손발이 상당히 안 맞는 느낌인디… 떡 사러 오신 분들 맞제?

박씨 (뜨끔하며 얼른 치마를 가다듬으며) 그… 그러엄~

삼식 근디… 어찌… 엄니는 앉은키가 커진 거 같혀?

그때, 문이 쾅 열리며 들어오는 청년회장.

청년회장 옥수수밭 팔렸다미?!!!

CUT TO

청년회장과 박씨가 활짝 열린 현금 가방 앞에 놓고 앉아 있고… 그 앞에 삼식이가 화가 난 듯 왔다갔다 하다가 털썩 앉는다.

삼식 설마 내가 이 돈을 훔쳐 갈까 봐 그런 겨?

박씨 응.

삼시 뭐?… 와… 이니 이뚝히 부모가 돼서 자식을 못 믿…

청년회장 못 믿어!

삼식 아부지!!

박씨 이게 어따 대고 소릴 질러…. 평생을 깜빵 드나들며 속 쌕인 게 누군디? 난 아주 도둑, 절도 이딴 소리만 들으면 자다가도 이가 갈려!

청년회장 난 간장게장도 안 먹어… 밥도둑이라 그래서….

박씨 난 쥐새끼보다 도둑고양이가 더 싫어유….

청년회장 지난번에 영화 〈도둑들〉 나왔을 띠 우리 을매나 놀랬어?

박씨 영화 내릴 때까지 고개도 못 들고 댕겼쥬….

삼식 하… 유치혀….

청년회장 유치허단 말 들으니께 뭐 생각나는 거 읎어?

청년회장/박씨 (동시에) 유치장?!… (동시에) 찌찌뽕!

푸하하하 웃는 청년회장과 박씨.

청년회장 에이~ 넘 그렇게 포복절도 허지 마러….

박씨 포복절도… 큭큭큭… 절도래~~~

'아이고, 아이고 배야… 하하하하하' 또 다시 웃는 두 사람. 삼식, 씁쓸한 눈빛으로 청년회장과 박씨를 보다가 무겁게 입을 연다.

삼식 누가 그러더라구유. 자식에게 부모는 세상이라고…. 근디… 지금 막 그 하나뿐인 세상이 무너져내린 기분이네유. 누굴 탓허겄어요. 다 내가 지은 죗값이쥬. 죄송헙니다. 이 못난 아들… 조만간 떠나겠습니다.

삼식, 팩 뛰어나간다.

청년회장 조만간 떠난다고?…

박씨 어… 어떡하쥬?

청년회장 (후다닥 돈 가방 챙기며) 이거 빨리 은행에 입금햐….

박씨 (후다닥 화장대 뒤지며) 인감하고 집문서부터 숨겨유….

4. 박씨네 앞 / D

대문 밖에서 귀를 대고 살며시 듣고 있던 삼식. 에흐씨~ 하며 바닥에 뒹굴고 있는 썩은 사과를 팍 찬다. 악! 사과에 정통으로 얼굴을 맞은 한 사람…. 스르르 고개를 들어보면, 태평양호 배 선장이다… 그리고 그 뒤를 에워싼 무리들. 하얗게 질려버리는 삼식. 배 선장, 자신에게 맞고 떨어진 사과를 주워들더니 노래를 흥얼거리며 삼식에게 다가선다.

배 선장 **♪ 사과 같은 내 얼굴 예쁘기도 하지요? 눈도 반짝! 코도 반짝! (칼을 꺼내 흔들며) 칼도 반짝반짝!** (수하들에게) 끌고 가!

5. **영순네, 마루 / N**

굳은 얼굴로 빨래를 개고 있는 영순… '안 돼, 안 돼… 그만해… 간지러워…'
스르르 옆을 쳐다보면… 아기 돼지 '사자'와 장난치며 놀고 있는 강호.

의사 V.O 원하신다면 수술을 할 순 있지만 현재 전이된 부위와 상태로 보아 큰 의미가 있을 것 같지는 않습니다. 마음의 준비를 하시는 편이….

영순, 후~ 무겁게 한숨을 내쉬더니 다 갠 옷들을 포개 들고 방을 나간다.
강호가 그런 영순의 뒷모습을 물끄러미 쳐다본다.

6. **영순네, 부엌 / N**

보글보글 끓고 있는 콩나물국과 생선구이… 그 앞에 넋이 나간 얼굴로 멍하니 서 있는 영순. 평평한 접시를 꺼내더니 그 위로 국을 떠서 붓는다. '앗 뜨거!!!' 그대로 접시를 놓치고… 쨍그랑~ 멍하니 깨진 접시를 바라보다 이내 스르르 쭈그리고 앉아 조각들을 줍는 영순. 그러다 부엌 앞에 걱정스러운 얼굴의 강호와 눈이 마주친다.

강호 엄마… 괜찮아?

영순 으응… 괜찮아….

강호 (걱정스런 얼굴) ….

영순 글쎄 괜찮대두…. 배고프지? 밥 다 됐으니까 쫌만 기다려….

영순, 밥통을 열자 물에 잠겨 있는 생쌀. 강호, 들어와 냉장고 문을 연다.
그리고는 그 안에 영순이가 개어서 넣어둔 옷들을 한 아름 안고 나간다.
그 모습을 멍~한 얼굴로 보는 영순.

7. 영순네, 안방 / N

어둠 속에서 눈이 말똥한 영순. 이리저리 뒤척이다 이내 벌떡 일어나 앉는다.
잠든 강호를 스르르 올려다보는 영순….

8. 영순네, 마루 / N

보험증권, 통장들, 집문서, 땅문서 등등 꺼내놓고 만기일, 수령액 등등을
하나씩 기입한다. 다음은 전화번호를 줄줄줄 쓰고 있는 영순…. 이장님댁,
미주네, 삼식이네 등등. 다음은 물 안 나올 때, 전기 안 들어올 때, 화장실
막혔을 때, 아플 때 연락해야 할 전화번호를 쓰고 배고플…을 적다가…
손이 떨리는 영순… 갑자기 팩, 볼펜을 집어 던지더니 홱, 해식의 영정 사진을
노려본다.

영순 나…

점점점 붉어지는 눈… 해식을 보며 천천히 고개를 젓는 영순… 점점 빠르게
빠르게 고개를 저으며 꾹꾹 울음을 참다가… 이내…

영순 …못 가요.

영순의 붉은 눈에서 눈물이 주르륵 흘러내린다.

9. 동물병원 / D

마주 앉아 있는 동물병원 원장과 영순.

원장 아드님에게 농장을요?

영순 나이를 먹다 보니 이제 좀 힘에 부치기도 하고… 혹시라도 저한테 무슨 일이 생기면 그땐 지 힘으로 먹고 살아야 되니까….

원장 아휴… 무슨 그런 걱정을 벌써 하세요. 저희 거래처 중에 사장님이 제일 젊으시거든요?

영순 그래도… 사람 일은 모르는 거잖아요. 그런데 아시다시피 저희 아들이 몸이 성치가 않아서… 그게 가능할지….

원장 음… 뭐 일단 농장 경영 믿고 맡길 농장장을 하나 두고… 아! 맞다. 사료회사도 한번 알아보세요. 사료 쓰는 조건으로 농장 지원사업 같은 것도 해주거든요. 톱밥, 출하, 따돈업자 쪽 하고도 미리 공증받아 계약해 놓으면 크게 문제 될 거 없을 테고…. 뭐, 약이나 접종… 이쪽은 제가 있으니까 걱정마시구요.

영순 아… 원장님. 정말 감사합니다. 감사합니다. 잘 좀 부탁드릴게요.

영순이 벌떡 일어나 공손하게 인사하자 만류하는 원장.

원장 아휴, 증말… 갑자기 왜 이러실까.

강호 V.O 엄마가 이상해.

10. 마을 일각 / D

멀찌감치 떨어져 앉아 있는 강호와 쌍둥이들. 서진은 『화난남매』 책을 들고 있고, 예진은 푸쉬팝을 누르고 있다.

예진 엄마들은 원래 다 이상혀… 맨날 화만 내구….

서진 그건 니가 엄마 폰으로 게임 20만 원어치 결제해서 그런 거고.

예진 칫! 애 키우다 보면 그런 일도 있는 거제.

서진 (고개 절레절레 강호 보며) 아줌니가 왜? 어디가 이상헌디?

강호 ….

예진 응? 왜 이상허냐고!!… 안 들려?… 아휴 속 터져….

예진, 벌떡 일어나 강호에게로 뛰어가자 서진도 뒤따라온다.

강호 (흠칫 놀라) 이러면 안 돼… 우리 같이 놀면 미주 씨가 싫어해.

예진 이게 어뜩히 같이 논 거여? 우연히 마주친 거제? 안 그려?

서진 손바닥만 한 동네선 흔한 일이제….

강호 그치만… (불안하게 주위를 살피자)

서진 걱정 마… 엄마는 읍내 나갔어.

강호 읍내? 언제? 지갑은 가져갔어?

예진 시방 그게 중요헌 게 아니잖여…. 도대체 아줌니가 왜 이상허냐고?

강호 아, 그게…… (시무룩해지더니) …말이 없어졌어.

예진 말이 없어졌다고? 그건… 고마운 일 아니여?… 잔소리도 안 듣고…

강호 기운도 없고… 웃지도 않아….

그때… 강호야!!! 강호야!!! 하는 소리. 돌아보면 함박웃음을 지으며 달려오고 있는 영순. 들뜬 목소리로 빠르게 말한다.

영순 여기서 뭐 해? 엄마가 얼마나 찾았는데…. 예진이 서진이도 있었구나? 어머 이건 뭐야? 새로 산 장난감이야? 좋겠네~~ 엄마가 사주셨나 보다. 할머니도 안녕하시지? 안부 전해드리고. 강호 삼촌은 아줌마랑 할 게 있어서 먼저 가볼게. 자, 출발!!! 부아아아아앙~

영순, 강호의 휠체어를 힘껏 밀고 달려간다. 멍한 얼굴로 그런 영순의 뒷모습을 보는 예진과 서진.

예진 말이 읎어졌다고 허지 않았어?

서진 〈쇼 미 더 머니〉 랩퍼인 줄….

11. 읍내 신발 가게 / D

고무장화를 사고 있는 영순.

영순 이건 목이 너무 짧은데… 좀 더 긴 건 없어요?

강호, 그 옆에서 이것저것 구경하고 있는데… 그때, 비송 한 마리가 쪼르르 뛰어간다.

강호 어? 호랑이다!… 호랑아… 호랑아….

강호, 비송을 따라 한참을 간다. 손이 닿을락 말락 막 잡으려는데 '메리~ 여깄었구나~' 하며 강아지를 안아 올리는 여자.

강호 어? 그거… 호랑이 아니에요?

여자 네에? 호랑이라뇨? (이상한 눈으로 본다)

강호 아… 아니구나… 호랑이랑 똑같이 생겨서 호랑인 줄 알았어요. 히힛.

여자 뭐래는 거야….

여자, 어이없게 쳐다보더니 간다. 한쪽에서 그 모습을 보고 있는 남중생들.

12. 읍내 신발 가게 앞 / D

영순, 장화가 든 비닐을 들고 돌아서는데 강호가 보이지 않는다.

영순 어?… 얘가 어디 갔어?… 강호야… 강호야….

영순, 시장을 여기저기 살피며 뛰어가기 시작한다.

13. 읍내 슈퍼 앞 / D

슈퍼에서 나오는 강호, 교복 입은 남중생들에게 담배를 건네준다.

강호 여기!

남중생1 오오 땡큐 베리 감사!… (담배를 받더니 척! 손을 내민다)

강호 응?

남중생1 거스름돈이요… 내가 5만 원 줬잖아요.

강호 5만 원 아니고 5천 원 줬는데….

남중생1 허~ 뭔 쌉소리야… 분명히 5만 원짜리 줬는데…. 니들도 봤지?

남중생들 응.

남중생1 들었죠? 자… 빨리 4만 5천 원 내놔요.

강호 (당황해서) 아니… 아닌데….

남중생2 빨리 내놓으라고 이 바보새끼야!!!

강호, 그 말에 홱 남중생2를 쳐다본다. 움찔하는 남중생2.

강호 나… 바보 아니야… 어린 시절로 돌아간 거야. 이건 하늘이 주신 기회야.

남중생들 서로서로 얼굴 보다 우하하하하 웃는다.

남중생2 하늘이 존나 얼탱이 없는 기회를 주셨네? 킄킄킄.

남중생1 돈 안 줄 거야? 그럼 뭐 어쩔 수 없쭈. 보자보자 어디 보자… 돈 될 만한 게… (휠체어 발로 탁탁 차며 남중생2에게) 야! 휠체어 당근나라에 팔면 얼마냐?

남중생3 4만 5천 원? 킄킄킄.

강호 안 돼… 하지 마… 니들 울 엄마한테 이를 거야. (남방 안쪽에서 휴대폰 꺼낸다)

남중생1 (휴대폰 만지며) 오이구!… 이게 웬 떡이야!

강호 떡 아니야… 휴대폰이야… 이리 줘!

휴대폰을 뺏으려는 남중생1, 안 뺏기려고 발버둥 치는 강호. 그때, 퍽! 소리와 함께 장화 한 짝이 날아와 남중생1 머리를 강타한다.

남중생1 아얏! (홱 돌아보며) 뭐야!!!!

영순 내 이 쌍놈의 새끼들을 그냥…!!!

영순, 주위를 둘러보다 철물점 앞에 세워진 곡괭이 하나를 잡더니 달려온다. 남중생들 '야! 튀어!!' 놀라서 후다다닥 도망간다.

14. 트럭 / D

영순이 운전을 하고 있고 그 옆에 강호가 앉아 있다.

영순 야, 이 개새끼야!!

강호 (주눅 든 얼굴로 고개를 숙이고 있다) ….

영순 야, 이 개새끼야!!

강호 엄마…

영순 따라 하라고!! 야, 이 개새끼야!!

강호 야… 이… (기어들어가는 소리로) 개새끼야….

영순 큰 소리로!!

강호 야, 이 개새끼야!!

영순 그래, 그렇게 하란 말이야. 어느 놈이든 너한테 바보야, 병신아… 이러고 놀리면 야, 이 개새끼야! 하는 거야… 알았어?

강호 욕하면 안 되잖아….

영순 욕해!!

영순, 핸들을 잡아 돌리더니 길 한쪽에 트럭을 세운다. 글러브박스를 열더니 작은 가방을 꺼내 강호에게 내미는 영순. 열어보면 어제 정리해 놓은 집문서, 땅문서, 각종 서류들과 통장, 인감 등이 들어 있다.

영순 자, 이제부터 이건 다 니 꺼야.

강호 내 꺼?

영순 응… 그러니까 절대 아무한테도 주면 안 돼. 강호야, 이거 줄게, 저거랑 바꾸자… 강호야, 여기다 도장 좀 찍어봐… 강호야, 보증 좀 서줄래? 강호야… 나 집문서 좀 잠깐만 빌려줘… 이러면 어떻게 해야 돼?

강호 ….

영순 (버럭) 어떡해야 돼?

강호 (버럭) 야, 이 개새끼야!!

영순 그렇지… 잘했어… 아주 잘했어… 아! 그리고…

영순, 주위를 살피더니 작은 가방을 뒤집어 쏟고 밑창을 이로 투두둑 뜯어본다.

영순 이건 아빠가 너 주려고 만든 통장인데… 우리 아들 장가갈 때 주려고 지금까지 꼬박꼬박 저금해 놓은 거야. 이건 너무 중요한 거라서 여기다 숨겨놓을 거니까 아무한테도 말하거나 보여주면 안 돼… 알았지?

강호 아~ 급식비처럼요?

영순 응?

강호 엄마가 가방 밑에 넣었어요. 급식비는 잃어버리면 안 돼.

15. 영순네 (과거) / D

초등학생 강호에게 봉투를 보이는 영순.

영순 이건 급식비야. 혹시 잃어버리거나 누가 가져갈 수 있으니까 선생님한테 낼 때까지 절대 꺼내면 안 돼.

영순, 어린 강호 책가방 밑에 돈 봉투를 넣고 실로 다시 꿰매기 시작한다.

다시 현실.

영순 그래… 그래 맞아… 엄마가 가방 밑에 넣어줬어. 아… (강호 안으며) 우리 아들… 똑똑해라… 그래 그렇게 하면 되는 거야. 하나씩 차근차근 떠올리고, 차근차근 배워보자… 알았지?

강호 네.

영순 자, 우리 아들 배고프지?… 밥 먹으러 가자.

16. 돼지 농장 / D

강호 발에 장화를 신겨주는 영순. 강호, 이게 무슨 일인가?… 얼떨떨한 얼굴로 주변을 살피고 있다.

강호 밥 안 먹어요?

영순 먹을 거야… 근데 밥을 먹으려면 쌀이 있어야 되고 쌀을 사려면 돼지를 키워서 돈을 벌어야 돼…. 지금부터 엄마가 그걸 가르쳐줄 거야.

휠체어를 밀어 레버 줄 앞으로 가는 영순.

영순 아침, 저녁 하루 두 번…. 배가 고프면… 너 먼저 먹지 말고 무조건 농장으로 와서 이걸 당겨. 그러면 여기 이 먹이통으로 저절로 사료가 나와.

영순, 레버 줄을 당기는데 사료가 나오지 않는다. 강호, 의심스러운 눈으로 영순을 쳐다본다.

17. 돼지 농장 앞 / D

영순이 고무망치를 들고 벌크 통을 때린다. 긴 대를 묶은 고무망치를 든 강호도 옆에서 같이 때린다.

영순 물기가 있거나, 추워서 결로가 생기면 사료가 이 안에서 엉겨버려. 그러면 파이프가 막혀서 먹이가 안 나오는 거야. 그럴 때마다 여기를 이렇게 탕탕탕 쳐주는 거야. 탕탕탕.

강호 (따라 하며) 탕탕탕.

18. 돼지 농장 / D

긴 플라스틱 삽을 잡은 강호의 손을 잡고 돼지 똥을 긁어내는 영순.

영순 먹는 것도 중요하지만 치우는 건 더 중요해. 엄마가 말했지? 돼지는 깨끗한 동물이라고…. 매일매일 치워주고 또 소독도 해줘야 돼.

19. 돼지 농장, 축분장 / D

외수레에 가득 실은 돼지 똥을 축분장에 쏟아붓는 영순.

영순 돼지 똥은 오래오래 묵혀서 발효를 시키면 감자밭에 거름으로 쓸 수 있어.

20. 감자밭 / D

검은 비닐이 펴지며 땅을 덮는다.

영순 먼저 밭에 거름을 깔고, 그 위에 잡초가 안 생기게 비닐을 덮어주는 거야.

호미로 비닐에 구멍을 뚫는 영순.

영순 그 다음에 구멍을 내서 거기다 씨감자를 심는 거지.

영순, 구멍을 뚫다가 이마에 흐르는 땀을 닦으며 돌아서면… 강호가 곡괭이를 퍼터처럼 쥐고… 씨감자를 하나씩 퍼팅해 구멍에다 넣는다. 정확하게 쏙쏙 들어가는 감자.

영순 최강호, 집중 안 해?!!!!

CUT TO

영순, 씨감자의 씨눈만 발라내 구멍에다 넣는다. 강호도 옆에서 씨눈을 발라낸다.

영순 봄에 심어 장마 오기 전에 캐고, 가을에 심어 겨울에 캐는 거야. 사료값 비싸니까 감자를 섞어서 먹이면 좋아. 단… 돼지가 아플 땐 절대 주면 안 돼.

강호 돼지가 언제 아픈데요?

21. 돼지 농장 / D

습도계 앞에 서 있는 영순.

영순 여기 이 빨간 눈금이 60을 넘으면 너무 습한 거니까 이 환기팬을 돌려주고… (돌아가는 환기팬) 요기 50 밑으로 내려가면 너무 건조한 거니까 바닥에다 물을 뿌려줘야 돼. 습도가 안 맞으면 돼지들은 금방 아파….

사료회사와 따돈업자 전화번호 밑에 동물병원 전화번호를 적어주는 영순.

영순 돼지들이 기침을 하거나 설사를 하거나 이유 없이 쓰러져 있을 땐 바로 동물병원에 전화를 해서 이렇게 말해.

CUT TO

영순이 종이에 써놓은 글을 그대로 읽는 강호.

강호 안녕하세요, 여기는 조우리 행복한 농장이에요. 돼지가 기침… 혹은… 설사를 해서 많이 아파요. 빨리 와주세요.

영순 잘했어… 그러면 금방 올 거야…. 그런데… 만약에 전염병 같은 게 터져서 올 수 없다고 하면…

CUT TO

주사기에서 약이 쭈욱 뿜어져 나온다. 그런 주사기를 잡고 달달달 떠는 영순.

영순 그땐 니가 약을 사와서 직접 주사를 놔야 돼…. 안 그러면 여기 있는 돼지들이 다 옮으니까….

강호 (놀라) 시… 싫어… 주사 무서워요… 못해….

영순 (무섭지만 태연한 척) 쉬워… 자 봐봐… 먼저 이렇게 뒷다리를 잡고… 안쪽에다가…

아기 돼지는 꽥꽥 소리를 지르고 영순, 머뭇머뭇거린다. 그러다 강호와 눈이 마주치는 영순, 굳게 마음을 다잡더니…

영순 (주사를 쿡 꽂으며) 이렇게 콱!

영순, 질끈 감았던 눈을 조금씩 뜬다. 성공이다.

강호 (박수 치며) 와~~ 엄마 최고!! 진짜 멋있어요!!!

영순, 쑥스러운지 배시시 웃는다.

22. 돼지 농장, 분만사 / D

1씬의 꽃 그림 어미 돼지를 보는 영순과 강호… 새끼들이 어미젖을 먹고 있다.

영순 여기… 요 큰 돼지가 이 새끼들 엄마야. 엄마 돼지는 새끼를 낳으면 이렇게 젖도 주고, 핥아주고 내내 같이 지내면서 밥은 어디서 먹는지, 똥은 어디다 싸는지, 가려울 땐 어떻게 긁는지, 화날 땐 어떻게 소리 내는지 하나하나 가르쳐줘. 그리고 그렇게 스물다섯 밤이 지나면… 새끼들을 보내는 거야.

강호 보내?

영순 응… 이제 너희들끼리도 잘 살 수 있지? 그럼 이제 다른 데로 가서 잘 살아라 하는 거야….

강호 같이 안 살구?

영순 같이 못 살아….

강호 왜?

영순 왜냐면…… 엄마는… 좋은 데로 가야 되거든.

강호 좋은 데?…

영순 응… 좋은 데….

강호 혼자서?

영순 혼자서….

영순, 붉어진 눈으로 가만히 어미 돼지를 본다.
그때, 강호가 바닥에 흙덩이 하나를 집어 어미 돼지를 탁 맞추며…

강호 에잇… 나쁜 엄마다!!

23. 버스 정류장 / D

늦은 오후, 통화를 하며 버스에서 내리는 미주.

미주 글리터젤 12색 세트하구요, 파인애플 파츠 한 상자, 팅크투어 한 상자… 아! 그리고 보습 크림도 열 개만 보내주세요. 내일 오픈이니까 아홉 시까지는 도착해야 돼요. 네, 그럼 부탁드릴게요.

미주, 전화를 끊고 돌아서다가 아악! 하고 뒤로 물러선다. 팩을 붙인 이장 부인이 가운뎃손가락을 들고 서 있다.

이장 부인 큐빅이 떨어졌어….

24. 마을회관 앞 / D

평상에 앉아 이장 부인 손에 큐빅을 붙여주고 있는 미주. 그 옆으로 마을 여자들 몇 명이 앉아 매니큐어를 말리고 있다.

이장 부인 농약사 안에 네일샵을 차린다고?

미주 네. 임대료도 싸고, 드나드는 손님도 많고… 좋을 거 같아서요.

마을여자1 손님도 손님 나름이지… 시골 촌구석 사는 사람들이 네일아트를 허겄어?

그러다 자신들의 손을 바라보며 멋쩍어 히히힛 웃는 여자들.

마을여자1 하는구나….

양씨 처 괜찮네… 속상해서 콱 죽어버리려고 농약 사러 갔다 네일 받고 기분 풀어질 수도 있잖여… 호호호.

이장 부인 속상해서 네일하러 갔다가 농약 보고 콱 죽고 싶어지면요?

마을 여자들이 쳐다보자 배시시 웃는 이장 부인.

이장 부인 호호호… 농담!… 신경 쓰지 마세요. 농약사에 네일샵!… 뭔가 신박해.

그때, 정씨가 다가온다.

정씨 그니께 앞으로는 공짜로 해달란 말 허지 말고 네일샵 와서 받어.

삼식이 형님은 안 나왔어?

양씨 처 아까 은행 간다고 엄청 급하게 나가던데….

전씨 은행에? 뭐여… 또 삼식이 놈 시고 처시 돈 꾸러 간 거 아니여?

25. 마을 일각 / D

봉고차 한 대가 멈춰 서더니 그 안에서 데구르르르 굴러떨어지는 만신창이가 된 삼식.

배 선장 ♪ **지금은 우리가 헤어져야 할 시간, 다음에 또…** 만날 때까지 1억 준비해…. 만약 그러지 못할 시엔… (신체 포기 각서 보이며) 죽어가는 많은 이들에게 새 생명을 주게 될 것이여.

부릉, 차가 출발한다. 간신히 일어서는 삼식…. 하아~ 하늘을 보며 한숨을 내쉬더니 절뚝절뚝 걷는다. 그때, 전화가 울린다. [미주]. 눈이 커지더니 얼른 흠흠 목소리 가다듬고 전화를 받는 삼식.

삼식 여보… 야?

미주 어디야?

삼식 다짜고짜 어디긴… 당연히… 태평양이제.

미주 그치?… 고 사이에 나와서 사고 치고 그런 거 아니지?

삼식 나 참! 열심히 맘도 잡고 고기도 잡는 사람한티 그게 뭔 소리여? (멀리 대고) 어이~ 거기 김씨 거 그물 좀 바짝 땡겨요~ 이게 완전

내 체질이여…. 어제는 인어공주도 한 마리 잡았다니께….

미주 치~

삼식 넌 어딘디? 또 짤려서 소주 먹고 있는 건 아니제?

미주 짤리다니… 나 가게 오픈하거든? 오늘 인테리어도 끝냈어.

삼식 정말?… 이야~ 역시 우리 미주… 기어이 모진 시련 박차고 일어났구나. 저번에 다 때려치고 시골 내려갈까? 혔을 때 내가 을매나 맴이 안 좋던지…. 우리 미주가 촌구석에서 그라고 썩힐 실력이여?… 적어도 평창동 사모님들 정도는…

순간, 눈이 커지는 삼식과 미주. 마을회관 평상에서 네일아트 해주던 미주와 피투성이 삼식이 전화기를 든 채 서로를 멍하니 보고 있다.

삼식 (전화기에 대고) 잠깐만 이따가 전화할게….

미주 (전화기에 대고) 어… 그… 그래….

삼식/미주 (동시에 반갑게) 이미주? / 방삼식?

'이야 이게 얼마 만이여?', '언제 내려왔어?' 등 반갑고 부산스럽게 인사하는 두 사람. 마을 여자들 어리둥절하게 두 사람 쳐다보고 있다.

26. 마을 정자 / N

커다란 느티나무 앞 정자에 말없이 앉아 있는 삼식과 미주.

미주 다시 만나면 깜짝 놀랄 모습을 보여준다더니… 정말 놀랬다. 어제 잡은 인어공주한테 얻어터진 거야?

삼식 저 태평양엔 말이여. 니가 모르는 남자들만의 세계가 있어. 니가 뭘 알아? 남자의 마음을…. 그러는 넌 평창동 사모님들이 아니라 평상 사모님들을 모시는 겨?

미주 …니가 뭘 알겠냐… 여자의 마음을….

삼식 그랴… 이왕 이렇게 된 거 그냥 서로 모르자… 이대로 쭉….

미주 그러게… 누가 누굴 알아주고 말고 하겠어… 후~ 니 꼴이나 내 꼴이나….

삼식 그려도 우린 강호보단 낫제… 세상 다 가진 새끼처럼 재수 읎게 굴더니… 봤냐?… 바보 된 거?

미주 야!!!!

삼식 놀래라….

미주 아무리 그려도 그릀지… 넌 어뜩히 아픈 사람헌티 그딴 소릴 혀?

삼식 화나니께 사투리 쓰는 겨?… 이야~ 역시 우리 미주… 오늘도 귀여워….

미주 으휴, 등신….

미주, 홱 일어서 가려 하자 앞을 막아서는 삼식.

삼식 에이… 알았어, 알았어… 잘못혔어… 그렇다고 그렇게 발끈허고 그러냐. (표정 굳더니) 잠깐만… 너 설마… 아직까지 강호 그놈 좋아허는 거여?

미주 미친놈….

삼식 에, 뭐여?… 긴 겨?

미주 비켜….

미주, 삼식을 피해 가려 하자 얼른 다시 막는 삼식.

삼식 어어… 이거 갑자기 막 피하는 거 보니께… 기네… 기여!!

미주 (노려보며) 똥이… 드러워서 피하냐, 무서워서 피하지?!!!

미주, 삼식을 밀치고 가버린다. 삼식, 멍하니 미주의 뒷모습을 보다가 갸웃.

삼식 (읊조린다) 똥이 무섭다고~?… (큰소리로) 똥이 무섭다고?…
미주야 왜?… 어째서 그것이 무섭냐?!!

27. 정씨네 앞 / N

씩씩대며 걸어오는 미주. 그때, 문 앞에 쭈그리고 앉아 울고 있는 서진, 그 옆에 앉아 등을 토닥이는 예진.

미주 어? 서진아… 왜 울어? 응? (예진 보며) 너 또 서진이 때렸어?

예진 때리긴 누가 때려~ 서진이 얘 지금 목욕탕 가기 싫어서
우는 거여.

서진 엄마, 나 목욕탕 안 가면 안 돼요? 맨날 할머니랑 예진이랑 여탕
가는 거 증말 싫단 말여요… 흑흑.

예진 지난 주에 목욕탕에서 사슴반 윤지랑 꽃잎반 다현이를 만났거든.

서진 으아아앙~~~

예진 아휴… 고만 좀 울어… 니 살봇 아니여….

서진 엄마… 나도 다른 애들처럼 아빠랑 남탕 가고 싶어요…. 아빠 좀 오라고 하면 안 돼요? 네?… 제발… 아아앙~~~

씁쓸한 얼굴로 그런 서진을 보는 미주.

28. 난다기획사, 회의실 / N

트롯 콘서트홀 관련 모형도와 각종 계획안 등이 붙어 있는 회의실. 조우리 마을 지도를 펼쳐놓고 앞에서 마이크 들고 설명 중인 트롯백. 앞에는 사장을 비롯한 회사 관계자들 몇 명과 최 대표가 앉아 있다.

트롯백 후년부터 이쪽 인근으로 반도체 공장과 네버랜드가 착공 예정이라니까 도로며 교통은 뭐 전혀 문제없구요. 아파트에 학교, 공원, 공공 편의시설까지 이미 개발 계획이 싹 잡혀 있으니까 우리도 올해 말부터 착공 시작하면 개관 시기가 딱 맞을 것 같습니다.

이사1 그럼 일단 이번 주말에 한번 내려가서 부지를 좀 둘러볼까요?

트롯백 (당황해서) 아… 그게… 지금은 좀…. 일단 제가 지저분한 것 좀 싹 정리하고 모시겠습니다.

최 대표 거기 큰 돼지 농장이 하나 있거든요….

이사2 돼지 농장이요?

트롯백 하… 최 대표 진짜… 내가 설명 드린다니까…. 그게… (웃으며) 네… 있더라구요, 돼지 농장이…. 그런데 지금 마을 사람들도 몰아내자고 난리고, 여기저기서 이런저런 민원이 빗발치는 상태라… 착공 전까지는 무조건 정리될 겁니다.

사장 우리 백 선생님 이름 걸고 투자유치한 콘서트홀인데 어련히 알아서 잘 하시려구요… 믿습니다.

트롯백 아, 그럼요… 그럼요… 아무 걱정 마십시오. 하하하하… 뭐 어떻게… 회의도 끝났는데 마이크 든 김에 노래라도 한 곡 부를까요? 우리 사랑하는 조우리 마을 사람들에게 바칩니다. 배신자~

♪ **배신자여~ 배신자여 사랑의 배신자여~** 트롯백, 노래를 부른다.

29. 고급 한정식집 / N

오태수와 하영, 부인이 앉아 있고 그 앞으로 도상그룹 회장과 아내 그리고 아들이 앉아 있다.

회장 경선 일정에 바쁘실 텐데 이렇게 상견례 자리까지 참석해 주시고 감사합니다.

오태수 세상에서 제일 사랑하는 제 여식이 이렇게 훌륭한 인연을 만나 인생의 새 출발을 준비하는 자린데…. 차라리 경선을 하루

빠지라면 빠지겠습니다.

하하하하 웃는 회장과 오태수.

회장 부족한 저희 아들에게 훌륭한 인연이라고 말씀해 주시니 몸둘 바를 모르겠습니다.

오태수 겸손의 말씀이십니다. 부모를 보면 자식을 안다고 회장님이 어떤 분이십니까? 가난한 농가에서 태어나 대한민국 경제를 이끄는 최고 기업 '도상'을 만드신 분입니다.

회장 하하… 부끄럽습니다. 흔히들 개천에서 용 났다고 놀리곤 하죠….

오태수 회장님… 제가 대통령이 되려는 이유가 바로 그겁니다…. 개천에서 용이 나는 세상! 요즘처럼 사회적 불평등이 고착화되고 부와 빈곤이 세습되는 세상에서는 더 이상 개천에서 용이 날 수 없습니다. 그러다 보니 사회적 약자들은 아무런 희망이 없는 세상에서 노력도 발전도 없이 그냥 그렇게 살 수 밖에 없는 거죠. 아니, 사는 게 아니라 버티는 거겠죠. 저는 개천에서 용이 날 수 있는 대한민국을 만들 겁니다. 그리고… 제 정치의 미래가 바로 회장님이십니다.

서로 만족스러운 웃음을 주고받는 회장과 오태수.

30. 김씨네 염소 농장 / N

울타리 안에 여러 흑염소들 보인다. 검은 염소 한 마리가 비틀비틀 걷다 푹 고꾸라진다.

31. 마을 전경 / D

아침이 밝아온다.

32. 영순네, 부엌 / D

쌀독에서 쌀을 퍼 담고 일어서는 영순. 흡! 갑자기 배에 통증을 느끼고 인상을 찌푸린다. 영순, 얼른 찬장을 열고 약을 꺼내 먹는다. 그리고는 잠시 배를 잡고 앉아 끙끙대다가… 갑자기 입을 막고 개수대로 가 토하기 시작한다. 우웩우웩… 너무나도 괴로운 영순. 빨갛게 충혈된 눈에서 눈물이 뚝뚝뚝 떨어진다. 그렇게 한참을 토하던 영순… 눈이 커진다. 개수대에 빨간 피가 흥건하다. 그때, 강호가 '엄마! 엄마!' 하며 다가온다. 영순, 얼른 수돗물을 틀더니 손바닥으로 피를 막 흩뜨려 흘려보낸다.

강호 엄마! 가요….

영순 응? 어딜 가?

강호 나 배고파…. 배고플 땐 나 먼저 먹지 말고 돼지들 먼저 밥 줘야 돼요. 맞죠?

영순, 웃는 듯 우는 듯 빙그레.

33. 영순네 앞 / D

소 실장과 차 대리가 영순의 집 앞에 서 있다.

차 대리 결과적으로 보면 차라리 잘됐습니다. 밭을 사놨으니 동네 드나드는 게 크게 수상해 보이지 않을 거고…. 문제는 집인데….

소 실장 (황당한 얼굴로 차 대리 보더니) 지금… 문제가… 집이니?

차 대리 아… 맞다.

소 실장 (차 대리 쪼인트 까며) 정신 안 차리지? 경선 끝날 때까지 아무것도 못 찾으면… 그땐 너랑 나도 끝이야!

차 대리 넵!

소 실장 (영순네 집을 살피며) 농장은 아니고 분명 집 안 어딘가에 있어. 일단 안에 누가 있는지부터 살펴보자.

차 대리와 소 실장 빠르게 대문을 향해 다가가 문틈으로 안을 살피는데…
그때, 어이~ 하는 소리가 들린다. 화들짝 놀라 돌아서는 두 사람.
돌아보면 삼식이가 건들건들 다가온다.

삼식 쌀 한 말, 두 말도 모르는 것들이 연고도 없는 이 시골 구석에 기어 들어와 시세보다 두 배는 비싼 땅을 현금으로 사서 농사를 짓겠다고 할 때는 딱 두 가지 이유가 있제. 첫째, 몸이 많이 아프거나… 둘째, 이 머리가 많이 아프거나… 아님… 어디서 사고를 치고 들어왔거나, 혹은 여기서 사고를 치고 나갈 예정이거나….

차 대리 딱 두 가지라면서 네 가지나 말씀하셨는데요.

소 실장이 차 대리를 툭 친다.

소 실장 뭔가 오해가 있으신 모양인데… 저희는 그냥 순수하게 농사를 짓고 싶어서 온 겁니다.

삼식 아~ 그려요?… 그릏지, 농사는 이렇게 양복 쫙 빼입고 지어야제…. 근디 왜 남의 집은 그라고 엿보고 있어요? 마치 뭔가를 훔치러 온 도둑 새끼들처럼?

차 대리 (괜히 찔려서) 아후… 훔치다뇨… 저희는 그냥… 아! 집을 좀 구하려고.

소 실장 (후우~)

삼식 집?… 아… 그러니께 주말농장 이런 게 아니고 아예 본격적으로 눌러앉아 농사를 짓겠다는 거네?

차 대리 (소 실장 눈치 보며) 그게 그렇게 되는 건가……봐요.

삼식 음… 그래, 무슨 작물을 키우시게?

차 대리가 입을 열려 하자 얼른…

소 실장 아, 저희가 농사는 처음이라… 차분히 생각을 좀 해보고…

삼식 오케이~ 그럼 이렇게 합시다. 내가 집도 구해주고 작물 선정에서 농사짓는 법까지 싹 컨설팅해 드릴게….

소 실장 아니… 굳이 그러실…

삼식 자, 그럼 일단 막걸리 한잔하면서 차근차근 얘기 좀 해볼까요? 요 동네에 35년 된 양조장이 하나 있는데… 아주 맛이 죽여.

삼식이가 어깨에 척! 손을 올리고 끌자 얼결에 끌려가는 차 대리.

소 실장 아니… 저기… 야!!!!!!

그때, 대문이 열리며 안에서 나오는 영순과 강호. 소 실장, 쏜살같이 달려가더니 삼식과 반대쪽에서 차 대리에게 어깨동무하고 사라진다.

34. 트럭 / D

트럭을 타고 가는 영순과 강호.

영순 모돈 한 마리에 30만 원이라고 치자. 그런데 따돈업자가 와서… 아이고~ 사장님. 여름돼지나 복돼지죠, 요즘은 출하량이 많아 돼지금이 많이 떨어졌어요… 그러니까 25만 원만 받으세요… 그래. 그럴 땐 어떡해야 돼?

강호 야, 이 도둑놈의 새끼야~~~ 안 팔아!!

영순 (흐뭇하게 끄덕끄덕) 그래 잘했어, 아주 잘했어. 다음은 톱밥 업자!… 키로에 190원 하던 톱밥을 갑자기 220원 달래. 그러면서 이건 러시아산 적송나무 알톱밥이라 급이 틀린 거예요. 나중에 퇴비 만들어서 감자밭에 뿌리면 감자가 수박만 하게 난다니까요… 막 이래. 그러면 어떻게 말해야 하지?

강호 인면수심 파렴치한은 당장 물러가라!

영순 세상에!!~ 우리 아들!…어떻게 그런 어려운 말을 생각해 냈어?

그 말에 강호가 손가락을 들어 뭔가를 가리킨다. 보면, 농장 앞에 걸려 있는 각종 현수막과 피켓. [인면수심 파렴치한은 당장 물러가라], [냄새 땜에 못 살겠다], [이러면 안 돼지] 등의 글귀. 순간, 헉! 표정이 굳는 영순… 끼익 거칠게 차를 세우더니 내린다. 트럭 뒤에 실린 공구함에서 낫을 꺼내드는 영순. 현수막과 피켓들을 모조리 뜯어내고 뽑아내 트럭 짐칸에 던진다.

35. 돼지 농장, 마당 / D

강호가 팔 힘으로 능숙하게 트럭에서 내려와 휠체어에 앉는다.

영순 데려가서 작업복부터 입혀줘.

안드리아 네… (휠체어 잡으며) 지금부터 내가 너를 조종할 것이니 불편함을 무릅써라.

안드리아, 강호를 데리고 들어가고… 영순, 트럭 뒤 칸에 현수막과 피켓들을 들고 쓰레기장으로 걸어가는데… 그때, 누렁이가 축사 뒤쪽을 향해 왈왈왈 정신없이 짖는 것이 보인다.

영순 왜 그래?… 거기 쥐새끼라도 있어?

영순, 다가가 보면 트롯백이 축사 뒤쪽에서 핸드폰으로 여기저기 찍고 있는 모습이 보인다.

영순 여기서 뭐 하시는 거예요, 쥐새끼처럼?

트롯백 사람들이 말이야… 말로 하면 믿지를 않아. 이거 봐… 여기 오폐수 유출되고 있는 거….

영순 이건 오폐수가 아니고 저 위에 물탱크에서…

트롯백 아이 됐고 저기 저 사무실. 저기는 건축대장에 있는 거 맞어? 불법 가건물이지?… 아! 맞다 아까 보니까 외국놈도 하나 왔다 갔다 하던데… 취업비자 있어? 불법체류자지?… 항생제 기준치 이상 막 오남용하고 따돈업자한테 현금 받아 탈세하는 데도 많다던데… 여긴 아닌가?… 뭐, 그래… 다 아니라고 쳐! 세상에… 저 더럽고 좁은 우리에 돼지를 수백 마리씩 가둬놓고… 이건 동물 학대야, 이 여자야!

영순 (어이없게 쳐다보다가 현수막, 피켓 들이밀며) 이것도 당신 짓이지?

트롯백 그래! 다 같이 몰아내자고 해놓고 한 명도 안 나왔더라. 아픈 아들새끼 앞세워서 어찌나 마을 사람들을 잘도 구워삶아 놨는지…

순간, 들고 있던 현수막과 피켓을 트롯백에게 팍 던지는 영순. 악! 피켓에 맞아 코를 잡고 아파하는 트롯백. 코피가 난다.

트롯백 너… 너 이거… 으악 피!!… 너… 너 진짜 죽고 싶어?!!!

순간, 냅다 트롯백의 멱살을 잡는 영순.

영순 죽고 싶어? 죽고 싶냐고? 세상에 죽고 싶은 사람이 어딨어, 이 새끼야! 내가 왜?!! 내가 왜 죽어야 되냐고!!! 왜!!!!!

트롯백 (겁에 질려) 이… 이 여자가 왜 이래… 이거 안 놔?

그 모습을 본 안드리아와 강호가 뛰어나와 영순을 잡고 말린다.

강호 엄마… 왜 그래!!

안드리아 싸장님… 안 되다… 이 행위는 옳지 않다

영순 너 똑똑히 들어. 여기 이 농장 내 남편 목숨값이랑 바꾼 거야! 니가 아무리 지랄발광을 해도 나 절대 포기 안 해! 내가 죽으면 내 아들이 할 거고… 그 아들에 아들에 아들까지… 대대손손 물려줄 거라고! 그러니까 한 번만 더 이딴 짓 하기만 해….
그땐 너 죽고 나 죽는 거야! 알았어?

그때, 빵빵빵빵 정신없이 경적을 울리며 자동차 한 대가 거칠게 들어오더니… 동물병원 원장이 뛰어내린다.

원장 사… 사장님… 큰일 났어요!!

36. 돼지 농장 / D

급하게 농장 안쪽으로 들어가는 봉고차 몇 대와 포크레인.

37. 마을 일각 / D

우르르 몰려오는 이장을 비롯한 마을 사람들. 반대쪽에서 청년회장과 박씨, 그리고 정씨가 뛰어온다.

청년회장 이… 이게 무슨 일이에유? 구제역이라뉴?

양씨 김씨네 염소 농장서 터졌디야.

박씨 근디 왜 공무원들이 돼지 농장으로 몰려와요?

이장 구제역 터지면 반경 3키로 내에 소, 돼지들은 모조리 살처분혀야 된다는 겨.

정씨 예에? 그럼 강호네 돼지들은 병도 안 걸렸는디 죽인단 거예유?

이장 법이 그렇댜… 법이….

이장 부인 다행히 우리 호랑이는 개라서 괜찮대요.

박씨 쓰버럴! 지금 그 개새끼가 문제여?!!

청년회장 (이장 보며) 그럼 인제 강호네는 어떻게 되는 거예유?

이장 당분간은 농장 문을 닫아야 헌다네….

박씨 으이그… 썅놈의 염소 새끼들 그렇게 사방팔방 지럴하고 돌아댕기더니 기어이 사고를 치네, 사고를 쳐….

정씨 하이고… 하이고… 강호 엄마 불쌍혀서 어뜩햐?

38. 감자밭 / D

농장 옆 감자밭, 포크레인이 굉음을 내며 땅을 파내고 있고… 농장에서는 하얀 방역복을 입은 공무원들이 돼지들을 몰고 나온다. 안 나오려고 버티는 돼지들을 밀고 끌고 안고… 새끼들을 포대 자루에 넣어 나오는 공무원도 보인다.

강호 아저씨… 그러지 마세요… 제발… 우리 돼지 죽이지 마세요…. 엄마… 엄마… 이 아저씨들 좀 말려봐….

강호가 공무원들을 막고, 팔을 잡고 늘어지다 휠체어째 넘어진다. 그런 강호를 잡아 일으키는 안드리아. 그야말로 아수라장인데… 농장 한 켠에 넋이 나간 얼굴로 황망히 서 있는 영순. 그때, 머리에 꽃이 그려진 어미 돼지가 끌려 나오는 것이 보인다. 그리고 아무것도 모른 채 어미 돼지를 올망졸망 따라 나오는 아기 돼지들. 역시나 상황 파악 안 되는 어미 돼지가 구덩이 근처에 자리를 잡고 눕는다. 그러자 득달같이 달려들어 젖을 먹는 아기 돼지들. 공무원들이 다가와 새끼들을 잡아떼려 하자…

영순 (버럭) 놔둬요!!

공무원들이 일제히 영순을 본다.

영순 새끼들 젖 먹이잖아요…. 그러니까… 그러니까 그냥 좀 놔둬요….

공무원들 영순의 말에 씁쓸해져 다시 새끼들을 내려놓는다. 영순, 다가와 어미 돼지 옆에 쭈그리고 앉는다. 그리고는 어미 돼지를 가만히 어루만지는 영순….

어미 돼지의 눈을 바라보며 점점점 붉어지는 영순의 눈…. 한숨처럼 작게 내뱉는다.

영순 왜….

인서트 1 과거

돌아가신 부모님과 동생 영민의 얼굴에 하얀 천이 덮인다.

영순 왜…

인서트 2 과거

죽은 해식의 얼굴에 하얀 천이 덮인다.

영순 왜…

인서트 3 과거

온몸에 붕대를 감고 중환자실에 누워 있는 강호.

영순 왜…

결국, 어미 돼지와 아기 돼지들을 구덩이로 밀어넣는 공무원들.
그 커다란 구덩이 위로 커다랗고 하얀 비닐이 덮인다.

영순 왜!!!!!!!!!!!!!!!!!

영순이, 발악하듯 소리를 지르더니 이내 '안 돼!! 안 돼!!' 하며 구덩이로 들어가려고 한다. 강호가 그런 영순을 보고는 미친 듯이 달려온다.
그리고는 휠체어에서 쿵 내려와 영순을 다리를 잡는다.

강호 엄마… 안 돼… 가지 마… 엄마….

영순 이러면 안 되잖아…. 아무리 말 못하는 짐승이라도 이렇게 억울하게 보내면 안 되는 거잖아!! 불쌍해서 어떡해… 불쌍해서 어떡하냐고!!

강호의 품에서 엉엉엉 울음을 토해내는 영순. 강호도 결국 허엉~~~ 울음을 터뜨린다.

39. 언덕배기 / D

농장에서 조금 떨어진 언덕배기에서 그 광경을 안타깝게 지켜보고 있는 마을 사람들. 우는 여자들도 보이고, 먼 하늘을 보며 한숨을 쉬는 남자들도 보인다.

정씨 아휴… 난 못 보겠어….

눈물을 훔치더니 코를 팽 풀며 고개를 돌리는 정씨. 그때, 저만치에 온갖 피켓과 현수막을 끌어안고 서 있는 트롯백과 눈이 마주친다. 트롯백, 움찔하더니 갑자기 주머니에서 전화기를 꺼내 들고는…

트롯백 아! 여보세요?… 아아… 최 대표… 그러지 않아도 막 전화하려고 했는데…

말하며… 얼른 돌아서 걸어가는 트롯백. 그렇게 잠시 걷다가… 사람들의 시선에서 벗어나자 전화기를 주머니에 넣는다. 문득 손에 들린 피켓을 씁쓸하게 바라보는 트롯백. 이내 홱 피켓을 던져버리더니… 후~ 한숨을 내쉬고는 다시 걷는다.

40. 양씨네, 마당 / D

[꽃선녀 양조장], [꽃선녀 부동산], [꽃선녀 민박] 간판이 나란히 꽂혀 있는 양조장. 양조장 마당 평상에 막걸리 네 통을 가져와 내려놓는 삼식. 영혼 없는 얼굴로 앉아 삼식이 휴대폰을 보고 있는 소 실장과 차 대리.

차 대리 농업 창업 자금, 영농 정착 지원금… 이게 뭐예요?

삼식 여러분 같은 초보 귀농인들이 농촌에 잘 정착할 수 있도록 나라에서 지원을 해주는 거여. 세대당 3억 원, 연 이자 2%, 5년 거치 10년 분할… 캬… 죽이지!

소 실장 아… 저희는 이런 거 필요가 없…

삼식 뭐라고? 돈이 필요가 없다고~오? 아니… 집도 빌려야 되고, 또 하우스도 쳐야 되고, 모종값, 약값, 비료값에 농기계도 사야 되고… 돈 들 데가 한 두 군데가 아닐 텐디?

소 실장 괜찮습니다.

삼식 가만…. 와~ 이거이거 진짜 수상허네…. 자그만치 3억… 거기다 우리 땅값까지 허면 4억… 아니… 그렇게 돈 많은 양반들이 왜 이런 시골에 와서 생전 해보지도 않던 농사를 짓겠다고 허지?

소/차 (꿀꺽)

삼식 흠… 이럴 경우 대개 딱 두 가지 이유가 있지. 첫째…

차 대리 (얼른 말 끊고) 이거 어떻게 신청해요?

홱, 차 대리를 노려보는 소 실장.

CUT TO

소 실장과 차 대리만 앉아 있다. 차 대리 막걸리의 맑은 윗부분만 조심스레 따르더니 쭈욱 마신다.

차 대리 캬~~ 진짜 여기 막걸리 맛 죽이네요… 어떻게 이렇게 만들지?

소 실장 하나만 묻자… 너 일부러 이러는 거니?

차 대리 그게… 솔직히 제가 생각해도 저희가 좀 의심스러워서…. 게다가… 지난번 땅도 사비 털어 샀는데… 농사까지 사비로 지으려면…

소 실장 아니, 농사 지을 생각을 하지 말고 증거를 찾으라고… 증거를!

차 대리 아~~~

소 실장 (막걸리 통을 확 집어 들며) 아후, 내가 이걸…

차 대리 (다급하게 손을 저으며) 아아… 그거 흔들면 안 돼… 내일 아침에 머리 아퍼…

잠시 멈칫했다가… 이내 '야, 이 새끼야!!' 하며 막걸리 통으로 차 대리 머리통을 갈기는 소 실장.

41. 양씨네, 법당 / D

통화하는 삼식. 여러 신령상들이 눈을 부라리고 노려보는 모습이 무섭다.

삼식 아, 네… 형님… 저 삼식인데요…. 아니아니… 돈이 준비된 건 아니고… 형님!!… 조금만 기다려주시면 제가 이자까지 쳐서 2억 갚겠습니다. 하~ 도망이라뇨… 전과자인 제가 삼면이 바다인 이 대한민국에서 태평양호를 피해 어디로 도망가겠습니까? 무엇보다 전 진심으로 제 장기를 간직하고 살고 싶습니다. 네… 그럼요… 딱 한 달! 약속합니다… ♪ **꼭꼭 약속해~!!**

탁! 전화를 끊는 삼식, 후우~ 안도의 한숨을 쉰다.

42. 양씨네, 마당 / D

함박웃음을 지으며 법당에서 나오는 삼식. 그때, 낫을 들고 뛰어 들어오는 양씨.

양씨 어뜬 놈이여? 술 훔쳐 먹는 놈이!!

삼식 와~ 우리 양씨 아저씨네 캅스 도난방지 시스템… 여전히 죽이네요.

양씨 어? 넌 삼식이 아니여?

삼식 친구들 와서 막걸리 몇 병 빼 먹었어유. 지 아부지 앞으로 달아놓으세유.

양씨 야야… 그건. 내일 굿헐 때 쓸려고 따로 빼놓은 건디….

삼식, 들은 체 만 체… 소 실장과 차 대리 앞에 앉는다.

삼식 자, 우리 어디까지 얘기혔쥬? 맞다… 영농자금…. 일단 지원금 신청허려면 농업기술센터에…

양씨 아!… 맞다… 강호네 난리 난 거 아냐?

강호라는 말에 번쩍 귀가 트이는 소 실장과 차 대리.

삼식 난리 정도가 아니쥬… 천재가 하루 아침에 천치가 됐는디….

양씨 아니… 강호 말고 농장 말이여… 거기… 구제역 터져서 돼지들 싹 다 묻었어.

미주 V.O 구제역?!!!

43. 정씨네, 마루 / N

놀란 얼굴의 미주. 정씨 그리고 쌍둥이들이 같이 저녁 밥상에 둘러 앉아 있다.

정씨 비 안 오면 말라 죽고, 너무 오면 썩어 죽고… 태풍에, 냉해에, 병충해에… 나는 뭐 한 해 죽어라 지은 마늘밭 통째로 안 날려봤어? 근디… 이건 비교가 안 댜… 살겠다고 꽥꽥거리고… 발버둥치는 놈들을 그냥 갖다… (고개를 절레절레) 에휴… 보는 나도 마음이 이라고 괴로운디…. 밤낮으로 멕이고 기른 자슥 같은 새끼들을 쌩으로 묻었으니 그 맴이 오죽헐까….

예진 그럼 사자는요? 사자도 죽었어요?

정씨 그나마 강호네 집은 염소 농장서 3키로 이내가 아니라 갸는 살았나 벼.

예진/서진 휴~ 다행이다.

정씨 다행은 뭐가 다행이여… 이게 뭐냐고, 이게… 겨우 몇 메다 차이로 어뜬 건 죽고… 어뜬 건 살고… 에휴~~~

걱정스런 얼굴의 미주.

44. 영순네, 마루 / N

어두운 집, 마루에서 건넌방을 쳐다보며 꿀꿀거리고 있는 아기 돼지 사자.
보면… 건넌방을 뒤지고 있는 소 실장과 차 대리.

차 대리 갑자기 들어오면 어떡하죠?

소 실장 갑자기 나가야지….

차 대리 (아기 돼지 가리키며) 그래도 다행히 쟤는 살았나 보네요. 에휴… 그럼 뭐 해… 그 많은 돼지들 다 잃고… 충격이 엄청 심한가 봐요… 지금까지 농장에서 저러고 있는 거 보면….

소 실장 닥치고 찾으라고…!

차 대리 아무래도 여기도 아닌 것 같아요…. 서류 같은 건 없고 맨 옷하고 신발만…. (쇼핑백 뒤지며) 이것 봐… 또 옷하고, 구두하고… 가발하고… 엥?… 웬 가발….

홱 일어나 다가오더니 쇼핑백을 뺏어 들여다보는 소 실장. 그 안에서 노란색 USB를 꺼내 든다.

45. 돼지 농장 / N

텅 빈 우리 안에서 무릎에 얼굴을 묻고 쭈그리고 앉아 있는 영순. 통로에서 그런 영순을 가만히 바라보는 강호. 어두컴컴했던 우리 안으로 조금씩 해가 들기 시작하며 아침이 밝아온다.

강호 엄마… 이제 그만 가자….

영순, 그 말에 천천히 고개를 들더니… 강호를 바라본다. 말없이 강호를 한참 동안 응시하던 영순이 가만히 입을 연다.

영순 그래… 이제 그만… 가자….

46. 웅렬농약사 / D

농약 가게 안 한쪽 구석에 차려진 네일부스. 벽에 붙은 앙증맞은 작은 간판에 [네일이 찾아오면]이라고 쓰여 있다. 나이 지긋한 아줌마에게 네일아트를 해주고 있는 미주. 이미 네일아트를 끝낸 아줌마들 몇 명이 손가락을 쫙 펴고 호호 불고 있다.

미주 이건 젤이라서 그렇게 안 하셔도 돼요. 이미 다 말랐어요.

손님1 그려? (만져보더니) 그르네… 신기허지 뭐여….

손님2 쌍팔년도에서 왔으? 이게 은제부터 있던 건디….

손님1 아 은제부터 있었건 생전 해봤어야지 알제….

미주 앞으로는 자주 오세요. 다른 분 모셔 오면 50프로 싸게 해드릴게요.

그때, 한 할아버지가 들어온다.

할아버지 고추꽃 피기 시작했는디 약 좀 줘봐.

농약방 사장 아, 으르신 나오셨어요?

사장, 약을 담기 시작하는데…

할아버지 야그 들었어? 저기 조우리 말이여… 구제역 땜시 쑥대밭이 됐다드만.

손님2 네… 들었어요. 넘일인데도 참 속상허지 뭐예요…

손님1 한두 마리도 아니고… 세상에 그 많은 걸 다 어따 묻었대요?

할아버지 염소는 농장 마당에 묻고… 그 돼지 농장 거기는 감자밭에 묻었대드만.

농약방 사장 (약 담다가) 감자밭이요?… 어? 그럼 올해는 감자 농사 못 짓겠네… 어? 잠깐만!!… 근데… 왜 제초제를 사 갔지?

미주, 눈이 커져 스르르 고개를 들더니…

미주 제초제요?… 언제요? 언제 사 갔는데요?

농약방 사장 아까 아침에 문 열자마자

미주, 갑자기 홱 일어나 뛰어나간다.

손님2 어어… 손톱 하다 말고 어디 가?!!

47. 뒷산 / D

강호가 탄 휠체어를 낑낑대며 밀고 산을 오르는 영순. 손목에 낀 농약 가게 비닐봉지가 달랑거린다.

48. 산소 / D

해식의 산소에 난 잡초들을 잡아 뽑는 영순. 산소 앞에 자리를 잡고 서더니…

영순 강호야… 아빠한테 인사해….

강호 아빠…? (얼른 고개를 꾸벅 숙이며) 안녕하세요….

영순 (산소 보며) 여보, 강호 데려왔어요. 어떻게든 일어나 지 발로 걸어오는 모습 보여주려고 했는데… 미안해요.

강호 미안해요….

CUT 10

산소 앞에 앉아 있는 영순. 강호는 갈대를 들고 잠자리를 쫓아다니며 장난치고 있다. 영순, 비닐봉지를 열더니 그 안에서 제초제를 꺼내 든다.

강호 엄마… 옛날에도 우리 이렇게 놀러 온 적 있어요? 나 생각이 안 나… 이런 게 소풍이죠? 그쵸?… 아!… 아니다… 소풍은 김밥이 있어야지?

영순, 강호를 빤히 쳐다보다가…

영순 우리 아들… 이 나쁜 엄마가 남들 다 가는 소풍 한 번을 안 보내줬지?… 예전에 엄마의 엄마, 아빠… 그러니까 니 외할머니, 외할아버지… 그리고 외삼촌이 엄마가 싸준 김밥을 가지고 소풍을 가다가 돌아가셨어…. 그리고 아빠도 엄마가 싸준 김밥을 들고 나갔다가 영영 돌아오지 않았고…. 그게 좀 무서웠어…. 그래서 그랬어… 엄마는 또 다시 혼자가 되는 게 무서웠거든…. 그래서… 그래서… 널 혼자 남겨놓지도 않으려구…. 미안해, 강호야.

영순, 붉어진 눈으로 강호를 보더니… 농약병을 따기 시작한다. 하지만 잘 따지지 않는 농약병… 끙끙대는 영순. 그러자 강호가 다가와 농약병을 탁! 뺏는다. 놀란 얼굴로 강호를 보는 영순… 굳은 얼굴로 영순을 보다가 이내 배시시 웃는 강호.

강호 내가 따줄게요.

강호, 농약병을 따기 시작한다.

강호 대신, 이거 빨리 먹고 내려가서 밥 먹자. 나 배고파…. 배가 고프면 어떡한다? 돼지 먼저 밥을 준다… 사자 밥 줘야지…. 사자가 자라서 새끼 낳고 또 새끼 낳고, 또 새끼 낳으면… 다시 농장도 할 수 있어… 그치? 내가 엄마 많이많이 도와줄게.

후두둑 따지는 농약.

강호 됐다! 자요, 얼른 쭈욱 마셔요….

영순, 울먹울먹한 눈으로 강호를 바라보더니 떨리는 손으로 농약병을 받는다.

49. 영순네 앞 / D

정신없이 뛰어오는 미주. 대문을 두드린다. '아줌마!!!! 아줌마!!!!' 그러나 인기척이 없다. 불길한 예감에 더 힘차게 두드리는 미주. '아줌마… 강호야…' 하는 그때…

삼식 이봐 이봐… 기네… 기여…. 구제역 소식 듣고 강호 걱정돼서 달려온 겨?

미주 혹시 아줌마랑 강호 못 봤어?

삼식 집에 읎어?… 농장도 폐쇄돼서 못 들어간다드만 어디 갔대?

미주, 아줌마!!! 강호야!! 정신없이 문을 두드리는데…

삼식 어? 저기 오네….

보면, 강호 휠체어를 밀고 다가오는 초췌한 얼굴의 영순.

삼식 아이고, 아줌니 안녕하셨어요?… 얘기 듣고 어찌나 걱정이 되든지… 그래 얼마나 상심이 크세유….

미주, 영순 손에 들린 농약 가게 비닐봉지를 본다. 영순, 그 시선을 느끼고 봉지를 슬그머니 감추려는데… 미주, 저벅저벅 다가오더니 다짜고짜 영순의 손에서 봉지를 탁 뺏는다.

미주 이거… 제초제… 마늘밭에 있는 엄마한테 갖다주면 되는 거죠?

영순, 가만히 미주를 본다. 눈물이 고이는 미주의 눈… 영순의 붉어진 눈과 한동안 마주친다.

미주 그죠?!!

영순 (고개를 끄덕끄덕) 으응….

미주 네, 그럼 들어가세요.

미주, 홱 돌아서 걷는다. 그렇게 몇 발자국을 걷다 멈춰 서는 미주, 다시 돌아보더니…

미주 강호야…

강호 네?

미주 내일 우리 서진이 하고 목욕탕 좀 같이 가줄래? 삼식이도 같이 갈 거야.

놀라는 강호. 더 놀라는 삼식.

삼식 내가?… 왜 그래야… 겠지?

강호 (환하게 웃으며) 좋아요… 진짜 좋아요….

미주 고마워… 그럼, 내일 보자… (영순에게) 안녕히 계세요.

미주, 돌아서 간다.

삼식 뭐… 그럼 저도 이만….

삼식, 꾸벅 인사를 하더니 미주를 따라 달려간다. 그런 두 사람의 뒷모습을 가만히 보는 영순.

50. 마을 일각 / N

같이 걷고 있는 미주와 삼식.

삼식 뭐여? 무슨 일 있는 겨?

미주, 아무 말없이 걷자 그런 미주를 잡아 세우는 삼식. 미주의 눈이 붉어져 있다.

삼식 말해 보라고… 뭐여? 왜 갑자기 서진일 데리고 목욕탕을 가랴?… 잠깐만 너 시방 울어? 이거이거 뭐가 있는디? 뭐여? …당장 말 안 혀!!!

미주 있긴 뭐가 있어? 목욕하라는 게 뭐?… 그럼 사람이 목욕을 안 하냐? 너 계속 그렇게 드럽게 살 거야?

미주, 홱 돌아서 걸어간다.

삼식 씻을게!!!… 씻으면 되잖여… 내가 드러운 게 니가 울 일이여? 똥은 무서운디 나는 드럽냐고? (미주가 멀어지자) 훗… 딱 보니께 아들래미가 아빠랑 목욕탕 가고 싶다고 혀서 맴이 아팠네…. 이그… 수줍어서 말도 못 허고… 기껏 바보 끌어들여 돌려 말헌 겨? 하여간… (큰소리로) 오늘도 귀여웠다!!! 이미주!!!!! 자, 그럼 어디… 아들래미랑 목욕할 준비 좀 혀볼까?

삼식, 발랄하게 뛰어간다.

51. 영순네, 안방 / N

손가방 하나를 안고 곤히 잠든 강호. 영순, 그런 강호의 품에서 가방을 빼낸다. 가방을 열어보는 영순. 샴푸, 린스, 비누, 칫솔 등등이 들어 있다. 씁쓸한 얼굴로 강호를 보는 영순. 그때… '강호야… 강호 엄마 있어?' 하는 소리가 들린다.

52. 영순네, 마루 / N

영순의 손을 꼭 잡고 앉아 있는 정씨. 그리고 영순의 등을 토닥토닥해 주고 있는 박씨.

정씨 뭔 말이 위로가 되겠어… 그래도 강호 생각해서 기운내야제… 안 그려?

영순 ….

박씨 며칠 전에 쓰러져서 병원도 갔다 왔다미….

정씨 에?… 그렸어? 은제?

박씨 밤새 새끼 받는다고 무리허다 그랬디야. 이런 말 좀 뭐하지만… '차라리 잘됐다… 이참에 쫌 쉬면서 몸 좀 챙기자…' 그렇게 생각혀….

정씨 그려… 평생 농장 허면서 단 하루를 맘 편히 쉰 적 있어? 이참에 우리랑 쩌기 온천도 좀 다녀오고 단풍 구경도 가고… 맛있는 것도 사 먹고… 그르자.

영순 고맙습니다… (고개를 푹 숙이고 있다가 다시 들더니) 잠깐만요….

영순, 일어나 방 안으로 들어가더니 명품 가방과 모피가 든 종이봉투를 들고 나온다. 명품 가방을 박씨에게 그리고 모피를 정씨에게 건네는 영순.

영순 이거…

박씨 이게 뭐여? (안을 들여다보더니) 아니… 이걸 왜?

영순 두 형님 덕에 그동안 힘든 날들 잘 견뎠어요. 그 감사한 마음… 겨우 이런 걸로 갚을 수 없겠지만… 받아주세요.

정씨 (모피 다시 주며) 왜 이랴… 미쳤나 벼…

박씨 (눈치 보다가 아깝지만 그래도) 그려… 이건 아니여… 게다가 이건 강호 색시가… 아니아니… (얼른 입을 막는다)

영순 맞아요. 그래서 그래요. 나 이거 보고 있음 기분이 안 좋아… 뭐 정 싫으시면 갖다 버려야지….

그 말에 재빠르게 모피와 가방과 집어 드는 정씨와 박씨. 영순, 빙그레 웃는다.

53. 영순네 앞 / D

쾅! 문을 열고 나오는 강호. 서진과 예진이 미주와 함께 서 있다.

강호 서진아! 예진아!

꺄악!!!! 서로 얼싸안고 좋아하는 강호와 서진, 예진. 그런 세 사람을 물끄러미 바라보는 미주와 영순.

강호 (어딘가 보며 손을 흔들며) 여기야, 여기!!

보면 저쪽에서 삼식이가 칫솔 하나 들고 직직 슬리퍼를 끌며 다가온다.

미주 (삼식에게) 넌 목욕탕 가면서 가방도 안 챙기고 그러고 오냐?

삼식 거 가면 다 있어… 니가 뭘 알아 남자의 목욕탕을… (쌍둥이들 보더니) 아! 니들이 그 유명한 쌍둥이들이구나? 반가워… 난 곧 아빠가 될…

순간, 삼식을 발을 팍! 밟는 미주.

삼식 으악!!!! 아파… (발가락 움켜잡고) 아파아파….

서진 정말 '아파'가 됐네….

예진 그르게… 누군지 몰러도 참 용허네~

강호 (얼른) 얘는 내 친구 삼식이야.

예진 삼식이면… 그 유명한… 도둑노…

미주 (얼른 예진 입을 막더니) 자자… 그만 가자. (영순에게) 다녀올게요.

영순 그래… (강호에게 목욕 가방 건네며) 깨끗하게 때도 밀고… 잘 씻고 와.

강호 네!!!

신나서 가는 강호, 서진, 예진… '같이 가!!' 하며 그 뒤를 따라가는 삼식. 그 모습을 물끄러미 바라보다가 하늘을 바라보는 영순… 하아~ 한숨을 내쉰다.

54. 변호사 사무실 / D

집문서, 땅문서 등의 서류들과 통장들이 놓여 있다.

영순 앞으로 몸은 점점 더 나빠질 거고… 언제 어떻게 잘못될지도 모르고…. 이제 남은 건 아픈 아들한테 짐 되는 일밖에 없을 것 같아서요.

변호사, 안타까운 얼굴로 고개를 끄덕끄덕하더니…

변호사 아드님이 계실 재활요양원은 구하셨구요?

영순 네… 비용은 매달 여기 이 통장에서 자동으로 나가게 해놨어요. 나중이라도 저희 아들이 정상으로 돌아오면 남은 재산 다 상속해 주시고… 만약 혹시라도… 그렇지 못하면 여기 이 유언장대로 처리해 주시면 돼요.

변호사 알겠습니다. 남은 일은 제게 맡기시고 몸조리 잘하십시오.

영순 잘 좀 부탁드리겠습니다.

55. 우벽그룹, 회장실 / D

하하하하하하하하하하하하하하하하하하. 송 회장의 호탕한 웃음소리가 난무한 가운데 긴장한 얼굴의 소 실장과 차 대리가 함께 서 있다. 노트북 화면에는 여자로 변장한 최강호가 PC방에서 작업하던 CCTV 화면이 보인다.
송 회장 책상에는 노란색 USB, 빨간 하이힐, 가발 등이 놓여 있다.

송 회장 그러니까네 그동안 우리 우벽에 대해 까발린 게 최강호였다, 이기제? 이래 이쁜 가발에… 아이고야 이 구두는 높아서 우째 신었노? 이기이기 발에 들어가나?

송 회장, 하이힐을 신어보려고 끙끙댄다.

소 실장 최강호… 그냥 처리해 버리는 게 어떨까요?

송 회장 (소 실장을 보더니) 뭔 소리고?

소 실장 혹여나… 정신이 돌아오면 회장님께 어떤 위협이 될지….

송 회장 하하하 하하하하… 위협?… 어이 봐라… 강호 점마… 지 손으로 까발리고 지 발로 다 해결하고 댕겼다이…. 와 그랬겠노? 그 돈도 빽도 읎는 놈이 어떻게든 족보 하나 만들어 볼끼라고 기를 쓴… 아이지… (가발 들고) 가발을 쓴 거 아이겠나?… 남자가 뭔가 야망을 품었으믄 이래 해야 되는 기다. 으이? 하~ 고놈… 생각할수록 아깝다이…. 사고만 아이었으모 도상그룹이든 오태수든 진즉에 작살을 냈을 긴데….

송 회장, 다가오더니 소 실장의 어깨를 탁 잡는다.

송 회장 자… 우리 소 실장이 야심차게 포심패스트볼 한번 던졌는데… 이기 살짝 빠졌뻤다… 그제?… 다음에는 내 꺼 말고 점마 꺼 가 온나~

송 회장이 티브이를 가리킨다. 오태수 의원이 TK지역에서 우세한 표 차이로 승리한 가운데, 경선 최대 승부처인 호남 표심 집중 공략 대세 굳히기에 나섰다는 뉴스가 보도되고 있다.

56. 목욕탕, 탈의실 / D

티브이에서 역시나 오태수 관련 뉴스가 흐르고 있고, 티브이 앞에서 서진의 머리를 말려주고 있는 강호. 그때 삼식이 다가와 드라이기를 뺏는다.

삼식 비켜… 어딜 넘봐… 이 자린 내 자리여!

삼식, 서진의 머리를 말려준다. 그때, 들려오는 오태수의 목소리에
티브이 쪽으로 시선을 돌리는 강호. 연설하는 오태수가 보인다.
'개천에서 용이 나는 세상!!! 이것이 저 오태수가 만들어갈 세상입니다'

강호 너한테 이상한 냄새가 나….

삼식 냄새?… 무슨 냄새?… 뽀득뽀득 감겼는디? (자기 몸 킁킁대며) 난가?

강호 개천에서 난 용이라 흙 비린내가 나는 건가?

삼식, '뭐라는 거야?' 하는 눈으로 강호를 보다가 강호의 시선을 따라
티브이를 본다. 환호하는 사람들 속 오태수 모습이 보인다.

57. 목욕탕 앞 / D

목욕탕을 나오는 강호와 삼식, 서진. 앞에 영순이 미주와 예진과 함께 서 있다.

강호 어?… 엄마다!… 엄마!!!!

강호가 영순에게로 온다.

영순 애도 힘든데 강호까지 씻기느라 고생 많았지?

미주 아휴, 고생은 무슨… 아니에요….

삼식 아니 고생헌 건 난디… 왜 니가 아니랴~?

영순 그래 고마워, 삼식아… 나랑 강호는 같이 갈 데가 있어서 여기서 인사하자. (강호 보며) 강호야… 인사해.

강호 (삼식에게) 고마워… (미주에게) 고맙습니다….
서진아, 예진아 안녕~

서진 (손 흔들며) 다음 주에도 목욕탕 꼭 같이 오자?!

강호 (같이 손 흔들며) 응!!! 그러자!!

영순과 강호가 돌아서서 트럭에 오른다. 차가 출발하자 룸미러로 보이는 미주, 예진, 서진…. 강호, 창문을 열고 '안녕~~~~~!!!' 오래오래 손을 흔든다.

58. **재활요양원, 원장실 / D**

서류를 작성하고 있는 영순. 강호, 한쪽에 있는 어항의 물고기를 보고 있다.

원장 네… 서류는 다 되셨구요. 앞으로 아드님은 잘 저희가 돌볼 테니 아무 걱정하지 마세요.

영순, 강호를 스윽 보더니… 다가온다.

영순 　　강호야.

강호 　　네.

영순 　　(강호의 얼굴 쓰다듬으며) 오늘부터 강호는 여기서 살면서 치료를 받을 거야. 여기는 훌륭한 의사 선생님도 계시고, 좋은 재활 기구들도 많고…. 그래서 우리 아들 빨리 걸을 수 있게 도와주실 거야.

강호 　　(가만히 보더니) 나… 이제 여기서 살아요?…

영순 　　응….

강호 　　엄마랑 같이?

가만히 강호를 바라보는 영순… 고개를 젓는다.

영순 　　아니… 엄마는 같이 못 살아….

강호 　　같이 못 살아?… 왜요?…

영순 　　그건…

영순, 잠시 머뭇거리다… 이내 표정을 다잡고는…

영순 　　근데… 강호야… 우리 강호가 선생님 말씀 잘 듣고, 건강해져서 다시 걸을 수 있게 되면 그때 엄마가 다시 데리러 올… 데리러…

영순… 차마 그 뒷말을 못 잇고… 가만히 강호를 본다. 한동안 말없이 서로를 바라보는 두 사람…. 강호, 이내… 천천히 입을 연다.

강호 엄마… 좋은 데 가요?

영순 !!!

점점점 붉어져 오는 강호의 눈.

강호 맞아요?… 혼자서 좋은 데 가요?

영순 (차마 말을 잇지 못하는데…)

강호 잘못했어요, 엄마…. 이제 다신 나쁜 짓 안 할게… 엄마 말도 잘 듣고, 가지 말라는 데도 안 가고… 운동도 열심히 할게…. 강아지 사달란 말도 안 할게… 그러니까 가지 마요… 나도 데려가… 나도 데려가요… 엄마….

강호의 눈에서 눈물이 뚝뚝뚝 떨어진다.

59. 재활요양원 앞 / D

문이 열리자 뛰어나오는 영순. 급하게 트럭에 올라 시동을 걸고 출발한다. '엄마!!!! … 엄마!!!! …' 울부짖으며 따라 나오는 강호를 붙잡는 요양사들.

60. 도로 / D

끼익! 도로 한쪽에 차를 세우는 영순. 흐흐흑 무너져 운다.

61. 영순네, 마루 / D

카메라가 집 안을 천천히 훑으면… 마당에 쌓여 있는 박스들, 살림살이 등 마치 이삿짐을 챙겨놓은 듯하고… 휑해진 방 안, 열려 있는 장롱과 서랍장들은 깨끗하게 비어 있다. 한쪽 구석에서 끙끙하는 인기척이 들린다.
보면, 의자 하나를 놓고 서까래에 밧줄을 걸려고 바둥대고 있는 영순.
그때, 전화가 울린다…. 주머니에서 꺼내 보면 [사랑하는 우리 아들]이다.
끊어버리고 다시 끈을 걸려고 바둥대는 영순. 또 다시 전화가 울린다.
영순, 아예 전화기를 꺼버린다.

62. 재활요양원, 로비 / D

원장을 비롯한 요양사들이 우왕좌왕한다.

요양사 어머님이 전화를 아예 꺼놨나 봐요, 어떡하죠?

원장 그러게… 잘 봤어야지, 입소 첫날부터 이게 뭔 일이야! 일단 경찰서부터 연락해!

63. 도로 / D

미친 듯이 달리고 있는 강호. 길이 갈리는 곳에서 멈춰 서더니 휴대폰을 꺼내 말한다.

강호 하이, 주니… 우리 집 가는 길 가르쳐줘!

휴대폰 화면에 지도가 뜬다. 강호, 왼쪽으로 홱 꺾어 다시 달린다.

64. 영순네, 안방 / D

화장대 앞에 정갈한 옷차림으로 앉아 있는 영순.
[조우리 마을 여러분들에게]라고 쓰인 봉투에 접힌 편지를 넣는다. 화장대 거울을 물끄러미 바라보며 머리를 잘 가다듬는 영순. 그때, 거울 속에 비친 액자들이 보인다. 고개를 돌려 액자들을 바라보는 영순. 다가와 강호와 영순, 그리고 해식의 오려진 사진이 같이 있는 강호의 돌 사진을 떼어내 들여다본다. 울먹해지는 얼굴…. 하지만 이내 사진을 다시 붙여놓고 돌아서는데… 똥을 잔뜩 묻힌 아기 돼지 사자가 영순을 쳐다보고 있다.

65. 도로 / D

빵빵거리는 차들. 그 사이를 정신없이 달리고 있는 강호. 그러다 바퀴에 걸려 손톱 중간이 팍! 찢긴다. 피가 새어나오는 손톱으로 핸드폰을 들고 보더니… 다시 달린다.

66. 영순네, 마루 / D

사자를 깨끗하게 목욕시켜 수건으로 닦으며 안고 나오는 영순. 바닥에 내려놓고 사료 통에 사료를 가득 부어준다. 그러다 문득 댓돌 위에 어지럽게 놓인 자신의 신발을 보는 영순. 다가가 신발을 가지런히 놓더니 멈칫. 댓돌 아래에 손을 넣어보는 영순. 안쪽에서 강호의 구두를 꺼낸다. 가만히 구두를 바라보는 영순. 마루에 스르르 앉더니 강호의 구두를 소매춤으로 닦기 시작한다. 구두 위로 자꾸만 눈물… 닦아도 닦아도 계속해서 뚝뚝 떨어진다.

67. 정씨네, 마당 / D

미주와 정씨가 수돗가에 앉아 예진과 서진의 실내화와 유치원 가방을 빨고 있다. 평상에 앉아 슬라임을 가지고 노는 예진, 그 모습을 동영상으로 찍고 있는 서진.

정씨 애 씻기는 게 보통 일이 아닌디… 삼식이가 고생이 많았겄네….

서진 강호가 씻겨줬는디?

정씨 엥? 강호가?

서진 네… 때도 밀어주고… 머리도 감겨주고… 되게 잘혀요….
꼭 아빠 같았어요.

순간, 슬라임 만지던 손으로 서진이의 머리채를 탁 휘어잡는 예진.

예진 야!… 그 말 취소혀!! 빨리!!

서진 아아… 아파… 이거 놔!!

예진 어따 대고 강호를 감히 아빠랑 비교혀?… 바보가 어떻게 울 아빠냐고?!!

서진 (비명) 아아~~~!

미주 이예진!!!!!

버럭 소리 지르는 미주의 목소리에 놀라는 예진. 미주, 달려와 예진의 엉덩이를 손으로 팡팡 때린다.

미주 이놈의 기집애!! 누가 오빠 머리채 잡고 그래? 어? 어?

정씨 (미주 말리며) 아휴… 왜 이랴… 그만 혀…

정씨가 말리는 틈을 타서 도망가는 예진. 홱 돌아보더니…

예진 우리 아빠는 엄청 멋있고, 돈도 많고, 똑똑한 사람이라고!!… 꼭 그래야 된다고!!!!… 아무것도 모르면서… 엄마 나빠!!!

예진, 눈에서 눈물이 뚝뚝 떨어지더니 팩 돌아서 들어가버린다.

68. **정씨네 앞 / D**

나오는 미주. 하아~ 답답한 듯 먼 하늘을 보고 한숨을 쉬는데… 빗방울이 한두 방울 떨어진다. 손을 들어 빗방울을 만져보는 미주. 그때, '엄마!!!!

엄마!!!!' 하는 울음 섞인 소리가 들리더니 강호가 미주를 지나쳐 달려간다. '어?…' 미주, 강호를 부르려고 하는데… 다급하게 휠체어를 밀고 저만치 사라져버리는 강호.

69. 영순네, 마루 / D

마루 바닥에 유서를 잘 내려놓는 영순. 의자로 올라서서 밧줄 올가미에 머리를 집어 넣는다. 그때, 영순의 눈에 해식의 영정 사진이 보인다. 벌게진 눈으로 가만히 영정을 바라보던 영순… 의자를 팍! 친다. 순간, 쾅! 열리는 대문. '엄마!!!!!!!!!!!!!!!!' 하며 강호가 들어선다. 컥! 매달린 채 강호를 보고 눈이 커지는 영순. 강호, 역시 캑캑거리고 있는 영순을 보고 놀란다.

강호 엄마!!!!!!!!!

강호, 미친 듯이 휠체어를 밀고 들어와 마루로 올라오더니 매달린 영순을 향해 팔을 뻗는다. 순간, 엄마를 살려야 된다는 본능에 자신도 모르게 몸을 일으키는 강호. 영순의 두 다리를 덥썩 끌어안고… 선다!

배우 인터뷰

이도현

최강호 역

일곱 살과 냉혈한 검사를 오가는 '강호' 역을 맡으셨습니다. 연기하기가 쉽지 않았을 텐데도 '연기가 디테일하다'는 평을 들은 작품입니다. '강호'를 연기하기 위해 특별히 신경 썼던 '나만의 디테일'이 있었나요?

너무 과찬이신 것 같네요. 많이 부족했는데 좋게 봐주셔서 감사합니다! 검사 시절과 기억을 잃고 일곱 살로 돌아갔을 때의 강호의 모습들에 간극은 극명하게 있지만, 제 나름대로는 같은 인물이라는 걸 어떻게 하면 표현할 수 있을까에 대한 생각을 많이 했어요. 너무나 다른 두 캐릭터지만 최대한 하나의 인물로 보여질 수 있게끔 현장에서 다양하게 연기를 시도했습니다.

〈나쁜엄마〉는 코미디와 드라마 사이, 감정의 폭이 큰 작품이었죠. 특히나 감정에 집중하는 데에 공을 들이셨을 것 같은데, 가장 신경 썼던 점이 있다면요?

강호와 연결되어 있는 모든 인물들과의 관계에 대해서 두루두루 신경을 쓰려고 했는데, 사실 감정을 집중할 수 있게 도와준 건 다른 배우분들이었어요. 제가 집중을 하려고 애쓰지 않아도 될 정도로 이미 현장에서 만난 선후배 배우님들은 조우리 마을사람들 그 자체였거든요. 엄마, 미주, 삼식이, 모든 배우분들께서 이미 그 인물이 되어 있으셔서 편하게 연기 할 수 있는 환경이 조성되었던 것 같아요.

게다가 소품과 의상, 미술적인 부분들도 훌륭했어요. 이미 드라마의 배경이 완벽하게 세팅되어 있다 보니 저는 그냥 그 속에서 최강호로서 존재하기만 하면 될 정도였어요. 그래서 작품을 준비해 주신 모든 분들께 너무너무 감사한 마음이죠.

매회 눈물을 참을 수 없는 장면들이 많아 연기하시며 어떻게 감정을 절제했나 경이로울 정도인데요. 촬영을 마친 후에도 유독 감정을 참기 어려웠던 씬이 있었나요?

엄마와 함께 하는 장면들은 늘 참기 어려웠어요. 근데 라미란 선배님은 정말 딱 적재적소에 맞게 감정 컨트롤을 하시는 모습이 너무 신기하더라고요. 그래서 선배님이 어떻게 연기하시는지를 관찰하면서 저도 촬영하는 동안 따라 해 보고… 계속 도전했었는데 쉽지 않더라고요.

조우리의 개성 넘치는 캐릭터 중 떠올리면 미소가 절로 나오는, 최애 인물이 있나요?

다요! 정말 다! 한 분 한 분이 다 너무 개성 넘치고 특이하고 재밌으셔서 조우리 마을로 촬영을 하러 갈 때면 괜히 제 마음도 무척 밝아졌던 것 같아요. 조우리에서 촬영을 하다가 식사 시간이나 중간에 텀이 있을 때, 우연히 선배님들이나 다른 동료 배우들을 만나면 그냥 정말 그 마을 사람들 같아 반가웠어요.

강호와 미주, '호미' 커플에 대한 반응이 뜨거웠습니다. 여느 로맨스 드라마의 남자 주인공, 여자 주인공과는 달리 우정과 사랑을 동시에 나누는 운명의 공동체 느낌인데요. 현장에서 서로의 호흡은 어땠는지 궁금합니다.

누나는 현장에 항상 아이디어를 엄청 많이 가져와서 이것저것 다양하게 시도할 수 있었는데요, 그러다 보니 연기의 방향성이 다양해졌죠. 너무 좋은 경험이었어요. 누나한테도 엄청 많이 배웠습니다, 정말! 한 씬 한 씬 찍을 때 마다 어떻게 하면 더 좋은 장면이 나올 수 있을지에 대해 미주와 같이 의논하고 만들어가는 과정들이 너무 행복했던 기억으로 남았어요. 이 자리를 빌려 누나에게 무지 고맙다고 말해주고 싶습니다.

타 인터뷰에서, "(답답해서) 작품을 할 때마다 한 번씩 운다"고 말씀하셨습니다. 〈나쁜엄마〉를 촬영하면서도 그런 순간이 있었다고 하셨는데, 어떤 장면이었나요?

사실 이번 작품에서는 우는 장면이 너무 많았다 보니까, 제가 언제 어디서 울었는지 정확히 기억하지는 못해요… 다만 연기하면서 답답했던 순간들은 많았어요. 연기적으로 고민이 정말 많았던 작품이었거든요.

그럼에도 불구하고 매회, 매 장면마다 완벽한 연기를 보여주셨는데요, 개인적으로 연기하면서 행복했던 장면이 있다면 어떤 장면일까요?

이 작품에서 연기하면서 무척 행복했습니다. 왜냐면 정말 많이 배우고 깨달은 게 많거든요! 감독님과 선배님들, 동료 배우들, 스태프 분들 모두에게요! 물론 이게 끝이 아니고 연기에 끝은 없고 정답은 없지만, 제가 그 동안 갖고 있던 가치관이나 방향들이 좋은 쪽으로 더 발전이 된 것 같다고 느껴져요. 그래서 엄청 행복합니다!

극 중에 이런 대사가 있죠. "사람들은 누구나 어린 시절로 돌아가고 싶어 하거든? 그러면 바꿀 수 있는 게 엄청 많거든." 일곱

살로 돌아간 강호처럼, 배우님이 과거의 어떤 순간으로 돌아갈 수 있다면 언제로 돌아가고 싶으신가요?

아, 저는 지금이 너무 좋아요! 그래도 굳이 돌아간다면 중학생이나 고등학생으로 돌아가서 동생이랑 시간을 좀 많이 보내고 싶어요. 그 당시에는 저에게 사춘기가 좀 별나게 왔던 터라 동생한테 너무 못해준 것 같거든요.

〈나쁜엄마〉를 통해 배우 이도현은 어떤 성장, 또는 배움을 얻었나요?

제 연기 경력이 엄청 길진 않지만 짧게나마 제가 가지고 있던 연기의 가치관이나 신념, 방향성 같은 부분들이 좋은 길로 한 발 나아간 것 같다는 생각이 들었고요. 그래서 〈나쁜엄마〉는 너무 행복했던 작품으로 깊숙이 남아 있습니다.

마지막으로 〈나쁜엄마〉를 사랑해 주신 시청자분들에게 한마디 부탁드립니다.

〈나쁜엄마〉를 사랑해 주신 시청자 여러분, 여러분들의 사랑과 관심으로 저희 드라마가 잘 막을 내릴 수 있었습니다. 저희 드라마를 통해서 여러분들의 마음 한 켠에 작은 새싹이 돋아났다면, 정말 좋을 것 같네요. 너무너무 감사합니다! 앞으로 더 좋은 연기로 더 좋은 배우로서 여러분들께 인사 드리러 갈게요! 이상 드라마 〈나쁜엄마〉의 나쁜 아들 최강호였습니다!

안은진

이미주 역

사랑하는 사람에게 헌신적이면서도 자신의 삶을 누구보다 주체적으로 살아가는 인물, '미주' 역을 맡아주셨습니다. '미주'는 배우님이 보시기에 어떤 사람인가요?

미주는 말씀해 주신 그대로, 사랑하는 사람에게 헌신적이면서도 누구보다 자신의 삶을 주체적으로 살아가는 인물이에요. 어릴 적 미주의 모습도 그랬지만 성인이 된 미주도, 아무리 힘든 일이 있어도 자기 방식대로 이겨내며 주체적으로 살아가죠. 그건 아마 미주가 가지고 있는 큰 자존감 때문인 것 같아요. 자기 자신을 존중하고 사랑하는 힘이 크기 때문에 사랑하는 사람에게도 헌신적인 사랑을 베풀 수 있다고 생각하거든요. 그래서 강호에게 이별 통보를 받고도 혼자 아이들을 낳고, 자신의 삶을 능동적으로 살아낼 수 있다고 생각했어요. 그랬기 때문에 몇 년이 지난 지금 그를 다시 마주한다 해도 피하지 않고, 오히려 강호를 보듬어줄 수 있는 힘까지 생겼다고 생각하고요. 게다가 미주도 엄마가 되었잖아요. 그래서 그 힘이 더 커졌을 것 같아요. 왜냐하면 엄마는 언제나 강하니까요.

미주는 배우 안은진과 닮아 있나요?

제가 미주 캐릭터를 처음 만났을 때, 캐릭터를 따라가는데 크게 어렵지 않았던 것 같아요. 미주와 닮은 점이 꽤 있다는 생각이 들었거든요. (웃음) 어떤 힘든 일이 있어도, 끝내 무너지지 않고 이겨내는 힘. 그리고 긍정적으로 살아가려는 에너지를 닮은 것 같아요. 물론, 미주처럼 세상이 무너질 것 같은 상황에서 미주보다 더 큰 힘을 낼 수 있을지는 자신이 없지만요… 그럼에도 긍정적으로 이겨내려는 힘은 닮았다고 생각해요.

'호미' 커플(강호, 미주)**에 대한 반응이 뜨거웠어요. 짧은 몽타주로만 보기 아쉬워하는 사람들이 많을 정도로요. 현장에서 호흡은 어땠나요?**

처음 이 대본을 받았을 때, 미주 캐릭터의 키는 과거 몽타주에 있다는 생각이 들었어요. 과거 호미 커플의 사랑이 애틋하고 단단할수록 사람들이 미주와 강호를 더욱 깊이 이해하고 응원할 거라 생각했거든요. 그래서 이도현 배우에게도, 스타일리스트 팀에도 아이디어를 많이 냈던 기억이 나요. 함께 지낼 때 입던 커플 잠옷이라던가, 함께 놀러 다닐 때 입던 커플룩이라던가, 스킨십의 편안함 정도라던가. 그런 부분들이 이 커플을 더욱 예쁘고 사랑스럽고, 진짜처럼 만들어줄 거라 생각했어요. 그래서 몽타주 씬들은 제가 생각하는 예쁜 연애의 로망들이 많이 들어가 있어요.
강호와 함께하는 과거 씬들에는 편안하게 접근했어요. 다른 생각 없이 온전히 사랑하는 그대로를 표현하기만 하면 됐었거든요. 그리고 또 이도현 배우와 티키타카가 잘 맞아서 여러 가지를 시도해 보고 더 재밌는 것들로 만들어갈 수 있었어요. 그런 과거의 장면들이 쌓이니 헤어지는 장면을 찍을 때, 더욱 감정이입이 됐고요. 이별을 고하는 상대에게 그럴 만한 이유가 있을 거라고 믿기에, 마음을 누르고 그가 편히 떠날 수 있도록 도와주는 것. 그것이 미주가 할 수 있는 유일한 방법이었다고 생각해요. 그래서 현재 씬들을 촬영할 때, 과거의 서사들을 가지고 현재 강호를 만날 때부터 다시 시작한다는 생각으로 촬영했어요. 그리고 끊임없이 물어봤어요. 나라면 어떨까. 그런데 역시 미주는 저보다 더 품이 넓은 사람이더라고요. 헤어질 때의 믿음을 여전히 가지고 있었고, 그에 대한 미움도 있겠지만 한편으론 전보다 더 큰 사랑을 품고 있던 거죠.

호미 커플 씬 중에서 가장 좋았던 씬을 꼽으면요?

저는 개인적으로 마지막 화의 미주와 강호의 마지막 모습이 참 좋아요. 우여곡절 끝에 다시 만났지만, 어떠한 큰 감정의 굴곡 없이 마치 원래 다시 만나기로 약속한 사람들 같잖아요. 다시금 서로를 편히 사랑하게 된 두 사람이 참 난난하다는 생각이 들었어요. 이제는 예전과 달리 예진이와 서진이까지 합체해서 말이죠. (웃음)

감정의 폭이 큰 작품이었는데 이 작품을 준비하며 가장 신경 썼던 점이 있다면요? 감정을 잡는 배우님만의 노하우는 무엇이었나요?

개인적으로는 현재 시점의 복잡한 미주의 마음을 표현하는 게 중요하다는 생각이 들었어요. 강호를 다시 만났을 때, 강호가 있는 조우리 마을에 스며드는 과정, 영순의 아픔을 알고 나서 강호를 대할 때… 미주는 씬으로 그 감정의 변화를 풀어간다기보다 짧은 순간이라도 강호와 마주하는 순간에 조금씩 변화하는 모습이 느껴져야 한다고 생각했어요. 그래야 미주가 하는 나중의 선택들이 더욱 지지를 받을 거라 생각했거든요.
그래서 촬영하기 전에 '이런 순간에는 어떨까? 어떻게 강호를 바라보게 될까?' 하며 조금 더 깊이 상상해 보려 노력했던 것 같아요. 그런데 재밌는 건 그 상상 끝에는 어김없이 '어휴… 나라면 복장 터지지' 했다는 거예요. (웃음)

'삼식' 역의 유인수 배우와의 케미도 무척 돋보였습니다. 메이킹 영상을 보니 마치 친구 같더라고요.

개인적으로 삼식이 유인수 배우와는 눈만 봐도 척하면 척하는 사이였어요. 그래서 저희는 너무 즐겁게 촬영했는데 촬영 끝나고 '우리 이렇게 해도 되는 거야?' 하고 걱정을 많이 했어요. (웃음) 하지만 '우리의 심 감독님이 오케이 하셨으니까 됐어' 하고 마무리했던 기억이 나요.

유인수 배우는 아이디어가 참 많아요. 그리고 제가 어떤 아이디어를 내면 일단 즐겁게 같이 시도해 줘서 '찐친' 호흡으로 잘 묻어났던 것 같아요. 그래서 삼식이와 함께 찍은 씬들에는 유인수 배우와 저의 재미있는 아이디어가 많이 녹아들어 있어요.

다른 배우들과의 호흡은 어땠는지도 궁금합니다. 엄마 '정씨' 역할의 강말금 배우, 아이들인 '예진', '서진'과도 함께하는 씬이 많았죠.

촬영을 하면서 가장 쫀쫀하고 재밌었던 씬들은 모두 말금 선배님과 했던 씬이었어요. 엄마의 사랑을 고스란히 느낄 수 있는 씬들은 제가 무얼 하지 않아도 그저 선배님만 따라가면 됐기 때문이에요. 또 선배님은 매 씬마다, 매 컷마다 상대에게 큰 에너지를 주셔서 가만히 있어도 마음이 동요됐어요. 그래서 가장 재밌었던 씬이면서 촬영 전에 가장 궁금한 씬이 말금 선배님과 하는 씬이에요. (웃음)

우리 예진이 서진이와 하는 씬들은 늘 재밌었어요. 아이들이 어디로 튈지 몰라서 열심히 집중하고 있어야 하거든요. 그러다 슛이 들어가면 무섭게 집중하는 예진이와 서진이를 보면서 '아, 이 작품에서 연기 못하면 정말 큰일이다' 하고 무서웠던 기억이 나네요. (웃음)

조우리의 개성 넘치는 캐릭터 중 떠올리면 미소가 절로 나오는, 최애 인물이 있나요?

정말 딱 한 사람만을 꼽을 수는 없을 것 같아요. 조우리 마을 사람들 한 명 한 명을 떠올리면 절로 미소가 지어지거든요. 그만큼 한 분 한 분 매력 있고 사랑스러운 캐릭터인 것 같아요. 결국 서로를 위하는 마음들이 묻어나기 때문에 더욱 사랑스러운 캐릭터로 완성된 것 같아요. 그리고 사실 선배님들과 함께 촬영하면 웃기 바빠요. 원해 선배님의 어디로 튈지 모르는 애드리브를 듣고 있자면… (웃음) 늘 웃음 참느라 진땀을 빼곤 한답니다. 옆에서 계속 이야기를 덧붙이시는데, 한마디 한마디가 어찌나 신박하고 재밌는지 현장에서 정말 많이 웃었던 기억이 나요. (웃음) 다 같이 있을 때 더욱 행복하고 즐거운 현장이었어요.

극 중 이런 대사가 있죠. "사람들은 누구나 어린 시절로 돌아가고 싶어 하거든? 그러면 바꿀 수 있는 게 엄청 많거든." 일곱 살로 돌아간 강호처럼, 배우님이 과거의 어떤 순간으로 돌아갈 수 있다면 언제로 돌아가고 싶으신가요?

저는 개인적으로 과거로 돌아갈 수 있다면, 지금 제 모든 기억을 가지고 유치원생으로 돌아가고 싶어요. 가끔 과거에 했던 선택에 후회가 밀려올 때, 과거로 돌아가면 어땠을까 하는 생각이 들기도 하는데요. 어차피 불가능하니까 그런 생각은 접어두고 앞으로 어떻게 살아갈지에 대해 더욱 집중하려고 해요. 과거에 내가 한 선택들이니 후회를 계속하는 것은 부정적인 에너지를 더욱 지속시킬 뿐이죠. 영화 〈어바웃타임〉을 보고 느낀 건데요, 그저 오늘은 더욱 긍정적으로, 사랑하는 사람들에게 아낌없이 표현하며, 나를 더욱 사랑하며, 순간을 만끽하고 살고 싶어요.

답변 하나하나에 배우님의 건강하고 밝은 에너지가 느껴집니다. 심나연 PD님은 안은진 배우의 밝은 에너지를 눈여겨보았다고 언급하기도 했는데요. 그런 건 쉽게 흉내 낼 수 없죠. 배우

안은진이 가진 밝은 에너지의 원천은 무엇인가요?

저는 저희 엄마의 기질을 참 많이 닮은 것 같아요. 저희 엄마는 자존감이 참 높은 분이시거든요. 힘들고 어려울 때도 어떻게든 다음 방안을 모색할 뿐, 작아지거나 쉽게 무너지지 않아요. 그래서 많은 사람들과 쉽게 친구가 되는 것도 그런 힘인 것 같아요. 그래서 저는 엄마를 보며, 엄마의 인생을 보며, 저렇게 삶을 대하면 '힘든 일이 다가와도 이렇게 버티고 넘어가면 되는구나', '다 별거 아닌게 되는구나' 하며 힘을 내는 것 같아요. 슬픔이나 낙담에 오래 머물러 있지 않고, 긍정적인 감정들로 변환시키는 엄마의 능력을 배워가는 중이에요. 엄마는 제게 긍정, 사랑, 용서 등 많은 것을 당신의 인생으로써 가르쳐주신 분이에요. 또 아빠는 제게 인내, 겸손, 인정을 가르쳐주셨어요. 그런 부모님 밑에서 자랐다는 것만으로도 안전하다는 생각이 드나 봐요.

몇 년 전, 연기하는 게 힘들다는 생각이 들었을 때 엄마께 말씀드렸더니 엄마가 아주 가볍게 '그럼 그만두면 되잖아'라고 말씀하시는 거예요. 저는 그 말에 이마를 탁 쳤어요. '아, 이거 별거 아니구나? 해결방법이 다 있는 거구나?' 라는 걸 느끼면서 또한 내가 얼마나 연기를 사랑하는지에 대해서도 느끼는 계기가 됐죠.

〈나쁜엄마〉를 통해 배우 안은진은 어떤 성장, 또는 배움을 얻었나요?

〈나쁜엄마〉를 통해, 그리고 미주의 말들과 선택들을 통해 연기를 하면서 좀 더 단단한 에너지를 품고 사용할 수 있었어요. 덕분에 저 자신도 함께 단단해지는 순간들을 많이 느껴서, 미주한테 오히려 에너지를 얻은 시간이었어요. 그리고 현장에서 감독님과 모든 스태프분들, 함께하는 배우 선배님들을 통해 이렇게 마음껏 풀어놔도 되나 싶을 정도로 즐겁고 자유롭게 표현할 수 있었던 시간이었어요. 그래서 늘 즐길 수 있던 현장이었습니다.

마지막으로 〈나쁜엄마〉를 사랑해 주신 시청자분들에게 한마디 부탁드립니다.

이렇게 많은 지지와 사랑을 보내주시리라곤 생각하지 못했어요. 물론 즐겁게 촬영했지만 저만큼이나 미주를 이해해 주고 미주의 선택들을 지지해 주셔서 매 방송이 나갈 때마다 행복했어요. 촬영할 때 받은 에너지만큼이나 방영되면서 받은 에너지도 참 많은 것 같아요. 지금까지 〈나쁜엄마〉와 함께해 주시고 큰 사랑과 응원 보내주셔서 정말 감사했습니다. 덕분에 미주로서도 배우로서도 큰 사랑 듬뿍 받아 가는 시간이었어요. 조우리 마을 사람들처럼 언제나 따뜻한 마음 보내주셔서 정말 감사했습니다. 앞으로도 더욱 건강히 연기할 수 있는 배우가 되도록 노력할게요. 언제나 건강하시고 평온한 시간 보내시길 진심으로 바랍니다. 정말 감사했습니다! 미주 은진 올림.

만든 사람들

라미란 이도현 안은진 유인수 정웅인 최무성 서이숙 김원해 장원영 강말금 박보경 백현진 홍비라 기소유 박다온

제공 SLL
제작 드라마하우스 / SLL / 필름몬스터

극본 배세영
연출 심나연 이정화

STAFF

제작 박준서 박철수
책임프로듀서 김소정
총괄프로듀서 이세영
기획프로듀서 연다영
제작프로듀서 최윤아 전형태 강미희
라인프로듀서 김채은 송지현
마케팅 [SLL 콘텐트솔루션] 오승환 김보연
총괄마케팅 [킹스마케팅] 주지성 임형섭 김승우
촬영 장종경 최성원 | 김도희 한상규
포커스풀러 김민웅 정영훈 | 김현수 지용도
촬영팀 박경휘 민세진 고은경 심승보 김찬민 이혁주 |
서준용 구명준 김대현 황영식 배수인 신민정
DIT 남태규 | 김수정
촬영장비렌탈 [썸필름앤디지털]

조명 [스페셜리스트] 유재규 김범준
조명팀 조상현 신유승 장준태 윤동건 홍성학 | 허영목 김민혁 이용훈 김승민 김도일
발전차 [에이치투] 박상환

동시녹음 [써니사운드] 원종혁
[곰사운드] 김남규
동시녹음팀 이건희 김태수 | 임승표 김선홍

그립	[도프그립] 김태훈
	[태성영상] 박승용
그립팀	이명준 최우성 이동찬 | 맹진하 한건 송현준
캐스팅	[JN에이전트] 정치인 이은샘
아역캐스팅	[배우마당] 임나윤 엄이슬 이용아
보조출연	[KS콘텐츠] 홍재창 조윤진 정용호 이환민
동물출연	[애니픽쳐스] 조형옥
무술	[BESTSTUNTTEAM] 강풍 최광락
무술지도	임동은
무술팀	임왕섭 김태야 김수영 임태훈 심상민 박영식 황유현
미술	[난달] 정민경
미술팀	장윤선 김나현 천지윤 이지은 박도현 안소연 배성우
미술지원	김유미 정희재
그래픽	이승희
세트	[아이세트] 우제형
세트팀	김용덕 김윤하 권용호 채병윤 조기남 김영준 최병재 최인준
	김종하 강석민 유영배 김용재
세트진행	염기백
작화	[화이트왁스]
작화팀	최윤석 전민욱 김형근 김종원 김유찬 성승모 이숙자
전식	[태양이엔씨] 정경광
세트장임대	[원방 스튜디오]
소도구	[TEAM101] 조기환 이형주 이종래
소도구팀	이수종 김지호 박석근 이기쁨 권민지 권태현 김현아
인테리어팀	이승은 김세인 지수민 도혜리 이혜나 이설희
소도구지원	윤영수 김성군 박성부 조항재
소도구차량	이한 최동영
의상	[Style7] 양현서 이진숙
의상팀	최서진 강나은 김예림 | 양화령 강선아 장경화
의상지원	이재연 김태림
의상차량	이준석 | 김광산
분장미용	[차차분장] 차민정
분장미용	이선영 김미현 박수연 임미정 김보경 남지현 | 김은하 이승희 박진희 신혜원
분장버스	[킴스뷰티버스] 김원철 | [유진네트관광] 시영수
특수분장	아이락김 김지수

더미제작	[제펫토]
특수효과	[DND라인] 도광섭 도은주
스탭버스	[유진네트관광] 장호정 김성안 | 김범진
연출승합	박용주 | 나병춘
카메라승합	우문기 임외빈 | 허부열
제작승합	권순영
소품특수차량	[(주)인아트윈]
편집	전미숙
서브편집	이현 이초롱
편집보조	박신혜 이혜리
편집실임대	[블라스트]
음악	하근영
음악오퍼레이터	류민지 이광희
음악팀	조은정 김예솔 김세종 이가영 김시은 이수연
OST 제작 및 유통	[SLL] 이아름 이철원 김주리 천단비 김정우 심효식 박수진 김사무엘 김채은 윤승열 백란 소현지
Visual Effects	[OASYS STUDIO] 이지윤
Executive VFX Supervisor	정지형
VFX Supervisor	김소민
VFX Producer	서고은 김헌재 이계선
Compositing Lead	박영진
Compositing Artist	김은정 김수연
Lighting Lead	이은내
Linghting Artist	박성혁 이담
Mattepaint Lead	최돈성
Motion Graphics Artist	김한아
Head of R&D	김상훈
Technical Director	안진석 고혁
VFX Supervisor	엄준호
VFX Producer	박대경 강다비
Financial Lead	김보람
Financial Officer	윤세연
Animation Artist	표성운
Visual Effects	[OPIM DIGITAL]
VFX Supervisor	정석재
Project Manager	Hai Au
Lead Compositor	Huy Hiep

Compositors	My Dung Thanh Huy Hoang Long Phuong Linh Van Minh Quynh Anh Hong Hanh Ba Phan Quang Nam Uyen Nhi
VFX Producer	김진희
Studio Executive	윤성민
사운드믹싱	[studio H] 김시환
사운드효과	김용배 임준용 오호영
폴리사운드	[빅풋사운드] 이승호
DI	[DEXTER THE EYE]
Colorist	이정민
Assistant Colorist	채가희 서강혁
종합편집	[JTBC미디어텍] 이용직
JTBC기술지원	[JTBC미디어텍] 박연옥 김보경 박진우 이현기 박정환
JTBC홍보	채주연 정준영 김보라
JTBC콘텐트마케팅	이혁주 명미선 이희원
JTBC웹기획	이성미 임아름 이소정
JTBC웹운영	윤다원 류재은 양시온
JTBC웹디자인	김지영
JTBC메이킹편집	류미정
JTBC온라인서비스	디지털서비스팀 인코딩실
JTBC미디어컴	이종민 이담희
스틸	[블리스콘텐츠] 김호빈 김민수
메이킹	[퍼블리칸] 김재원 최민석 장원진
홍보대행	[피알제이] 박진희 이미송
온라인홍보대행	[프리엠컴퍼니] 안희수 안은정 조은미 이현아 박은수
포스터디자인	[피그말리온] 박재호 이유희 이서연 박인혜
포스터촬영	이승희
제작관리	[드라마하우스스튜디오] 서선영 백송이 김민아 [SLL] 유한아 손보경
제작기획	[SLL] 김하은
대본인쇄	[엔젤북스] 한동민
보조작가	황수현 김보배
스토리보드	박종원
섭외	[로케이션ON] 신성훈 장민재 박경민 석정연 김정연
SCR	민유주 | 김지영
FD	[조이디] 강상연 최대선 장민이 | 정경환 이강우 김용희 이민영
조연출	이승현 박현수 최동성 최재희

나쁜엄마 대본집 1

1판 1쇄 인쇄 2023년 6월 20일
1판 1쇄 발행 2023년 6월 29일

지은이 배세영

발행인 양원석 **편집장** 차선화 **책임편집** 이슬기
편집 차지혜, 박시솔, 김재연
디자인 onmypaper 정해진 **영업마케팅** 윤우성, 박소정, 이현주, 정다은, 박윤하

펴낸 곳 ㈜알에이치코리아
주소 서울시 금천구 가산디지털2로 53, 20층(가산동, 한라시그마밸리)
편집문의 02-6443-8916 **도서문의** 02-6443-8800
홈페이지 http://rhk.co.kr **등록** 2004년 1월 15일 제2-3726호

ISBN 978-89-255-7635-0 (04810)

"이따 만나."

"나쁜엄마"를 사랑해 주셔서 감사합니다~

정말정말 행복한 5月 이었습니다

이따 만나요 ♡